Пролог

В то хрупкое майское утро Лариса Евгеньевна Белянко проснулась раньше обычного. Что-то не ладилось у благополучной внешне и лишь слегка придавленной жизнью сорокалетней москвички. Что-то смутно томило ее, что-то беспокоило.

То ли это был Макс, ее друг — по-современному бойфренд, а по-старомодному — любовник. Макс был моложе ее на семь лет, играл на бас-гитаре в рок-группе, носил немыслимую прическу и слыл человеком непредсказуемым и ненадежным во всех отношениях. Не исключено, что он ей изменял. Живя с ней вместе, в одной квартире, одной семьей, никогда не приносил денег, однако регулярно требовал обед. Одним словом, тот еще кадр. Но Лариса ничего не могла с собой поделать: она была не старой еще женщиной, и каждый раз, когда она видела своего Макса, какое-то жгучее волнение внутри ее хрупкого, гибкого тела заставляло ее забыть обо всем. Обо всем на свете...

То ли это была ее дочь Мария, семнадцати лет; может, это она беспокоила Ларису и лишала сна. Маша за последние год-два превратилась из гадкого утенка в гибкую — в маму — и очень соблазнительную девицу с пронзительными глазами; и вот теперь некий неопрятного вида юноша так и увивается вокруг нее... Спит она с ним или не спит? Наверняка спит! Спросить, что ли? Так ведь пошлет она ее, свою мамашу, ко всем известным ей чертям, и будет права. А в последнее время что-то уж совсем молчаливая стала — как бы не залетела, дура малолетняя. Ой, чур меня, чур! Даже вслух произнести страшно.

То ли это был бывший муж — Святослав, программист, довольно прилично помогающий им деньгами, но периодически придумывающий какие-то безумные проекты, касающиеся их дочери, либо же вообще впадающий в истерику и грозящий снять с субсидии.

Так, в сумбуре утренних мыслей и тревог, Лариса начала собираться на работу. Она не знала, что волнения ее проистекали из того, что смерть подошла к ней сегодня очень близко, так близко, как никогда раньше. Никто не знает своего часа, но именно сегодня шансы на то, что это нежное утро станет в ее жизни последним, были велики, как никогда. Впрочем, неведение по-своему блаженно...

Глава первая

Человек, впервые видящий Георгия Федоровича Жаворонкова, с большой долей уверенности мог бы предположить, что этот плотный, среднего роста, сдержанный и немногословный мужчина в возрасте «пятьдесят плюс», скорее всего, причастен к миру науки. Правильные черты лица, достойно дополняемые короткой стрижкой, в которой, однако, угадывалась укрощенная парикмахерским искусством потенциально буйная, лишь слегка тронутая отдельными серебристыми нитями шевелюра, внимательный и острый взгляд, очевидное умение сосредоточенно слушать собеседника определенно рисовали в воображении образ профессора университета, заведующего серьезной лабораторией, а то и директора крупного исследовательского института. Особую академичность облику Георгия Федоровича придавали очки в неброской, но явно дорогой оправе, которыми последние два-три года он вынужден был пользоваться во время чтения. Но ни профессором, ни доктором физико-математических наук, ни даже кандидатом искусствоведения Георгий Федорович не был, хотя и вращался всю свою профессиональную жизнь в научной среде и не только пропитался ее атмосферой, но и в значительной степени перенял характерные внешние черты своих подопечных. Генерал-майор Жаворонков заведовал Управлением координации научных исследований в Департаменте науки и культуры центрального аппарата ФСБ.

Несмотря на высокий служебный чин, почти ничего кадрово-военного во внешности Георгия Федоровича не было, ну не прорезалась у него, хоть и рожденного в офицерской семье, та военная косточка, которая так естественно придает непринужденную бравость и щеголеватую молодцеватость истинному служаке. Впрочем, и сама служба не предполагала увлечения внешней атрибутикой. Великолепный мундир, надеваемый считаные разы в год, не стал, да и не мог стать, в силу редкости использования, естественной оболочкой, хотя он и обеспечивал Георгию Федоровичу более внушительный, по-настоящему генеральский вид, чем все его многочисленные и, как правило, дорогостоящие и качественные костюмы, привезенные преимущественно «из-за бугра». Должность предполагала нередкие заграничные вояжи, да и с командировочными было не так скудно, как у простых смертных. И все-таки, все-таки...

Все-таки почему-то происходило так, что все костюмы Георгия Федоровича, в том числе и служебные мундиры, сидели на нем... ну не так чтобы неаккуратно или небрежно, а как-то... чуть-чуть не совсем точно, чуть-чуть... неправильно, что ли... Что поделаешь! Генерал был представителем той породы людей, которые не очень хорошо умеют носить вещи, даже самые фирменные и добротные. Это ведь тоже искусство! А оно либо заложено от рождения, либо воспитывается в детско-юношеском возрасте. Но последнее, разумеется, предполагает наличие перед глазами достойных образцов, с которых можно было бы взять пример. А откуда они могли взяться в жизни провинциального мальчишки, обитателя военных городков? Смешно вспомнить, но лишь к последним курсам института будущий генерал окончательно отрешился от традиционной, в кругу его немногочисленных знакомых и приятелей, манеры своеобразно наводить блеск на, как правило, достаточно стоптанную и перекошенную обувь: сначала правый ботинок об левую брючину с обратной стороны, затем — наоборот.

Считается, что человеческая память сохраняет все увиденное, услышанное, воспринятое. Если это действительно так, то где-то в глубинах сознания Георгия хранилась практически вся география родной страны: одуряющие ароматы уссурийской тайги и жесткая сухость раскаленного воздуха среднеазиатских пустынь, обволакивающая мягкость прибалтийских туманов и сказочная феерия красок Крыма, озвученная рокотом вечного накатного движения бесконечных черноморских волн. Впрочем, Крым — это было нечто исключительно сиюминутное в круговерти служебных перемещений отца Георгия, простого капитана автодорожных войск. А что такое обычный армейский капитан без блата, без могучей «мохнатой» лапы? Тьфу на него — и только! Копейкин ему имя! И два-три месяца случайного крымского благоденствия с объективной закономерностью сменились сдержанной и суровой красотой Северного Урала. Все правильно. И совершенно нечему удивляться. Это в годы войны вас, дорогие лейтенанты и капитаны, скромных, непритязательных и героических до неправдоподобия, с открытой душой привечали в севастопольской мясорубке, а в мирное время найдутся и другие, более достойные, кому, безусловно, более пристало служить Отчизне, охраняя благополучие и безопасность благословенного полуострова.

Отец. Статный, красивый, высокий. Ну не так чтобы очень высокий, но Георгию, чуть-чуть не дотянувшему до отцовского, в общем-то, нормального среднего роста, всегда не хватало для полного счастья этих самых четырех-пяти сантиметров. Фронтовик. Восемнадцатилетним мальчишкой добровольцем ушел в армию после первого курса автодорожного института. Как чрезвычайно образованная личность — средняя школа плюс год вуза — был направлен на офицерские курсы. Разумеется, «строгали» будущий младший командный состав стремительно и поверхностно, что по ситуации первых месяцев и даже лет войны вполне объяснимо. Армия несла жуткие потери, и хоть как-то, хоть кем-нибудь необходимо было затыкать эти дыры, нет, какие там дыры — провалы, кратеры! Но несмотря даже на эту сверхускоренную подготовку, к Сталинградскому апокалипсису младший лейтенант Федор Жаворонков не поспел. Уже был загружен эшелон, уже начали движение, но все-таки 2 февраля 1943 года — день победного завершения Сталинградской битвы — наступило быстрее, чем свежесформированные воинские соединения успели преодолеть путь от Омска до Куйбышева, а посему после Куйбышева вместо Сталинградского направления эшелон с сибиряками был продвинут сразу же значительно западнее.

Таким образом, начать «кушать» настоящую войну в полном ее объеме новоиспеченному младшему лейтенанту довелось лишь под Курском. И было это «кушанье», несмотря на всю его героичность, патриотизм, упоение победным уже порывом, настолько полно горечи, боли и страданий, что отец даже спустя десятилетия терпеть не мог говорить о войне. На конкретные вопросы отвечал односложными «да» — «нет», чаще бурчал что-то невнятное, зажимался, замыкался в себе, мрачнел. И лишь одно воспоминание разглаживало жесткие складки на его лице, лишь одна тема побуждала его улыбнуться с теплом и нежностью: под Курском он встретил маму!

Женщина на войне. Образ, породивший бесчисленное количество легенд, в которых правда тесно переплетена с вымыслом, в которых трепетно-бережное отношение фронтовиков к своим боевым подругам затуманивалось грязью, пошлостью и сальной мутью. Было, было...

Много было всякого и разного. И безумные атаки, в которые поднимала растерявшихся и на какое-то время даже оробевших от беспрерывного одуряющего грохота и воя здоровенных мужиков скромная и застенчивая телефонистка, и неизвестно откуда берущаяся нечеловеческая сила, помогавшая хрупкой и щупленькой санитарке тащить на себе под беспрерывным обстрелом выбитых надолго, а зачастую и навсегда, из нормального человеческого существования рослых, тяжеловесных и в совсем недавнем прошлом исключительно бравых парней. Было. Все было... Был и простой прагматичный расчет, по которому выходило, что альянс с годящимся чуть ли не в деды подполковником не только гарантирует защищенность от посягательств всех его подчиненных, но и обеспечивает достаточно устроенное и даже вполне комфортное, по фронтовым понятиям разумеется, существование. Были и случайные, быстротечные связи без особой привязанности, были и расставания без малейших сожалений... Кто возьмет на себя смелость осуждать этих почти что смертников и смертниц, для которых вся оставшаяся жизнь, возможно, измерялась временем полета уже свистящей пули или омерзительным визгом рваного по краям куска металла? Вот то-то же!

Но случалось и по-другому. Случалось, что мимолетная фронтовая встреча становилась судьбой, самой сутью жизни, если, конечно, ей, этой жизни, предопределен был исключительный шанс: сохраниться и продлиться в счастливой послевоенной действительности.

Именно такая, почти невероятная, удача выпала на долю лейтенанта Федора Жаворонкова, самолично взявшегося доставить на передовую направленную из штаба дивизии для, так сказать, поддержания морального духа бойцов концертную бригаду. Хороша была эта бригада или не очень — какое это имело значение? Потому что с той минуты, как на импровизированную сцену — ну да, откинутые бортовые перекрытия кузова ленд-лизовского «студебекера» — вышла она, Верочка Сотникова, в мозгу лейтенанта Жаворонкова что-то вспыхнуло, сверкнуло, взорвалось.

Как она пела! Боже, как она пела! Разумеется, в голосе ее не было правильности и «поставленности» серьезной вокальной школы. Какая уж тут школа: война! Но искренность, насыщенность, глубина!.. Даже изредка прорывающаяся естественная хрипотца оказывалась необыкновенно органичной и «работала» на создаваемый образ. Значительно позже лейтенанту Жаворонкову довелось узнать, что эта природная выразительность, скорее всего, досталась Верочке в наследство от той самой гордой, самолюбивой и бравировавшей собственной независимостью прапрапрабабки, сбежавшей в свое время из кочевой вольницы цыганского табора с лихим и бравым гусарским корнетом.

Федор и сам был не лишен изрядной артистичности, да и по части «спевания» многим и многим мог дать солидную фору. Ничего удивительного. Ведь голосистый и несомненно музыкально одаренный парень, сибиряк всего лишь в третьем поколении, Федор был внуком обладателя роскошного баса Миколы Жаворонка, перебравшегося в Сибирь с благодатной Украины в конце теперь уже позапрошлого века; строящаяся Транссибирская магистраль требовала огромного количества рабочих рук, все, и малые и старые, оказались при деле, да и заработки были несравнимы с теми, на которые можно было рассчитывать на Украине. Но что значили собственные вокальные возможности юного лейтенанта по сравнению с тем колдовством, которое нес в себе голос Верочки! Никакие сравнения и сопоставления тут были не то что неуместны, а просто смешны!

Потом была ночь, волшебная ночь, которую они провели, сидя на берегу малюсенькой речушки, была луна, бегущая сквозь листву прибрежных деревьев... Разумеется, в деталях подробности этой первой любовной ночи генерал-майору Жаворонкову были неизвестны, вернее, известны лишь в официальной версии. А она гласила, что разговорам не было конца. Они говорили о любимых книгах, фильмах, актерах, буквально обо всем на свете, читали на память любимые стихи... Ночь летела к своему исходу, тени деревьев становились гуще и длиннее. Собственно, у лейтенанта Жаворонкова, к которому его подчиненные относились с большой симпатией и уважением, всячески стараясь обеспечить его мыслимыми удобствами, не было проблемы пригласить приглянувшуюся девушку в свою персональную и вполне достойно оборудованную землянку, что позволило бы им... Ну ясно что. Возможно, так оно и было. Но генерал-майор, как добропорядочный сын, предпочитал придерживаться сложившейся романтической интерпретации: ночь, луна, стихи. А все остальное произошло уже значительно позднее, в маленьком поселочке под Уссурийском, где и был зарегистрирован законный брак старшего лейтенанта Федора Жаворонкова и организаторши небывалого для местного клуба начинания — театрального кружка — Веры Сотниковой и где спустя положенный природой срок соизволил появиться на свет будущий высокопоставленный чин Федеральной службы безопасности.

Что же, и на такие чудеса была горазда завершившаяся великая война. Разбросавшая по огромной стране и по многим государствам разоренной Европы, по тюрьмам и лагерям необъятной державы и по далеким континентам благополучнейшие и крепчайшие семьи, безвозвратно разрубившая прочнейшие узы, к кому-то она оказывалась снисходительно великодушной. Тончайшая ниточка, протянувшаяся от мимолетной фронтовой встречи через десятиминутное свидание на захламленном ночном перроне Горького-Сортировочного, когда часть Федора Жаворонкова перебрасывалась из-под Вены, где ему довелось отпраздновать Победу, на Дальний Восток, не только не потерялась, не оборвалась, но, обретя необыкновенную прочность, уверенно повела за собой молодых влюбленных.

Кстати о Вене. Увидеть город Моцарта, Шуберта, Штрауса, а также еще многих и многих великих и неповторимых солдату-освободителю Федору Жаворонкову так и не удалось. Рабочие пригороды, аккуратные, но достаточно серые и безликие, близлежащие городки, сохранившие, несмотря на прошедшую через них войну, уютность и даже своего рода благостность, и... все. Значительно более успешным «туристом» оказался в будущем сын лейтенанта Жаворонкова, сотрудник всесильного Комитета. Он не только неоднократно и подолгу бывал в австрийской столице, но и, если можно так охарактеризовать чувства правоверного и по служебным обязанностям, и по естественной внутренней потребности советского патриота, очень даже любил Вену, этот своего рода символ буржуазной сытости, благополучия и богатства. Конечно, в далеком опереточном прошлом остались знаменитые легкость, грациозность, изящество, непринужденность, символизировавшие истинную «венскость». Город оброс жирком, набрался фанаберии, не стеснялся демонстрировать чужакам свое высокомерие, где-то даже гордился своим снобизмом. И все-таки Вена, Вена, Вена... И в каждый свой приезд современный чекист Георгий Жаворонков непременно посещал Шванцербергплац, внимательно и неравнодушно вглядывался в черты советского воина-освободителя. Георгию Федоровичу временами казалось, вернее, очень хотелось бы в это верить, что монумент в Вене более искренен и человечен, чем аналогичное сооружение в берлинском Трептов-парке, что в чертах лица вознесшегося над Веной русского солдата, соседствующего с выхолощенными и непроницаемыми масками императоров Габсбургской династии, запечатлено нечто неуловимо, но выразительно передающее облик его отца, юного победоносного лейтенанта.

А между тем эшелон с ниспровергателями тысячелетнего Третьего рейха мчался на восток, туда, откуда является Восходящее Солнце, туда, где прошедшим пол-Европы и одуревшим от ее сильно поколебленного, но не уничтоженного до конца духа многовековой упорядоченности и самоуважения советским парням предстояла встреча с бесстрастными, хладнокровными и самоотверженными воинами Великого Микадо. И... вновь, как это уже было два с лишним года назад в ситуации со Сталинградом, Федор Жаворонков опоздал. О разгроме Квантунской армии, о капитуляции Японии они услышали, находясь еще в районе Байкала. Было ли это невезением или, наоборот, великим и щедрым подарком судьбы?.. Скорее второе. Ведь как-никак, но два полновесных года, проведенных на самой что ни на есть настоящей передовой, многочисленные ситуации, которые иначе чем адски-смертоносным пеклом и назвать нельзя, — и... ни одного, даже мало-мальски серьезного, ранения. Фантастическая, невероятная удача! Несколько мизерных царапин от расщепленных пулями дверных переплетов, осколки витринного стекла, не столько порезавшие руку, сколько в клочья разодравшие, увы, лишь второй день носимую новенькую гимнастерку (так и пришлось завершать войну в сплошных заплатах), легкая контузия. Все! Тогда как в шаге, двух, трех от него гибли, гибли и гибли, без счета и без скидок на прошлые заслуги и подвиги.

Как и многим молодым, потенциально перспективным офицерам, прошедшим через горнило военного лихолетья и не демобилизованным в общем порядке в первые послевоенные месяцы, Федору Жаворонкову предложили продолжить военную службу. И он без особых сомнений и раздумий принял это предложение. Не то чтобы армейская служба казалась ему таким уж привлекательным и радужным будущим, но и таинственная и загадочная «гражданка» с ее непредсказуемостью и с необходимостью принимать какие-то самостоятельные решения для человека, фактически со школьной скамьи шагнувшего в армейскую реальность, рисовалась чем-то абстрактно-отвлеченным и даже до определенной степени пугающим. Здесь же все было знакомым, понятным, вызывало ощущение какой-никакой, но все же уверенности, ясности, определенности.

Да и жесткие строгости и ограничения военного времени, несомненно, стали смягчаться. А это значило, что Вера, Верочка...

И Верочка, решительно отринув всю свою прошлую — до Федора — биографию, примчалась к нему на Дальний Восток, бывший для нее, никогда прежде не пересекавшей Уральский хребет, чем-то нереально далеким, сказочно привлекательным, возбуждающей воображение и фантазию «терра инкогнита» первопроходцев, следопытов, исследователей. «Мчаться», правда, пришлось почти три недели, стараясь, по мере возможности, избегать общения с комендантскими патрулями, а уж если уклониться от подобных встреч не представлялось никакой возможности — в ход пускались молодость, красота, обаяние и артистичность. И, как правило, всегда удавалось почти убедительно объяснить, почему не оформлены должным образом проездные документы для следования через всю страну «к мужу» («муж», разумеется, возводился в чин не менее чем полковника; на всякий случай, так надежнее, а то ведь эти комендантские вахлаки тут же попытаются, так сказать, воспользоваться ситуацией. Полковник же, хоть и находящийся за тысячи верст... Черт его знает, кто он такой, каковы его полномочия и возможности!.. Скорее всего, дамочка врет, но на всякий случай лучше не связываться. Что, позаигрывать больше не с кем, что ли? Хотя бы вон с той, чернявенькой, из шестого вагона). Впрочем, если честно, особых прецедентов по дороге и не было. Ну едет себе красивая женщина к мужу, к любимому, к кому-то там вообще неизвестному... А может, и просто ни к кому определенному, а по каким-то своим таинственным женским делам... И пусть себе едет на здоровье! Ведь война-то закончилась. Война закончилась! ВОЙНА! ЗАКОНЧИЛАСЬ! Впереди — жизнь! Красивая, яркая, полновесная!

Глава вторая

Война закончилась. И потянулась, потекла, полетела, помчалась послевоенная мирно-армейская жизнь простой офицерской семьи. Случались, конечно же случались яркие, праздничные всплески каких-то неординарных событий. Молодость, энергия, энтузиазм бурлили и с радостью откликались на малейшие отклонения от рутинного однообразия повседневности. Но в целом, честно говоря, существование было достаточно серым и скудным. Весьма скромные заработки, неизменная и с каждым годом все более и более гнетущая бытовая неустроенность, вечные чемоданы, коробки, узлы, распиханные по углам списанных казенных шкафов, постоянная, ставшая привычной и обыденной готовность срываться с чуть-чуть было насиженного места и перемещаться за тысячи километров в такой же неухоженный, неприветливый и абсолютно чужой на первых порах угол.

Нет, явно не задалась у Федора Жаворонкова военная карьера. Обаятельный, общительный, с несомненными лидерскими задатками, позволявшими легко и непринужденно стать душой любой компании, ценимый и уважаемый сослуживцами и подчиненными, Федор так и не сумел выработать верный тон при общении с вышестоящим начальством. Излишне прямой и откровенный, с абсолютным неумением, а вернее, нежеланием преданно и подобострастно поддакивать руководящим благоглупостям — если по его убеждениям это действительно были глупости, — капитан Жаворонков был неудобен, а следовательно, и не нужен своему командованию. Отсюда и многочисленные перемещения, отсюда и мучительное, необыкновенно долго ожидаемое перерастание капитанских звездочек в звезду майора, чин, который и стал вершиной служебного продвижения Федора Жаворонкова. Разумеется, ни в какой институт после войны он не вернулся. Куда там! Не до учебы было: служба, семья.

Увы, не удалось и Верочке Жаворонковой реализовать в должной мере свое несомненное артистическое начало. Ее театральная студия, практически в полном составе «переформированная» во время войны в концертные бригады, так и не восстановилась после Победы, а если бы даже и возобновила свою деятельность — смешно, не будешь же ездить учиться с Дальнего Востока в среднюю Россию! Ну а о том, чтобы поискать иную возможность постигать театральное ремесло, даже и мысли не возникало. Опять же: семья, быт, работа. Работы бывали самые разные: Верочка служила и секретаршей, и библиотекаршей, и даже кастеляншей. Но при малейшей возможности, если только поблизости существовал какой-нибудь клуб или Дом культуры, взыгрывала творческая натура, и Верочка буквально на глазах расцветала в родной и любимой атмосфере. Ей приходилось руководить литературными секциями и вокальными кружками, преподавать игру на гитаре и аккордеоне. Но истинное счастье наступало тогда, когда удавалось организовать театральную студию, что-то ставить, инсценировать, сооружать из подручного хлама оформление сцены, расписывать немудреные декорации. Постепенно таких начинаний становилось все больше и больше, нарабатывался опыт, методом проб и ошибок компенсировался недостаток образования. А когда один из ее литературно-сценических монтажей был отмечен на республиканском смотре детского творчества в Сыктывкаре, Вера Александровна Жаворонкова стала признанным специалистом в своем деле, ну, разумеется, на достаточно скромном провинциальном уровне — и тем не менее...

Заработки, к сожалению, были мизерными, но и лишними в бюджете офицерской семьи не являлись.

По мере сил и возможностей Верочка старалась, конечно, как-то обустроить семейный быт. Но это было очень непросто. Извечный кочевой образ жизни, отсутствие зачастую элементарных житейских удобств, более чем умеренные финансовые возможности... Да и, честно говоря, особо умелой и рачительной хозяйкой Веру Александровну никак нельзя было назвать. Ну не лежала у нее душа к кухонным радостям! И хотя нет-нет да и удавалось ей порадовать своих мужиков великолепным обедом — вдруг снова взыгрывала бацилла богемности, размеренная семейная повседневность отступала перед очарованием волшебных слов «репетиция», «спевка», «прогон», и мужички (а их было уже трое, через два с половиной года после Георгия родился озорной, горластый и неукротимый Лешка) вынуждены были довольствоваться огромной кастрюлей вермишели (ладно еще, если чем-то заправленной, а то и просто так, в «холостом», так сказать, виде) или наскоро сварганенной картошкой.

Так и жили. Отец — на службе, мать — «в театре», с детьми — бесконечно чередующиеся и меняющиеся студийцы и студийки, многим из которых самим еще не помешали бы няньки.

С Георгием особых проблем не возникало. Он часами мог заниматься какими-то своими делами, углубленно обдумывать одному ему понятные и существенные для него вопросы, ну а уж научившись читать, и вообще перестал «доставать» собой окружающих. Иное дело — Лешка, активный, заводной, неугомонный, что называется «с шилом в одном месте»... Чего только с ним не происходило! Вечные синяки, шишки, никогда не заживающие коленки и локти, ржавые железяки, на которые он обязательно наступал, бесконечные стекла, которыми он резался с завидной регулярностью... «Апофеозом» его младенческих подвигов стал вспыхнувший на нем от пламени свечки — электричество отключали по три-четыре раза за вечер, свечи и спички всегда держались под рукой — шерстяной с начесом костюмчик. К счастью, именно в тот момент Вера Александровна оказалась дома.

Время шло. Промелькнуло несколько школ, ничем, впрочем, не запомнившихся Георгию. Даже последовательность географических названий не отпечаталась в памяти. Еще чуть-чуть — и вот уже и Лешка — школьник, а Георгий соответственно старший и во многом отныне ответственный за эту «соплю» брат. Именно тогда-то наконец и свершилось! Свершилось нечто столь желанное и долгожданное, что в реальность этого великого события давно уже перестали верить. Майор Жаворонков получил в небольшом и симпатичном украинском городке, название которого еще не стало в то время всемирно известным синонимом катастрофы, ужаса и разрушения, благоустроенную двухкомнатную квартиру. Двадцать семь квадратных метров с изолированной кухонькой, с собственным — здесь, в квартире, а не за углом — туалетом и с ванной, ванной, ванной!.. Это было счастье! Это был взлет в вершины, где обитают успешные, благополучные и благоустроенные люди. Даже неуправляемый Лешка и тот, кажется, на какое-то время приутих, проникнувшись величием и грандиозностью происшедшего. Еще бы! Ведь отныне он не обычный, заурядный второклашка, а образцовый советский школьник, из тех, о которых пишут в книжках и которые, разумеется, живут в собственных изолированных квартирах.

Но как часто это и происходит в жизни, радостное и разочаровывающее следуют рука об руку. Подоспел срок очередной, рутинной, в общем-то, медкомиссии — и у майора Федора Александровича Жаворонкова обнаружили целую «обойму» не наблюдавшихся ранее отклонений: тут тебе и внезапное ухудшение зрения, и сердечная аритмия, и прыгающее давление, и еще, и еще, и еще... Что? Чего? Почему? Может быть, именно так и в такой форме аукнулась давно забытая и всегда считавшаяся совершенно незначительной контузия военных лет? А иначе откуда бы взяться всем этим «прелестям» у здорового, в общем-то, и не достигшего еще сорокалетнего возраста мужика? Эмоции — эмоциями, а в практической действительности — отставка, пенсия, почетные грамоты, вот этого добра — сколько угодно, полстены можно обвешать! О подполковничьих погонах, разумеется, забыто навсегда, хорошо, хоть квартиру вовремя получил, теперь уже не отнимут!

Впрочем, насколько это помнилось Георгию, отец не очень сокрушался по поводу завершения своей службы. Потерял он уже, вероятно, все надежды добиться чего-то путного на военном поприще. А тут еще и работа приличная на «гражданке» подвернулась. Чем именно занимался Федор Александрович, какова была его должность, Георгий в свое время не поинтересовался, ну а позже, когда все быльем поросло, и тем более не было повода поминать минувшее. Известно было только, что трудился Федор Александрович не последним человеком на каком-то автокомбинате или в автоколонне. Специалистом он был, по-видимому, очень хорошим и дело свое, безусловно, любил, что, совершенно очевидно, начальством было отмечено и оценено. Много или мало получал за свои труды Федор Александрович — в семье не обсуждалось, а если и обсуждалось, то не в присутствии детей. Но несомненным фактом стало то, что жить они стали значительно крепче — тут никаких вопросов не возникало. В квартире стала появляться мебель: роскошный полированный шкаф, который даже имел собственное имя — шкаф «Из гарнитура», полированный же обеденный стол (Лешка, разумеется, тут же его обляпал какой-то дрянью, и большущий кусок полировки «полез», стол навсегда пришлось накрыть скатертью), Вера Александровна нет-нет да и демонстрировала, с очевидным удовольствием, надо сказать, новые наряды, у отца появилось два — два! — новых костюма. Ну и пацанам, разумеется, регулярно что-нибудь перепадало. Серьезно начали поговаривать о такой роскоши, как покупка телевизора! Жизнь налаживалась!

В июле приезжали в гости родственники из Сталинграда: дядя Сережа, тетя Оля и их сын Валерка. Ну родственниками они были в лучшем случае «пятиюродными», но разве так уж важна формальная степень родства, если с первых же минут общения люди становятся близкими друзьями, желанными собеседниками, понятными, доступными и необыкновенно приятными друг другу! Да и родственность, хоть и очень далекая, тоже, конечно, играла свою роль. Для Жаворонковых, давным-давно растерявших все контакты со своими родными, новообретенное ощущение своей «неодинокости» в мире стало, несомненно, явлением положительным и очень даже приятным. Слышал, правда, что-то смутное Георгий о старшем брате отца, Семене, с которым Федор насмерть перессорился еще в ранней юности и навсегда прервал все отношения. Но одно дело — туманные слухи и легенды, а совсем другое — реальные, во плоти дядя Сережа и тетя Оля, молодые, веселые, заводные, такие же, как отец и мать. И сын их — Валерка — отличный парень! И что интересно, он не только по возрасту приходился точно посередине между Георгием и Лешкой, но и по характеру являлся чем-то средним между ними, что позволило мальчишкам быстро и крепко подружиться, более того, Валерке, можно сказать, даже удалось как-то больше сблизить между собой таких различных и непохожих одного на другого родных братьев.

Ну а мама-то, мама! Практически не выходила из кухни (в компании с тетей Олей, разумеется) и каждый день демонстрировала небывалые кулинарные чудеса! Справедливости ради надо заметить, что мама и вообще в последнее время, с момента обретения своей, настоящей кухни, проводила на ней значительно больше времени, чем это было ранее. Постоянно появлялись какие-то особенные кастрюльки, сковородки, всяческие хитроумные прилады, вообще недоступные пониманию Георгия... И мама явно наслаждалась этими новоявленными удобствами, что-то там с удовольствием крутила, вертела, сочиняла... Результаты были — блеск! Пальчики оближешь и проглотишь! И хотя Вера Александровна с неменьшим, чем обычно, энтузиазмом отдавалась своей работе, более того, постоянно повторяла, что ее нынешняя театральная студия ни в какое сравнение не идет с предыдущими, что таких талантливых и увлеченных ребят у нее еще никогда не было, новое отношение к кухонному времяпровождению было налицо: обеды стали и обильнее, и разнообразнее. Ну а уж во время пребывания сталинградских родственников каждая трапеза превращалась в настоящий праздник. По вечерам заводили радиолу — вожделенный телевизор существовал пока еще только в проекте — и танцевали. Блестяще танцевали! И папа с мамой, и дядя Сережа с тетей Олей. Танго, фокстрот, вальс... Места для танцев, особенно для вальса, было не так уж много, но как-то все умещались. Иногда заходили немногочисленные знакомые, присоединялись. Мальчишки крутились и путались под ногами, верещали там что-то свое... А иногда мамы подхватывали их в качестве кавалеров и заставляли кружиться и вертеться в каких-то псевдотанцах. И не только Лешка и Валерка, которым только дай побузить, но и степенный и рассудительный Георгий что-то там тоже «выкренделевывал» ногами, как бы тоже танцуя, ну или хотя бы делая вид, что танцует. (Кстати говоря, генерал-майор Жаворонков так и остался на всю жизнь еще тем танцором! Никакие спецзанятия не помогли!) А тем далеким летом это все было ужасно весело, шумно, заводно, да просто здорово!

Но визит сталинградцев оказался не просто дружественно-родственной встречей; он повлек за собой последствия, кардинальным образом изменившие всю жизнь семьи Жаворонковых. Сергей Суровцев, дядя Сережа, оказавшийся, так же как и Федор Жаворонков, причастным к каким-то автомобильным делам, более того, занимавший в этом автомире относительно заметную руководящую должность, с первых же дней стал выступать «демоном-искусителем». «Ребятки, ваш Чернобыль конечно же очаровательное местечко, тихое, красивое, уютное... Ну а дальше что? Ну вот подрастут дети — и куда им деваться? Каковы перспективы? Где учиться? Что ж, в сопливые семнадцать-восемнадцать лет уезжать из дома, из семьи? Куда? Зачем? А вы представляете себе, что такое Сталинград, город, известный, да нет, не просто известный, а знаменитый во всем мире! Вы представляете себе размах, мощь этого города? Вы представляете себе, чего стоило за считаные годы на полных руинах, на развалинах, которые значительно тяжелее обжить, чем просто ровное и пустое место, возродить огромный город. И не просто город, а город-красавец, город будущего, можно сказать. Он уже и сегодня почище иных столиц будет! А во что мы — сталинградцы — превратим его еще лет за десять — пятнадцать! Аж дух захватывает! Переезжайте! Квартиру обменяем, с работой, и с хорошей работой, не хуже твоей здешней, слава богу, на сегодняшний день имею возможность помочь, и зарплата будет посолиднее, чем твоя нынешняя, не сомневайся! Будем рядом, будем поддерживать друг друга!» В ту же дуду дудела и тетя Оля:

«Верка, ты посмотри, как пацаны-то сдружились! Ну роднее уже, кажется, некуда! Будем жить, как одна семья! А в смысле твоей работы — так в Сталинграде этих Дворцов культуры — несчитано! Театры, филармония, радио, телестудия уже своя открылась, каждый день вещает!» Разговоры эти велись при мальчишках, никто ничего не скрывал, да и не было в этих завлекательных предложениях ничего секретно-крамольного. Георгий хорошо помнил, что если в первые день-два отец просто усмехался и, в общем-то, отмахивался, то позднее в его отношении к подобным разговорам что-то неуловимо изменилось, что-то зацепило его, начало вызывать ответную и, по-видимому, весьма заинтересованную реакцию. (Возможно, до сих пор для майора в отставке Федора Жаворонкова само это имя — «Сталинград» — название города, куда не поспел в далеком 43-м году младший лейтенант Жаворонков, было связано с какими-то глубинными, подсознательными процессами, может быть даже, с какой-то внутренней неудовлетворенностью, незавершенностью чего-то, что было в определенный период жизни очень значительным и важным. Кто поймет, кто оценит, кто объяснит?..

Гости уехали. А идея переезда осталась. И обретала все более и более конкретные и осязаемые очертания. Неоднократно Георгий, уже в полусне, слышал едва приглушенные хлипкой дверью на кухню перешептывания отца с матерью все на ту же тему.

Боже упаси! Он не собирался и не хотел ничего подслушивать, более того, считал подобное занятие весьма зазорным и недопустимым. (Позднее, правда, профессиональные наставники объяснили начинающему сотруднику КГБ, что в подслушивании и подсматривании нет ничего предосудительного, наоборот, при разумном использовании этих элементарных, но столь необходимых и эффективных средств наблюдения и сбора информации можно достичь весьма интересных и идущих на пользу «делу» результатов.) В ранней юности он, разумеется, еще не знал этих основополагающих шпионских постулатов. Просто звукоизоляция в хрущевских малогабаритках предполагала лишь один надежный способ исключения возможного прослушивания: полное молчание.

Замысел, безусловно, развивался. С Георгием, по причине его малолетства, пока еще, разумеется, никто не советовался; тем не менее он прекрасно понимал, что за этими раздумьями стоит нечто более глубокое и значительное, чем лихие дяди-Сережины вопли: «Федька, ну рыбалка у вас тут, конечно, ничего, жить можно. Но ты представь себе, что такое Волга! Да ведь если тихонечко и разумно, да с нужными людьми законтачить — парочка икряных осетров за ночь — нет проблем! А охота! По степи! На «газиках» с прожекторами! А сайгаки перед тобой — несметными стадами! И целиться не надо! Лупи себе — и все дела!» Георгий знал, что отец не был рыбаком-фанатом, так, в полудреме подержать перед собой удочку — куда ни шло, да и то больше не для собственного удовольствия, а как бы пообщаться с сыновьями на почве «мужских» развлечений. Охота же, с ее ярко выраженным привкусом убийства, была для отца и вообще чем-то чуждым. Тема убийства в семье Жаворонковых являлась запретной. Разумеется, Георгий понимал, что его отцу, воину-фронтовику, безусловно приходилось в его боевой жизни убивать, вполне возможно, что и многократно. Но это же было нечто принципиально другое! Война, фронт, враги... Или ты их, или они тебя. А лупить не целясь по каким-то безответным и беззащитным животным... Нет, не могло заинтересовать отца подобное «развлечение»!

Через месяц-полтора от дяди Сережи пришла телеграмма: «Приезжайте, есть вариант обмена». Ну мама, разумеется, даже на очень короткий срок не рискнула оставить своих «архаровцев» одних, а отцу пришлось быстренько договариваться на работе об отпуске за свой счет, и через несколько дней он укатил в Киев, а оттуда самолетом отправился в Сталинград.

Вернулся очень довольный: и город невероятно понравился, и квартира, которую подыскал для обмена энергичный и деятельный Сергей, вполне устроила бы: почти точная копия их собственной, а по документам — так даже на пару метров больше, не в центре, правда, но и не очень далеко; перспективы с работой тоже рисовались вполне благополучными. Решение, можно сказать, было принято и даже широко обнародовано (разумеется, прежде всего стараниями Лешки, на всех углах, всем и каждому спешившему сообщить: «А мы знаете что? Мы уезжаем! В Сталинград! Насовсем!»). Дело было за малым — за согласием обменщиков, которые вот-вот должны были приехать «на смотрины».

И вдруг в одно прекрасное утро и по радио, и в газетах одновременно, разумеется, грянуло: «Президиум Верховного Совета СССР, по многочисленным просьбам трудящихся, постановил...» И — все. Был Сталинград — и не стало его. Ерунда, в сущности. Сам-то город не изменился, остался все тем же, ну обрел какое-то странное и безликое название... Но отца это переименование почему-то сильно взволновало: «Ну уж извините, жить в прославленном городе-герое — одно дело, а переезжать в какой-то Волго-Реченск-Ручеек я не собираюсь!»

Неожиданная и удивительная реакция. Даже спустя многие годы внезапное «бунтарство» отца осталось для Георгия загадкой. Сказать, что Федор Жаворонков был каким-то уж там особым «сталинистом», никак нельзя. Во всяком случае, в отличие от многих воинов-фронтовиков, впитавших в плоть и кровь девиз: «За Родину! За Сталина!» и с ненавистью встретивших развернувшуюся кампанию «по преодолению последствий культа личности», отец воспринимал происходящее довольно спокойно, не выказывая ни подчеркнутого одобрения, ни какого-либо осуждения. Разве что изредка, при очередном безумном выкрутасе «дорогого и любимого Никиты Сергеевича», майор Жаворонков позволял себе как-то по-особенному скривиться и ухмыльнуться. Но вслух ничего не произносилось. И вообще политические вопросы в семье не принято было обсуждать; само собой подразумевалось, что все, исходящее от партии, — разумно, необходимо и справедливо. Поэтому когда однажды дядя Сережа (и снова этот дядя Сережа, вечный балагур, баламут и бузотер!) за столом и находясь уже в приличном подпитии провозгласил тост «за приближающийся коммунизм, который на сегодняшний день есть хрущевская власть плюс кукурузизация всей страны!», отец, человек, в общем-то достаточно спокойный и сдержанный, вдруг неожиданно резко и даже грубо на него вскинулся: «Сергей, думай, что городишь! Особенно при детях!» Опля! И осекся дядя Сережа, сник. Понял, что сморозил нечто глупое, несуразное и ненужное.

Но сейчас Сергей Суровцев буйствовал, безумствовал и негодовал: «Федор, ты что, совсем с ума съехал?! Чего ты дурью-то маешься?! Ну переименовали, и что с того? Сегодня — так назвали, завтра — еще что-нибудь придумают... Тебе-то что за дело? Что изменилось-то? Сотни тысяч людей живут — и ничего. А тебя почему это больше всех волнует? Я вам такой вариант нашел, работу для тебя держу, а ты как...» Тут, по идее, должно было следовать нечто малопечатное. Но в телеграммах такие вещи не проходили, а письма при сыновьях зачитывались явно с купюрами. Впрочем, для догадок об истинном содержании мальчишки были уже достаточно взрослыми и подобным лексиконом если и не пользовались широко, то уж знали его, несомненно, досконально.

Отец повыступал и поупирался недели две-три, с каждым днем все менее и менее рьяно, а потом и вообще успокоился. Вскоре приехали хозяева волгоградской квартиры. Оказались очень приятной супружеской парой, чуть-чуть постарше родителей. Их все устроило, все им понравилось, пятнадцатиминутная беседа — и, что называется, ударили по рукам. Решили, правда, ввиду надвигающейся зимы, не торопиться, не ломать детям (у них тоже было двое мальчишек) учебный год, дать возможность Вере Александровне завершить какую-то интересную и важную для нее постановку, оформлять потихоньку необходимые документы, а сам процесс переезда перенести на лето. С тем по-дружески и расстались.

Отец, правда, до лета не доработал в своем автокомбинате. Уволился где-то в марте — апреле и тут же уехал в

Волгоград, начинать работу на новом месте. Опять-таки о достоинствах или недостатках отсутствия звукоизоляции. Однажды, уже сквозь сон, Георгий слышал реплики забежавшего на минутку и задержавшегося на полную бутылку отцовского сослуживца: «Ну ты, Федор, непростым мужиком оказался! Нас тут со дня на день начнут чихвостить, а тебя вроде бы и нет уже давным давно». Сон, естественно, как ветром сдуло, особенно когда послышался голос отца: «Ты, Иван Михайлович, меня к своим делам не примазывай! Под всеми вашими «бензин — направо, запчасти — налево» ни одной моей подписи нет. И то, что я ни копейки с этого не имел, любое следствие докажет. Так что я расследования не боюсь. А вот то, что вашими помоями могут мой партбилет замарать — а я его, между прочим, на фронте получал, — этого я допустить никак не могу. Так что уж извини, разбирайтесь со своей грязью сами!»

Ну вот все и разъяснилось! Вот оно, то главное, что вынудило Федора Жаворонкова бросить неплохую работу, налаженный быт и в конечном счете покинуть милый и симпатичный городок. В его автокомбинате проворачивались жульнические махинации, и он, будучи человеком честным и порядочным, не желая в них участвовать и не имея, вероятно, возможности в одиночку пресечь эти дешевые «гешефты», предпочел устраниться и уйти.

А потом наступил май — а это уже лето, — а за ним и июнь: конец учебного года. Вновь коробки, чемоданы, узлы... Георгий фактически принял на себя всю мужскую часть работы по сборам и упаковке. От Лешки проку было мало, не путается под ногами — и то слава богу! Отец пару раз прилетал, но не больше чем на день-два и все время фактически проводил в каких-то конторах и в домоуправлении, дособирая как бы необходимые для обмена, а по сути совершенно дурацкие и никчемные справки.

И вот уже контейнер отправлен, билеты куплены... День-два в пути — и Жаворонковы стали волгоградцами.

Глава третья

Александр Борисович Турецкий блаженствовал. Блаженствовал по-настоящему, что не слишком часто ему удавалось. Всего было достаточно в жизни старшего помощника генерального прокурора, государственного советника юстиции третьего класса. Все было: и рутинная, монотонная, унылая кабинетная работа — этого даже особенно много, слишком много; и приключения, погони, авантюры и интриги; и визг тормозов, свист пуль и кипение адреналина в крови. Была ему знакома и напряженная, пропитанная крепчайшим кофе и табачным дымом аналитика, и бессонные ночи и раздумья над какой-нибудь очередной головоломкой. И даже порой — простые и тихие радости возле уютно мерцающего телевизора.

А вот блаженства явно не хватало.

В этот раз все так удачно совпало, просто исключительно удачно: все обстоятельства дополняли одно другое, и общая картина вырисовывалась самая радужная. Во-первых, в Москву пришел май. (Ну вы-то знаете, что такое май в Москве!) Во-вторых, было закончено сложное, запутанное дело, преступник перестал наконец изворачиваться и, будучи загнан в угол стальной логикой Александра Борисовича, подписал «чистосердечное». Наконец, в-третьих, май пришел и в отношения Турецкого с его спутницей жизни и помощницей — женой Ириной Генриховной.

Турецкий любил Ирину, Ирина обожала Турецкого, и при этом их союз никогда нельзя было назвать идеальным, беспроблемным. Бывало, что какое-то мимолетное облачко превращалось в серую тучу, и тогда на долгие дни мир уходил из их семьи.

А бывало так, как сейчас: вновь протянулись между ними и запели некие невидимые струны, снизошел внутренний покой и благодать. Откуда вообще берется хорошее настроение? Все это так загадочно.

И вот теперь — в дополнение к общей идиллической картине — Ниночка, любимая дочка Турецкого и Ирины, отпросилась у родителей погостить на выходные на даче у подруги, в результате чего супруги вновь почувствовали себя юными и легкомысленными, невесомыми; у них начался «второй медовый месяц».

Засим Александр сидел в своем любимом, уютнейшем кресле и маленькими эстетскими глоточками цедил принесенное им же «бордо» урожая позапрошлого года. (Конечно, Турецкий предпочел бы нормальную, родимую рюмку водки, но чего не сделаешь, чтоб произвести впечатление на собственную жену!) В тяжелых серебряных канделябрах оплывали свечи... и почему в женском сознании занятия любовью обязательно запараллелены со свечами? А откуда это у нас этакие белогвардейские канделябры? Но неважно, неважно, пусть! Красиво все-таки.

Итак, Александр Борисович утопал в мягчайшем плюше и чувствовал себя удивительно спокойно, комфортно... Можно не волноваться, а расслабиться и плыть, плыть по этим мягким волнам.

В гостиную вошла Ирина, одетая в шелковый черный пеньюар, ее красивые глаза блестели ярче обычного — совсем как в молодости. Он еще успел сверкнуть глазами ей в ответ, а чуткие уши следователя в ту же секунду уже уловили эту музыку... Эту ненавистную музыку, доносившуюся из кармана его пиджака.

Как там было в известном анекдоте? «Моцарт и Бах — не лохи, братан, а чисто конкретные пацаны, которые пишут музыку к нашим мобилам!» Турецкий не особо увлекался техникой и «игрушками», но его аппарат — с тех пор как попался под горячую шаловливую руку шутникам из его же команды — исполнял исключительно «Турецкий марш» Моцарта. Результатом явилась та хрипучая ненависть, которую внушало теперь юристу это известное рондо гениального австрийского композитора.

Эта ненавистная, ненавистная, ненавистная музыка... может, не снимать? Ну имею я право, в конце концов?! Э-хе-хе... Нет, друг ситный Александр Борисыч, не имеешь ты права! И сам прекрасно это знаешь. Вот так-то, дружок. Так будь же проклят тот день, когда...

— Алло!

— Здравствуй, Александр Борисович. Извини, что помешал, но...

Так-с. Александр Борисович, — значит, не Саша. А следовательно, старый друг Костя Меркулов, заместитель генпрокурора России, звонит не на шашлыки его пригласить.

— Здравствуй, Константин Дмитриевич.

— ...но дело срочное. Очень срочное.

— Что случилось?!

— Убийство. Не по телефону. Я понимаю, Саша, все понимаю. Но ты меня знаешь не первый день, я панику разводить просто так не буду.

— Когда?

— Когда ты сможешь быть у меня?

— Через час нормально?

— Жду.

Турецкий нажал отбой с видом человека, осознавшего вдруг, что жизнь его не удалась. Впрочем, уже через секунду выражение его лица изменилось. Проснулось профессиональное любопытство, инстинкт охотника. Он стремительно собрался, не отказав себе, впрочем, в последнем глотке «бордо» — «на посошок», — поцеловал жену и был таков.

Глава четвертая

Я — убийца... К этому нужно привыкнуть. Там, в горах, все было иначе: вот тут были мы, а вон там находились они. Они — враги, потому что хотят уничтожить нас, а мы за это ненавидим их. Это было так просто — убивать... там, в горах.

Глупые журналисты говорят «ад». «Он прошел через ад...» Эх, что вы понимаете, хлипкие, изнеженные мамины сынки! Да, это был ад, но какой прекрасный ад! Там —

они. Тут — мы. Есть великая опасность, и есть великая цель, которую мы посланы выполнять. Мы должны показать им, кто хозяин. Кто сильнее.

Смерть ходит где-то рядом, но от этого только больше начинаешь любить жизнь. Где еще так ценишь жизнь, как на войне?

Я убийца! Да-да, еще там, наверху, я сделался им. Я хорошо помню своего первого. Каждый, кто убивал, хорошо помнит своего первого — как помнят первую женщину.

Он шел на меня... совсем молодой, еще щенок. Грязноватый пушок над верхней губой, серая от страха физиономия. И наглые бараньи глаза — впиваются в меня и ненавидят, ненавидят... Я понял, что сейчас он меня убьет. Это оказалось так обыденно... вот сейчас этот перекошенный сопляк меня убьет! И в ту же секунду я сообразил, как сделать, чтобы он не смог меня убить. В моем указательном пальце поселилась смерть — его смерть; стоит лишь нажать на спусковой крючок «калаша», и она стремительно полетит к нему. Маленькое свинцовое тельце калибра 7,62 войдет в его большое теплое тело, и он утихнет навсегда. Только что, кажется, он шел мне навстречу, такой ужасно живой: дышал, ненавидел меня, думал о чем-то своем — быть может, вспоминал любимую девушку, — а теперь упадет на землю, в пыль, расплющит свою нахальную морду о придорожные камни и затихнет навсегда.

Сколько разных мыслей пронеслось в моей голове в одно-единственное мгновение! Правильно говорят, что время в таких случаях растягивается. В самый распоследний миг я еще испугался, что не смогу, — а указательный палец уже судорожно давил на спуск.

Он упал...

Со вторым пошло чуть-чуть легче...

... А потом стало и совсем легко. Там, наверху...

Но там, наверху, в горах, шла война. Солдаты стреляют друг в друга, кидают гранаты, укрепляют ловушки, мины — это нормально. А теперь я — убийца.

Как же это происходит теперь? Вот он садится за дубовый письменный стол, достает ажурный нож для разрезания писем и берет в руку мой конверт... а в конверте уже поселилась смерть — его смерть. Я сам ее туда поселил, потому что я со смертью на «ты». Куда я отправлю ее — туда она, голубушка, и пойдет. Маленькое нехитрое устройство, срабатывающее от прикосновения теплой, живой человеческой руки... его руки — руки врага! Вот он доверчиво разрывает бумагу — небрежным, хрустким движением... он-то не знает, кто поселился в этом белом конверте!

Я убийца?! Нет-нет, ничего подобного! Ведь передо мной — враги! Они ненавидят меня и тех, кто мне дорог; ненавидят и хотят уничтожить. Уже уничтожили. Я — не убийца, а мститель! Там они, а тут я — один. Потому что я остался на этом свете один.

Итак, его белая рука элегантно вскрывает мой конверт, мое «святое письмо», мою благую весть из ада. Великолепная вспышка высвобождает скрытую силу неживой материи — и вот он уже падает мордой вниз, ломая нос о мореный дуб письменного стола. И затихает навсегда. Вот только что он еще дышал, шутил, мурлыкал «Что наша жизнь...» и ненавидел меня. А теперь замолчал — навсегда.

Однако в газетах ни слова — а ведь письма должны были уже прийти. Ну, впрочем, все правильно: «контора» никогда не любила выносить из избы свой смрадный сор. Но я все равно узнаю. Она сама мне расскажет — моя мать. Женщина, которая когда-то произвела меня на свет, а теперь почему-то оказалась с ними, там, где они. Женщина, которую так горячо любил мой несчастный отец, а я теперь так люто ненавижу. Я ненавижу свою мать!

Черт возьми, кажется, снова надвигается приступ. А впрочем, я рад! И хорошо, что я один: никто не увидит, как я в судорогах катаюсь по полу и бьюсь в отчаянных конвульсиях, как на моих губах выступает пена. Говорят, это очень неприятное зрелище.

Я чувствую, как он приближается... приближается. Но ничего!

Ничего...

Глава пятая

Волгоград встретил своих новых граждан дикой жарой. Конечно, и на Украине в летние месяцы бывало очень жарко: перегревались стены домов, плавился асфальт... И все же в той жаре было нечто более мягкое, нечто более ласковое, более доброжелательное к человеку, то, что скорее хотелось назвать не жарой, а теплом. Здесь же — ничего подобного! Застоявшийся, сухой и колючий воздух врывался в легкие раскаленными пучками, не столько насыщая их кислородом, сколько иссушая и обжигая. Еще тяжелее становилось, когда поднимался ветер, временами приближающийся к ураганному, вздымавший в воздух пыль, песок, неубранные производственные отходы огромного промышленного города. «Волгоградский дождичек пошел», — острили старожилы. Высохшая и сгоревшая под неумолимым солнцем степь являлась превосходным полигоном для разгула воздушных стихий, приносивших с собой не только соляные кристаллики с заволжских солончаков, но и частицы безжизненных почв из не столь уж удаленных пустынь и полупустынь Казахстана.

«Ребята, не дрейфьте! — вещал неунывающий дядя Сережа. — Лето у нас довольно трудное, жаркое. Но... привыкнете, акклиматизируетесь, все привыкают, ничего страшного, мы же живем?» И далее следовали пространные, эмоциональные рассуждения о чарующих весенних запахах цветущей степи, не только доносящихся в город, но и проникающих во все его уголки, об их причудливом смешении с ароматом цветов вишни, распустившихся на голых, не покрытых еще зеленой листвой деревьях, и много-много еще чего столь же возвышенного и восторженного. Определенно, что дядя Сережа, влюбившийся с юных лет во все автомобильное, слишком уж поспешно зачеркнул свое несомненное поэтическое дарование!

Первые дни на новом месте Георгий провел в беспрерывных блужданиях по городу, благо что времени свободного было — навалом! Учебный год еще не начался, квартира, в которую они въехали, оказалась очень чистенькой и ухоженной, не требующей никакого особого ремонта, так, подмазать-подкрасить в двух-трех местах — и все. Можно сказать, что помощи в доме от него не требовалось никакой. Ну разве что контейнер они с отцом разгрузили практически вдвоем, не прибегая к услугам грузчиков (дядя Сережа подбежал совсем уже к концу, фактически не на разгрузку, а на «обмывание» переезда). Так ведь это было даже здорово: они, вдвоем с отцом, двое взрослых мужиков, занимаясь настоящим мужицким делом, прекрасно с ним справились. Мама, придя вечером и увидев уже полностью обставленную квартиру, была в восторге: «Мальчики, вы огромные умнички!» — и звонко расчмокала их обоих.

Результатом первых туристических изысканий стало некоторое недоумение: оказалось, что за два-три-четыре дня он сумел шагами промерить весь город, который по статистике тех лет насчитывал то ли пятьсот, то ли шестьсот, то ли чуть ли не семьсот тысяч жителей. Ясность внесла купленная в киоске «Союзпечати» карта. Волгоград — одно из своеобразнейших в мире городских образований: протянувшись вдоль Волги почти на сотню километров, в ширину во многих местах он не достигал и двух-трех. Причина столь своеобразного «планирования» очевидна: мощные промышленные предприятия, многие из которых сформировались еще до революции при активном участии заграничных капиталов, тянулись к Волге, к воде, являющейся не только важнейшей составляющей производственных процессов, но и дешевой и удобной транспортной артерией. Эстафету «империалистов» достойно продолжил и Тракторный завод, и другие детища сталинской индустриализации. В итоге к Волге во многих местах не всегда возможно было и подобраться.

Но та часть города, в которой предстояло проживать Жаворонковым, являлась как раз одним из «узких» мест. Расстояние от самых помпезных сооружений парадного и официозного центра до их дома не превышало четырех-пяти километров. Но на практике преодолеть эти считаные километры частенько бывало очень непросто: ожидание вожделенного трамвая-«двоечки» могло растянуться на неограниченно долгое время. (Кстати, первые месяцы пребывания Жаворонковых ознаменовались революционными событиями в оснащении городского трамвайного парка: вместо допотопных полудеревянных «сараюшек» на колесах на линии вышли элегантные, обтекаемых форм, двойные гэдээровские вагончики с пневматическими дверями. Впрочем, хватило этой иноземной пневматики ненадолго, и красивое заклинание вагоновожатых — «Осторожно! Двери закрываются!» — почти сразу же потеряло свой смысл. Могучие российские руки начали выламывать эти мудреные дверцы буквально с первого же рейса и очень быстро добились успеха. Двери стали обычными, открывающимися вручную и освобождающими беспрепятственный доступ к обширным подножкам, позволявшим за счет гроздьями висящих на них граждан значительно увеличить пассажировместимость.)

Дядя Сережа зудел с первого же дня: «Жорка, шляешься по солнцу — надевай что-нибудь на голову и пей воды побольше!» Георгий, разумеется, этими «детскими» советами пренебрегал до того самого момента, когда он, не очень помня, как и откуда попал сюда, очнулся вдруг на бортике фонтана, в центре которого произрастали какие-то бравые интернациональные колхозницы, очнулся оттого, что кто-то из сердобольных граждан со словами: «Ну, парень, ты даешь, так же нельзя, ты же солнечный удар схватил!» — щедро, из неограниченных фонтанных запасов поливал его голову водой, а какая-то женщина пыталась напоить его из граненого стакана близстоящего газировочного автомата.

На этом прогулки по городу завершились. Выводы? Неоднозначные. С одной стороны, впечатляющие размах и величие, с другой — недоумение: какое, собственно, отношение к великой Сталинградской битве имели все эти многочисленные портики, колоннады, ротонды, эффектная на первый взгляд, но ужасно неудобная в практическом отношении (учитывая жгучее южное солнце) парадная лестница-спуск к Волге, многочисленные памятники, стелы, барельефы... Слово «эклектика» в то время еще не входило в лексикон Георгия, но, не умея словесно сформулировать свои впечатления, интуитивно он очень точно почувствовал излишнюю претенциозность, ненужную помпезность, за которыми скрывалась неестественность и даже какая-то фальшивость. Значительно более сильное впечатление производили водруженные на скромные постаменты простые танковые башни, которыми отмечали бывшую линию фронта. Но сдержанные приметы действительного героизма тонули в псевдограндиозном великолепии.

Приближалось начало учебного года, и возникла проблема. Георгий последнее время учился в одной из новомодных, возникающих, как грибы, «английских» школ. Однако до «пролетарского», как его любили именовать различные официальные лица, а по сути, мелкохулиганского Ангарского поселка — нынешнего места обитания Жаворонко́вых — полугорода-полудеревни, прилепившейся к центральной части Волгограда, подобные «буржуазные» увлечения еще не успели докатиться. В местных школах, обильно поставлявших кадры в колонии малолетних преступников, отдавали предпочтение немецкому и французскому. Ближайшая и, как считалось, лучшая в то время в городе спецшкола с преподаванием ряда предметов на английском языке находилась в центре, а учиться школьникам полагалось, как известно, по месту жительства. Но, пройдя собеседование по языку, Георгий с таким блеском «оттрезвонил» все зазубренные сведения по теме «Мавзолей Владимира Ильича Ленина на Красной площади» (которого он в то время, надо сказать, еще и в глаза не видел!), что у школьных «англичанок» не возникло никаких сомнений: безусловно перспективен к изучению языка и, в порядке исключения из общих правил, принят. (Позже выяснилось, что таких «принятых в порядке исключения» было половина школы, и в основном не из-за блестящих способностей, а по причине руководящих постов, занимаемых родителями, а то и просто по обычному блату.)

И потянулись годы ежедневного преодоления пяти-шести осточертевших трамвайных остановок. Ну а о количестве попусту растраченных на это часов и вообще больно было вспоминать. Почему, собственно, он не взял себе за правило передвигаться пешком? Те же тридцать — сорок минут, но в движении, а не в тоскливом созерцании пустых трамвайных рельсов. И главное, зачем? Ведь очень скоро стало ясно, что изучение языка по советским методикам — полный бред! Бесконечные Мавзолеи, Великие Октябрьские социалистические революции, Выставки достижений народного хозяйства СССР... И по каждой теме зачеты, «тысячи» прочитанных слов, «характерные обороты и выражения...». А не дай бог, приходилось столкнуться с необходимостью объясниться с кем-то англоговорящим — Волгоград не какой-нибудь там наглухо закрытый и засекреченный Куйбышев-Свердловск, иностранные визитеры в городе никогда не переводились, разумеется, присматривали за ними неусыпно, но иногда самым резвым из них удавалось вырваться «в народ» и, так сказать, попытаться общнуться с аборигенами в неофициальной обстановке. Вот тут и наступал час испытаний для пионеров и комсомольцев, изучающих языки по усиленным программам. И они с радостью делились с гостями города знаниями по изученным темам, ну, например, такой актуальной, как «Владимир Ильич Ленин — вождь мирового пролетариата». Правда, вскоре оказывалось, что эта интереснейшая тема иностранных гостей почему-то не очень увлекает. Да и с пониманием — не в политическом, а чисто в языковом смысле — было довольно сложно. До них хоть и с трудом, но все-таки доходило наше бормотание (неустанная работа преподавателей над изысканным кембриджским произношением все-таки приносила свои плоды), но вот понять, что они хотели сказать в ответ на своем совершенно особом, неправильном, а потому и неизучаемом в школах английском, было совершенно невозможно. Шутка, конечно. Но, в общем-то, довольно горькая.

Кстати, английским в конце концов Георгий овладел вполне прилично, ну не абсолютно свободно, не без «крутого» российского акцента, но тем не менее... Овладел, когда по-настоящему начали учить языку, а не мавзолею. Но произошло это уже «там», «в фирме». И во втором языке — у него это был немецкий — поднатаскали очень крепко. Во всяком случае, ни в одной из командировок в немецкоязычную среду проблем с изъяснением и пониманием не возникало. Более того, пару раз даже пришлось выезжать под немецкими фамилиями, не разыгрывая из себя, разумеется, уроженца Берлина или Мюнхена — для этого его язык был слишком прост и примитивен, — но вполне правдоподобно изображая обрусевшего потомка немцев Поволжья. Изредка руководство подкидывало такие «клюквы»: вы, мол, бубните о зажиме в СССР людей некоторых национальностей — так нате вам, пожалуйста, — Иван Петрович Шварц, ответственнейший работник, немец (швед, чех, норвежец) по национальности, между прочим.

Нельзя сказать, что юность будущего генерала Жаворонкова, проведенная в Волгограде, была наполнена особо яркими, запоминающимися событиями. Школьные годы и вообще слились в какой-то единый временной блок: припомнить, что происходило в восьмом классе, а что относилось уже к десятому, было весьма затруднительно даже при весьма тренированной профессиональной памяти генерала. Да, честно говоря, Георгий Федорович и не очень увлекался подобными воспоминаниями. Как правило, всю жизнь было как-то не до того, находилось что-то более важное, о чем надо было думать и помнить.

Читал он много и увлеченно. Лет до семнадцати-восемнадцати — совершенно бессистемно, потом как-то научился дифференцировать и отсеивать действительно интересующее от необязательного. Домашняя библиотека — весьма скромная по объему и содержанию — была изучена, разумеется, вдоль и поперек, довольно скоро были исчерпаны и ресурсы школьной, вполне приличной библиотеки. Благо поблизости от школы находилась еще одна, какая-то централизованная библиотека, районная или областная — черт его упомнит сейчас! Там было чем поживиться! Но возникали и сложности. Книги выдавались на неделю в количестве не более трех, причем одна из них должна была быть обязательно идеологически-политической направленности, преимущественно по местной тематике: Сталинградская битва и все с ней связанное. Подобная обязаловка Георгия не шокировала. Тема войны была ему по-настоящему интересна. Но вот качество предлагаемых книг!.. Ведь на одну «В окопах Сталинграда» Виктора Некрасова приходилось несколько десятков откровенно халтурных поделок. А не читать или хотя бы не просматривать эту «нагрузку» было нельзя: библиотекарь, особенно для читателя, который вместо положенной недели прибегал за новыми книгами каждые два-три дня, вполне мог устроить своего рода экзамен: «Ну и как тебе понравилась книга? Все понял? Да и вообще, читал ли ты ее?» И проштрафившегося могли занести в черный список, прекратив выдачу нормальной литературы, а то и вообще «отлучить от кормушки».

Нет, закоренелым нелюдимом и домоседом Георгий конечно же не был. Напротив, он с удовольствием откликался на малейшие проявления дружественности со стороны одноклассников, с радостью пошел бы на более тесный контакт, но... Как-то не очень получалось. И, как ни странно, не последнюю роль в этом играла география. Когда Пашка Зайцев, внук председателя горисполкома, прокидывал: «Мужики, дед из Лондона привез настоящий альбом «Битлов». Значит, так: в два у меня английский, а к четырем — все ко мне!» — Жора с радостью принимал приглашение, да вот только воспользоваться им мог не всегда. Ну не болтаться же, в самом деле, два-три часа по городу просто так. А пока доберешься домой — уже пора возвращаться назад, и зачастую не только к четырем, а и к шести не всегда успеешь. Один раз не пришел, второй раз опоздал на полтора часа, а потом как-то и приглашать перестали. Да и вообще, честно говоря, среди одноклассников, в большинстве своем представителей «золотой молодежи» города, племянников и внучек директоров крупнейших заводов, деток секретарей райкомов, дочек заведующих гороно и облздравотделом, Георгий чувствовал себя белой вороной. Нет, нельзя сказать, что наследники нарождающейся «номенклатуры» вели себя как-то по-особому вызывающе или пренебрежительно — будущее снобство и барство в те годы еще только начинало расцветать, разве что детки руководящих торгашей уже в полной мере были исполнены собственной значимости и причастности к «небожительству», но таких в классе было лишь двое-трое, и они делали погоду. Но все равно дистанция между «ними», избранными, и простыми смертными ощущалась уже очень отчетливо. Заработал ли Георгий на этой, с одной стороны, близости, а с другой — отстраненности от «высшего» круга какой-то комплекс? Он считал, что нет, что завистливость и ревнивость к чужой, явно более обеспеченной и благополучной жизни ему несвойственна. Но поди же знай, что и как преломляется в подсознании, особенно в подсознании человека совсем юного, можно сказать, только формирующегося, что прошло незамеченным, а что оставило глубокий и, возможно, даже болезненный след. Впрочем, к последнему году в школе все как-то притерлось, уравновесилось. И вечеринки в домах одноклассников шли своим чередом с непременным участием Георгия. А когда выяснилось, что его отец довольно часто уезжает в командировки, а мать в эти дни ночует у знакомых на «Красном Октябре», поблизости от места работы, и, следовательно, есть пустая «хата», Георгий вообще на некоторое время стал «героем дня». «А где ты, собственно, обитаешь, старичок? — Юрка Попов, сын секретаря горкома комсомола, и слыхом не слыхивал, разумеется, где находится в городе областная больница, его семейство, если, не дай бог что, лечилось совсем в другом месте. — Ну занесло тебя, старичок! Ничего. Найдем. Доберемся!» И добрались. И раз, и два, и три, пока тот же Юрка не встретился на обратном пути с группой ангарских «ковбоев». Ничего страшного. Сломанный палец, пять-шесть швов... Все это с успехом можно было заработать и в двух шагах от площади Павших Борцов. Но почему-то решили, что истинная причина — отменно хулиганский район, и... поездки к Георгию прекратились.

Кстати, задним числом вспоминая процесс своей адаптации в среде соседей — обитателей действительно не самого благополучного и тихого места в городе, — Георгий понимал, что где-то ему крупно повезло. Новичок в поселке, чужак, учащийся в какой-то далекой «особой» школе, а посему не имеющий естественных контактов с окружающими его сверстниками, Георгий легко мог попасть в категорию изгоев, третируемых, а периодически, для профилактики, и избиваемых лихими ангарскими мальчуганами. Но...

Как-то так получилось, что, несмотря на очевидные для местной шпаны странности молодого человека — склонность к затворничеству, непроявляемую напоказ агрессивность, неучастие в «боевых» действиях, когда по кличу: «Наших бьют! Сарептовские приехали!» — следовали какие-то массовые бега с палками, выломанным штакетником, велосипедными цепями, кому-то пробивали голову, кого-то везли в больницу, кто-то получал очередной «привод» в милицию, — Георгия оставили в покое. Настолько в покое, что, даже возвращаясь домой поздно ночью, он не вздрагивал от каждой мелькнувшей в подворотне тени. «Ша, пацаны, это Жорка, Лешкин брат». Вот так вот! Лешка, с первых же дней на новом месте с упоением рванувшийся в этот хулиганский полублатной мир, за короткое время сумел завоевать в нем настолько крепкие позиции, что стал одной из авторитетнейших фигур. Да и внешние данные, как его, так и его «ребятишек», представляли вполне убедительную картину. Как-то вдруг, за считаные месяцы, невзрачные мальчишки превратились в бугаистых мордоворотов, из тех, с кем никому не хотелось бы встретиться в темном переулке. Во всяком случае, Васька Клык, один из известнейших местных «заводил», имевший неосторожность подкараулить Георгия, провожавшего домой Лидочку Корину и смачно врезавший ему по челюсти со словами: «Увижу еще раз рядом с Лидкой — убью!», через день-другой валялся под забором, поверженный могучим кулаком одного из Лешкиных корешей, коренастого и угрюмого боксера-разрядника, и, размазывая кровь по разбитым губам, повторял как заклинание: «Все. Все! Я все понял. Хватит!» Роман с Лидочкой, кстати, никакого продолжения не имел. Да это и изначально было ясно. Достаточно было взглянуть на ее дом — добротный двухэтажный кирпичный особняк из тех, что начали возникать вокруг хрущевских панелек и среди сохранившихся еще с первых послевоенных лет непонятно из чего слепленных развалюх-времянок, в которых, однако, продолжали жить. Кто такой был для нее Георгий? Голытьба! Вскоре Лидочка вышла замуж за здоровенного колоритного грузина, родила, развелась, вновь вышла замуж...

Сказать, что у Георгия как-то сложно складывались отношения с прекрасным полом, никак было нельзя. Не последнюю роль в успешном развитии многих «романов» играла периодически пустующая квартира — они с Лешкой расписывали ее использование буквально по часам, — ну а летом был пляж, замечательный пляж на косе, где можно было, отправившись в дальнюю прогулку вокруг залива — искусственно созданного землечерпалками образования, — достичь полукустиков-полулесочков, где сама природа предполагала склонность к уединению и интиму. Другое дело, что все эти не слишком, впрочем, многочисленные подружки и партнерши, зачастую вполне доброжелательно реагировавшие на естественные поползновения Георгия, никак не могли заменить тех, чьего внимания и расположения он действительно по-серьезному добивался.

Вначале это была Наташенька Синцова, ведущая, так сказать, актриса в маминой театральной студии. И терпеливые ожидания окончания репетиций, и цветы, пусть и неумело, но обязательно вручаемые после каждого спектакля, да еще проделать это надо было втихаря от матери, чтобы не спровоцировать очередное насмешли-

49

вое: «Ну как там у тебя с Наташенькой?» Аж кровь в голову бросалась! Потому что — никак! Потому что: «Здравствуй, Жора! До свидания, Жора!» — и все. Полтора-два года мотаний с «Красного Октября», где располагалась студия, на Второй Волгоград, места обитания новоявленной театральной «примадонны», в жару, в дождь, в метель... «А, это ты, Жора! Здравствуй!» И... «До свидания, Жора!» Всякому терпению в конце концов наступает предел. «До свидания, Наташа!»

И почти сразу же на романтическом горизонте Георгия Жаворонкова вспыхнула новая звезда — пианистка Оленька Шатц.

На годовой отчетный концерт учащихся фортепианного отделения Волгоградского училища искусств Георгий забрел исключительно для того, чтобы послушать выступление своего друга Жени Левина. Познакомившись несколько месяцев назад на какой-то случайной вечеринке, парни за прошедшее время необыкновенно сблизились. Оба были заядлыми книгочеями, оба грешили собственным стихоплетством, всегда как-то естественно и непринужденно возникала интересная тема, которую хотелось обсудить... В общем, что называется, нашли друг друга. Женька ввел Георгия в круг своих приятелей, молодых музыкантов, и Георгий с удовольствием окунулся в эту совершенно своеобразную атмосферу. За заклиненными ножкой стула двойными дверями училищных классов резались в покер, дули наидешевейшее «Яблочное десертное», а едва закончив завывать под аккомпанемент гитары или рояля заунывную песню о каком-то там караване, который бредет неизвестно куда, а «в тюках кашгарский план», уже через минуту-другую с пеной у рта доказывали друг другу, что утверждающие, будто Ван Клиберн играет Третий концерт Рахманинова лучше, чем сам автор, — полные идиоты, ничего не смыслящие в музыке. В общем, богема.

Отскучав тридцать — сорок минут, Георгий дождался-таки Женькиного выступления. На его взгляд, все было серьезно и солидно. Огромный черный рояль, Женька в черном костюме при галстуке, поклоны, аплодисменты...

— Ну, Женька, здорово!

— Старичок, спасибо, конечно, на добром слове, но, честно говоря, облажался я сегодня по-крупному. Половина нот — под рояль, коду — так и вообще завалил... — В переводе с музыкантского на общечеловеческий это значило, что Женька играл плохо, и было очевидно, что он не кокетничает, а по-настоящему зол и недоволен собой.

— Да ладно тебе, по мне — так все было нормально. Пошли?

— Подожди. Послушаем уже, что там наша прима выдаст.

— Это кто?

— Ольга Шатц. Наша, так сказать, единственная и неповторимая.

Когда, завершая концертную программу, на сцену вышла невысокого роста, тонкая, стройная, даже, пожалуй, хрупкая девушка с распущенными каштановыми волосами, Георгию подумалось, что ей действительно более пристало бы нечто балетно-изящное, чем сражение с этим жутковатым черным монстром, с агрессивно разъявленной крышкой-пастью. Но с первых же звуков даже такому полному профану в игре на рояле, как Георгий, стало ясно, что небольшие, но очень цепкие и ловкие пальчики железной хваткой обуздали трехногое чудовище, понуждая его то нежно и трогательно петь, то рассыпаться колокольчатыми перезвонами, то рокотать и реветь, извергая из самых глубин своего нутра могучие раскаты.

Кажется, Георгий был первым, кто начал бешено аплодировать, когда не успел еще отзвучать последний аккорд. Первым, но далеко не последним, потому что, несомненно, удачное Оленькино выступление приветствовали искренне и горячо.

— Ну что тут скажешь, — Женька выразительно развел руками, — ну молодчина Ольга! Даже тебя, по-моему, достало, а? Пойдем поздравим.

В небольшой артистической было полно народу. Женька, не обращая ни на кого внимания, решительно пробил себе дорогу к раскрасневшейся героине вечера и расцеловал ее в обе щеки.

— Олюнечка, умница! Это было замечательно! — Черт их поймет, этих музыкантов! Полно народу, явно тут же были и педагоги, возможно даже и родители, а они целуются — и хоть бы что!

— Женька, спасибо! Ты слушал? Потом расскажешь, как тебе.

— Да чего тут рассказывать? Я уже сказал. Отлично! Тут вот у тебя новый поклонник появился. Познакомься. Георгий Жаворонков. Молодой поэт, публикуется в нашей «молодежке». — Это было правдой, хотя и изрядно преувеличенной. После многочисленных отписок из различных редакций: «...рады были познакомиться... к сожалению, наши планы... с интересом ждем...» в том смысле, что пошел бы ты к чертям собачьим со своей графоманской писаниной! — волгоградская «молодежка» вдруг опубликовала два небольших стихотворения Георгия и даже выплатила ему авторский гонорар — восемь рублей семьдесят копеек; но называть эту случайную удачу словом «публикуется» — было явным передергиванием.

— Оля, я вас поздравляю...

— Да-да, спасибо. Ой, ребятки, я так устала... — Намек более чем понятный.

Женька предложил немного прошвырнуться, но Георгий, сославшись на какие-то там мифические дела, сумел от него довольно ловко отбояриться. Дальнейшее было делом техники: не прозевать выход интересующего объекта, некоторое время проследовать в заданном направлении, не теряя из виду, но и по возможности не попадаясь очевидно на глаза, после чего с наибольшей естественностью изобразить «случайную» встречу: «Ах, это вы! Надо же! Какой сюрприз!» Владеть бы ему в то время с большим мастерством основами внешнего наблюдения, которым через несколько лет его достаточно успешно обучили в «конторе», тогда, возможно, толстушка Маринка Титова, ближайшая Ольгина подруга, не растрезвонила бы на следующий день на все училище: «Ну, Женька, этот твой поэт приклеился к нам, как Фантомас. Мы направо — он направо, мы налево — он уже из подворотни выглядывает». Но Ольга, расставшись с подругой и свернув в улицу, непосредственно ведущую к Волге, не проявила ни малейшего удивления при виде материализовавшейся в свете фонаря тени: «А, это вы? Георгий, кажется? Вы что, тоже где-то в нашем районе живете? Ну так проводите тогда меня, а то уже поздно, безлюдно...» О большей удаче в первую встречу нельзя было и мечтать: благосклонное предложение перейти на «ты», вожделенный номер телефона...

Через несколько дней Женька, глубокомысленно затягиваясь новомодной длиннющей болгарской сигаретой с фильтром, витийствовал в училищной курилке под лестницей:

— Старичок, я, конечно, все понимаю, Ольга — девушка эффектная, своеобразная, мы все ей в свое время переболели; и я, грешным делом, и Игореша, он вообще пару месяцев ходил как мешком притюкнутый. Но только одно могу сказать: не распускай слюни и не теряй головы. Кстати, знаешь, что значит по-немецки «Шатц»? «Сокровище». Так вот, Олечка, может, и сокровище, но сокровище очень непростое.

— Она что, немка?

— Насколько мне известно — нет. Там какая-то сложная семейная история. Отец ее давным-давно погиб где-то на Камчатке, он был спелеолог, мать через какое-то время вышла замуж за его лучшего друга. Так вот, Шатц — это фамилия отчима. А действительно настоящий иностранец в их семье — так это Ольгин дядя, вернее, муж ее родной тетки.

— Каким образом?

— Самым натуральным. Иосиф Казимирович Загурский. Поляк, точнее, польский еврей. Офицер польской армии, еще той, довоенной. Был в плену у немцев, вроде бы чуть ли не в Освенциме сидел, случайно остался жив, снова воевал, потом опять сидел, теперь уже у нас. Реабилитирован. Из Магадана — прямиком в Волгоград.

Получил прекрасную квартиру, пенсию. Живет... Скажи, биография? Без конца мотается в Польшу. Ты заметил, какие у Ольги шмотки? Ни у кого таких нет. Все от дяди, из Польши. Ты с ним еще познакомишься, не сомневайся. Он — дед общительный.

— А Ольга?

— А что Ольга? Она москвичка, к родителям в Москву катается чуть ли не каждый месяц, но учится почему-то у нас. Вообще-то конкуренция там, в столице, конечно, дикая. Там ребятки так шпиляют на рояле, что нам и не снилось. Но с другой стороны, пианистка она очень крепкая, сам слышал, вполне могла бы и в Москве пробиться. Не знаю, почему она так решила. Может быть, у дяди с тетей под крылышком уютнее, чем дома, может, еще что... Никто не понимает.

— Да откуда ты-то все это знаешь?

— Элементарно. Просто надо вежливо, внимательно и доброжелательно общаться с толстенькой и некрасивой лучшей подругой.

— С Маринкой, что ли?

— Естественно. Она, кстати, замечательная девка.

Женькины выступления, балансирующие на грани дружеского откровения и насмешливого, даже, возможно, немного циничного скептицизма, конечно же оказывали свое влияние, заставляя Георгия все время при встречах с Оленькой быть как-то немножечко настороже. И все-таки эти свидания, увы, не столь частые, как хотелось бы Георгию, были замечательны. Причина отказа, как правило, называлась одна и та же: не успела позаниматься, еще надо посидеть два-три часа. Очень больно кольнуло, когда однажды, во время предполагаемых занятий, Георгий неожиданно встретил Ольгу под руку с каким-то высоким и стройным блондином. В следующий раз ее спутником оказался кучерявый, правда с уже намечающейся лысиной, брюнет восточного облика. Ни в том, ни в другом случае Ольга не затруднила себя даже какими-то примерными объяснениями и оправданиями, и Георгий почувствовал, что любой заданный на эту тему вопрос может оказаться последним в их отношениях. Зато когда условленное свидание наконец происходило — это был настоящий праздник. Они часами бродили по вечерним улицам, целовались на всех свободных на набережной скамейках и в последних рядах кинозалов, говорили обо всем на свете, вернее, разливался соловьем, демонстрируя свою начитанность и эрудированность, преимущественно один Георгий, опасаясь — упаси бог — лишь одного: невзначай коснуться каких-то музыкальных тем; Олечка же чаще всего снисходила до великодушного слушания, периодически кивая.

Знакомство с Олиными родственниками произошло весьма своеобразно. В один из вечеров, мотивируя тем, что ей срочно, к завтрашнему утру, необходимо доделать какую-то теоретическую работу, Оленька засобиралась домой, едва лишь начали сгущаться вечерние сумерки. Однако процедура прощания в полутемном подъезде затянулась на значительно более долгое время, чем все предыдущее свидание. Георгий привык к тому, что девчонки в подобных ситуациях как-то тушуются, пытаются прикрыть лицо, шарахаются от проходящих мимо соседей. Сегодня не было ничего подобного. Оленька не только не смущалась тем, что ее видят в подъезде с каким-то парнем (а что могла делать юная парочка в подобных обстоятельствах — вопросов и сомнений не вызывало), но и, наоборот, спокойно и вежливо со всеми здоровалась, а с кем-то даже умудрялась вступать в короткие беседы.

— А вот и дядя с тетей возвращаются.

Лампочку при входе в подъезд почему-то пощадили, и в ее «могучем» двадцатипятиваттном «сиянии» Георгий увидел мелькнувшую внизу седую шевелюру.

— Валечка, осторожнее. Опять у нас ни одна лампочка не горит, не напасешься, честное слово.

Медленные, сдерживаемые темнотой шаги по лестнице приближались.

— Привет.

— А, Оленька! Почему ты тут, в подъезде? Здравствуйте, молодой человек.

— Я, дядя, ключ забыла или потеряла. — Маленькая невинная хитрость: минутой раньше Оленька крутила на пальчике ключ на красивом брелке.

— Ну так пойдемте уже в дом. Прошу.

— Да... Спасибо... Но уже поздно. И Оле заниматься надо.

— Вот и пусть занимается. А мы — как вас зовут, Георгий? — а мы пока чаек попьем.

В ярко вспыхнувшем в прихожей свете Георгий разглядел наконец своего визави: стройного, подтянутого, безупречно одетого пожилого джентльмена с тонкими, даже несколько заостренными чертами лица. Под стать ему выглядела и Олина тетя, Валентина Семеновна: худощавая, в простом, но очень элегантном и явно заграничном летнем костюме, с прекрасной прической, всем своим обликом демонстрирующая аккуратность и какую-то необыкновенную ухоженность.

— Валюнечка, так насчет чаечка...

— Я все сделаю, Йося. Посидите пока с молодым человеком, побеседуйте.

Проследовав за Иосифом Казимировичем через всю просторную, «сталинской» планировки квартиру с широкими коридорами, высокими потолками, Георгий оказался на балконе, откуда открывался великолепный вид на Волгу. Сияли сотнями огней огромные пассажирские теплоходы, перемигивались навигационные бакены, вытягивали свои тускло освещенные тела длиннющие самоходные баржи. И все это речное многолюдие периодически оглашало волжские просторы длинными, протяжными гудками.

Разговор возник легко, естественно и непринужденно, как бы само собой. Георгий даже не смог понять, как так получилось, что, отвечая на простенькие, незамысловатые вопросы Иосифа Казимировича, он уже на балконе, а позже и за прекрасно сервированным чаем с конфетами и печеньем очень быстро и досконально изложил своему внимательному собеседнику фактически всю свою биографию, начиная от родителей и кончая тем, что поступать он собирается на филфак местного пединститута, что, конечно, мечта — это МГУ, но сейчас он побаивается туда ехать, опасаясь легендарно грандиозного конкурса, а поступить в вуз надо обязательно, ибо иначе — армия, что он, разумеется, ни в коем случае не собирается увиливать от военной службы, но хотелось бы проходить ее действительно по-настоящему, серьезно и сознательно, а не просто тупо оттрубить по молодости положенное количество лет.

— Дядя, ну ты совсем Жорку заговорил! — Оля успела уже выполнить свое задание и присоединилась к чаепитию.

— Ничего подобного, Олюнечка! Я как раз в основном молчу, а рассказывает Георгий, и рассказывает, надо сказать, интереснейшие вещи!

Никогда не суждено было генералу Жаворонкову узнать, что результатом этой и последующих бесед с Иосифом Казимировичем явилась аналитическая справка, ставшая одной из первых страниц в его обширном комитетском досье. Старый чекист пан Загурский не по чьему-то заданию, а действуя сугубо в интересах своеобразно понимаемой им «высшей цели», любил заводить дружбу с молодыми людьми. Боже упаси, никакого стукачества и наушничества: для этого пан Загурский был слишком офицером и шляхтичем! Его интересовали не враги — для «врагов» в Комитете есть специальные службы, — его интересовали друзья, потенциально перспективные молодые люди, которые могли бы, на его взгляд, интересно и неординарно работать во имя тех идеалов, которыми увлекли в далекие двадцатые годы молодого поручика польской армии коминтерновско-энкавэдэшные агенты. Докладные записки старого чекиста воспринимались «товарищами» с внешним уважением, но по сути его писания встречались с сарказмом и с трудом скрываемыми издевками: совсем, мол, старый выжил из ума! Выжил не выжил, но так получалось, что иногда труды и заботы Иосифа Казимировича очень даже оказывались востребованными.

Лето этого года выдалось у Георгия напряженным. Сначала были экзамены в школе на аттестат зрелости, через месяц — вступительные экзамены в вуз. Сдал он их, надо сказать, без особого напряжения, а что касается пединститута, так уже с момента подачи документов он почувствовал ситуацию «наибольшего благоприятствования». Еще бы! Филфак — сугубо женская обитель, и каждого абитуриента в штанах готовы были пестовать, лелеять и чуть ли не на руках носить.

Оленька в середине июля укатила в Москву. Расстались они необыкновенно трогательно и любовно. Ну не то чтобы строились какие-то совместные будущие планы — до это дело еще не доходило, — но само собой подразумевалось, что к сентябрю Оленька вернется, они вновь встретятся, а там... Видно будет.

После зачисления в институт три-четыре недели необходимо было отрабатывать неизбежную сельскохозяйственную повинность, причем для «салажат» была выбрана самая поганая форма: их не отправили куда-то в колхоз с постоянным проживанием, а дергали каждый день из дома на различные овощные базы. Местные работяги откровенно сачковали и развлекались, беспрерывно киряя и подначивая: «Ну давай-давай, интеллигэнция!»

Потихоньку начали съезжаться, чтобы буквально через несколько дней укатить обратно — сельхозобязанность существовала везде, — друзья-музыканты. Практически всем удалось поступить в различные консерватории страны. Георгий, конечно, был очень рад за приятелей, но где-то немножечко и «заело». Поступить в консерваторию — любую, не говоря уже о московской или ленинградской, считалось очень трудным и престижным.

Выходит, его друзья умели не только расписывать «пулю» и по-гусарски глушить «Розовое крепкое», но были и неплохими специалистами в своих профессиях. На их фоне поступление Георгия в местный педвуз было чем-то достаточно бледным и ординарным, а возможно, даже и явным проявлением собственной недостаточной состоятельности.

Об Оленьке ничего не было слышно. В середине сентября Георгий решился набрать столь знакомый и любимый номер.

— Георгий? Очень хорошо вас помню. Чрезвычайно рад вас слышать. — Иосиф Казимирович, как всегда, был изысканно вежлив и доброжелателен. — Оленька? Нет. Она вообще больше не приедет. Она разве вам ничего не говорила? Странно. Она, знаете ли, вообще скоро выходит замуж... Вы запишите ее московский телефон. Будете в столице — позвоните. Она будет рада.

Нет, у Георгия не потемнело в глазах, он не начал заламывать руки и помышлять о самоубийстве. Но какое-то гадливенькое ощущение, что об него вытерли ноги, переступили и пошли дальше, возникло. Возникло! И с этим ничего нельзя было поделать.

Что же: «До свидания, Оля!»

А возможно, даже еще шире: «До свидания, взбалмошные, неуравновешенные, перенасыщенные игрой гормонов и эмоций школьные годы! До свидания, детство!»

Глава шестая

В большом кабинете заместителя генерального прокурора России шло экстренное совещание. Хозяин кабинета, Константин Дмитриевич Меркулов, он же Костя, нервно расхаживал из угла в угол. За большим столом для заседаний сидел Славка Грязнов, он же Вячеслав Иванович, генерал и заместитель директора Департамента уголовного розыска, и хмурился.

Опоздавший Турецкий приземлился на мягчайший кожаный диван, принял максимально расслабленную позу и закрыл глаза.

— Тебе что-нибудь говорит имя Хельмут Цилк? — начал Меркулов.

— Костя иногда любит заходить издалека, — буркнул Грязнов.

— Не припоминаю, — томно ответил Турецкий. — Полагаю, что какой-то немец.

— Точнее, австриец, — поправил его Вячеслав. — Или австрияк, если тебе так больше нравится.

— Бывший бургомистр города Вены, — пояснил Меркулов. — Лишился руки, вскрывая письмо с вмонтированной в него бомбой.

— А-а! — Турецкий щелкнул пальцами. — Ну конечно, помню. Это было примерно... лет десять назад, да?

— Там была целая серия таких взрывов, — внес свою лепту в разговор Вячеслав Иванович. — Нагнали страху на всю Европу, просто паника какая-то началась. Государственные чиновники даже письма от любовниц боялись вскрывать.

— А потом нашли какого-то фанатика, — подхватил Турецкий, — и судили.

— Франц Фукс, — уточнил Костя. — А еще подобные случаи были в Германии, Америке...

— Не хочешь ли ты сказать... — приоткрыл глаза Александр Борисович, давно догадавшийся, что старинный друг Костя Меркулов затеял данный историко-образовательный экскурс не ради того, чтоб просветить лично его, Турецкого...

— Именно! — рявкнул старинный друг. — Теперь — у нас.

— Поздравляю, — лаконично реагировал Турецкий, вновь закрывая глаза. — И кто же мишень?

— ФСБ, — так же лаконично ответствовал Меркулов.

Турецкий открыл глаза очень широко и больше их уже не закрывал.

— Всего известно на сегодняшний день о трех конвертах. Два из них пришли непосредственно на Лубянку; один задержали в приемной генерала Пантелеева как подозрительный, позже его обезвредили саперы. Второй по ошибке вскрыла сотрудница секретариата...

— Изольда Романовна Богатырева, — вставил Слава Грязнов, заглянув в блокнот, а Костя продолжал:

— Получила серьезные ранения, и, в частности, сейчас врачи пытаются сохранить ей зрение. И наконец...

— Я так и чувствовал, что главное ты приберег на финал!

— Да. Убит генерал-лейтенант ФСБ Смирнов. Супруга, Елена Станиславовна, получила легкие травмы. Тяжело ранен охранник их дома на Фрунзенской набережной.

Турецкий присвистнул.

— Недурно. Минуточку, так, значит, письмо пришло на домашний адрес? Генерала ФСБ? Это интересно...

— Если точнее, это был пакет. Кто-то оставил его внизу у охранника, попросив передать генералу. Видимо, курьер не вызвал подозрений. Смирнов с женой спустились буквально через несколько минут, потому пакет он вскрыл за стойкой портье.

— Охранник, — Грязнов снова заглянул в блокнот, — Плоткин Иван Ильич, восемьдесят первого года рождения. В настоящее время находится в реанимации, без сознания. Для допроса непригоден.

— Хорошенькое дело, — вымолвил Турецкий. — А что в связи со всем этим думают господа федералы? Они что, не проводят собственное расследование?

— Проводят, конечно, будь спокоен, Саша. Но втихушку. Официально этим занимаемся мы.

— Как они вообще допустили к этому делу прокуратуру?

— Если бы не взрыв в жилом доме да если бы не пострадавший гражданский, то есть охранник, не допустили бы ни за что, трупами бы легли, можешь быть уверен. Так бы и осталось это в их лубянских стенах. А теперь...

— Представляю, как они недовольны!

— Просто в бешенстве. Так что помощи от них ждать не приходится, скорее наоборот.

— Так, может, пусть сами и разбираются со своими партизанами-бомбометателями?

— Ничего подобного! Там, — Меркулов поднял глаза и для убедительности показал пальцем на идеально белый потолок своего кабинета, — решили задействовать прокуратуру и МВД, то есть нас с вами. Так что придется тебе, Саша, пообщаться с товарищами с Лубянки. Кто знает, может быть, объединим дела о взрывах в одно проиводство... Но конкретное дело на контроле лично у генерального. Он просил подключить самых надежных людей.

— ...И ты просишь меня порекомендовать тебе кого-нибудь потолковее, — улыбнулся Турецкий, причем Грязнов иронически хмыкнул.

— Не валяй дурака, Саша! Размечтался. Генеральный имел в виду лично тебя. Однозначно.

— Да я, знаешь ли, Костя, как-то уже догадался, — вздохнул Александр Борисович.

— Итак, решено следующее: образовать следственно-оперативную группу под руководством Турецкого А Бэ. Дело называется «Конверты смерти». В группу входит генерал Грязнов Вэ И. Что касается оперов... — Меркулов вопросительно посмотрел на Славу.

— Задействуем столько народу, сколько будет нужно, и притом самых лучших.

— Свою, Саша, команду формируешь сам. Поремского, наверное, возьми. Ну да ты сам все знаешь. Есть какие-нибудь соображения?

Турецкий откашлялся:

— Срочно объявить общую тревогу по всем правительственным учреждениям.

— Уже сделано. Ни один подозрительный конверт не будет вскрыт без специальной проверки. Еще вопросы?

— Когда от нас ждут, — Турецкий опять выразительно поглядел вверх на штукатурку, — результатов?

— Вчера! — отрезал Меркулов. Потом кашлянул, помассировал пальцами глаза и добавил: — Ну вот, собственно, пока и все.

Глава седьмая

— Здравствуйте, Георгий Федорович! Я очень рад, что вы нашли время встретиться со мной. Меня, кстати, зовут... э... Юрий Сергеевич.

Подобное вступление предполагало вежливую и сдержанную реакцию, умело продемонстрированную Георгием, хотя внутренне он зашелся от смеха: только самый нелюбопытный, ненаблюдательный и ничем дальше собственного носа не интересующийся студент не знал, кто такой на самом деле этот плюгавенький, с прилизанными волосиками и с навечно, казалось, приклеившейся к его левой руке здоровенной рыжей папкой человечек, практически ежедневно снующий по институтским коридорам между партбюро, приемной ректора и малоприметной дверью со скромной табличкой: «Отдел кадров». Родина должна знать своих героев, студенты должны знать своего гэбэшного куратора.

«Хотел бы я, мил-человек, — как там тебя, Юрий Сергеевич, что ли? — видеть того, кто не захотел бы с тобой встретиться!» — это «про себя», разумеется, а вслух:

— Здравствуйте, Юрий Сергеевич, я вас слушаю.

— Георгий Федорович, я, к сожалению, не смог присутствовать на вашем последнем комсомольском собрании, но с большим интересом ознакомился с протоколом, и у меня возникли определенные соображения.

«Ага. Вот теперь понятно, откуда ветер дует. Что ж, следовало ожидать».

Последнее комсомольское собрание, главной темой которого было «Осуждение антисоветской вылазки обучающихся в Волгограде иностранных студентов», действительно отличалось скандальным оттенком, и главную роль в этом сыграло сомнительное в политическом отношении выступление члена бюро ВЛКСМ института, молодого кандидата в члены партии Георгия Жаворонкова. Изначальной причиной конфликта послужила планировавшаяся к 25-летию завершения Сталинградской битвы совместная акция советских студентов и их немногочисленных в Волгограде иностранных сверстников: кубинцев, болгар, немцев из ГДР — возложение венков к могилам погибших советских воинов. Ну мнением и настроениями «своих»: нравится — не нравится, хотят — не хотят — никто, естественно, вообще не интересовался, со стороны кубинцев и болгар никаких возражений не было, их волновало лишь одно: побыстрее сбагрить с рук тяжелые и холодные венки и укрыться от жгучего февральского ветра в теплой общаге, а вот молодые немцы неожиданно проявили организованную и сплоченную строптивость, категорически отказавшись принимать участие в намеченном мероприятии. Разумеется, потребовалось решительное осуждение прогрессивным советским студенчеством «провокационной реваншистской выходки», спровоцированной «продажной буржуазной пропагандой». По вузам города чередой пошли комсомольские и партийные собрания с соответствующей тематикой. Отсидев больше часа на подобном собрании и вдоволь наслушавшись заранее заготовленных «гневных отповедей», Георгий вдруг почувствовал, что бесконечные тупые заклинания, типа: «мы — им, а они...», «пусть катятся в свою ФРГ, вот там узнают...» и тому подобные кликушества начинают его необыкновенно раздражать. Нет, по сути он, конечно, согласился с тем, что демонстрация немецких ребят была дерзкой и совершенно неприемлемой. Но нельзя же было не признать и очевидных ошибок советской стороны, понадеявшейся на привычный и, как правило, безотказный нажимно-приказной стиль руководства. Вышло грубо, примитивно, а возможно, даже цинично-издевательски. Если для кубинцев пролитая четверть века назад на этой земле кровь — хоть с той, хоть с другой стороны — ни о чем не говорила, то негативную реакцию молодых граждан «первого на немецкой земле государства рабочих и крестьян» нетрудно было и предвидеть. Ведь вполне вероятно, что у многих из них в волгоградской земле — не в достойных уважения братских могилах, а в безымянных, давно уже заваленных и срытых за ненужностью рвах и ямах — покоились какие-то близкие им люди; да, когда-то пришедшие сюда как враги, да, закономерно унавозившие собой глинистую приволжскую почву, но люди — со своими судьбами, со своими исковерканными и безвременно оборвавшимися жизнями, со своими историческими и родственными корнями. И советская пропагандистская машина, начисто не желавшая считаться с этими очевидными фактами, закономерно получила заслуженный удар по морде. С немцами, восточными немцами, — разумеется, бывшими врагами, а ныне лучшими друзьями из друзей, осыпающими Волгоград бесконечными подарками, начиная от поминавшихся уже трамваев и до замечательного волгоградского планетария, — нужно было все-таки работать по-особому, не так, как со всеми остальными. Политические декларации и правительственные подношения — одно, а люди, с их вопросами, проблемами и эмоциями, — совершенно другое.

Примерно в подобном плане и выступил Георгий на том приснопамятном собрании. И тут началось! С подачи немедленно выскочившей после него на трибуну заведующей кафедрой марксизма-ленинизма, классического институтского «синего чулка» кондово-большевистской закалки Лидии Спиридоновны Харкалиной, на Георгия обрушились все мыслимые и немыслимые обвинения: тут были и «интеллигентская мягкотелость», и «нечеткое понимание современной политической обстановки», и «хочется надеяться, что непредумышленное, но тем не менее легкомысленно-попустительское отношение к набирающим силу неофашистским тенденциям». Георгия разгромили и заклеймили. В кулуарах начали курсировать слухи о намечающемся «персональном деле». Итоги подобной «разборки» были очевидны заранее: лишение не только карточки кандидата в члены КПСС, но и самого комсомольского билета и, как следствие, невозможность «чуждому элементу» продолжать дальнейшее обучение в советском вузе. Ситуация возникла очень напряженная. Встреча — с как там его, Юрием Сергеевичем? — была ее закономерным развитием.

— Да, Георгий Федорович, я внимательно ознакомился с протоколами, и, вы знаете, мне понравилось ваше выступление.

Вот те на! Удар ниже пояса.

В активную «общественную жизнь» Георгий окунулся буквально с первых же дней пребывания в институте. Проще всего было оценить это как какой-то дальний карьеристский прицел, но это было не совсем так. Георгий искренне уверовал в «возрождающиеся ленинские принципы», в безграничную заботу партии и правительства о нуждах простых советских трудящихся; импозантность и величавость нового генсека, не впавшего еще в «побрякушечный» маразм, производили впечатление внушительной и значительной степенности, соответствующей высокому посту руководителя могущественного государства. Лояльность и деятельная позиция первокурсника-филфаковца была не только замечена, но и по достоинству оценена. Через два-три месяца Георгий уже являлся членом бюро ВЛКСМ всего института, через год с небольшим сам завкафедрой счел возможным рекомендовать молодого коллегу в ряды КПСС. Грядущее восхождение по комсомольско-партийной линии начало вырисовываться реально и осязаемо. И вдруг такой неожиданный срыв!

— Мне и моим товарищам импонирует ваше неравнодушие, ваша откровенность, ваше искреннее — а лично я убежден в вашей искренности и порядочности — желание улучшить и усовершенствовать нашу работу. Но, как человек со значительно бо́льшим жизненным опытом, должен заметить: место и время для своих критических замечаний вы выбрали, уж извините, крайне неудачно. Вот посмотрите, в протоколе зафиксировано: «...выступление товарища Жаворонкова сопровождалось смешками и язвительными репликами некоторых студентов». Да нет, не думайте, ради бога, что мы всерьез относимся к этим детским хихонькам-хахонькам! Молодежь у нас замечательная! Ну а если кто-то где-то и ухмыльнулся, так сказать, «не в струю» — что из того? Юношество склонно к фрондированию, так всегда было и, вероятно, всегда будет. Мы на подобные вещи реагируем совершенно спокойно: пройдет время — все уляжется, перемелется. Но и провоцировать людей на какие-то не-сознательные выпады мы — коммунисты — не имеем никакого права. Вам, прежде чем подниматься на трибу-ну, надо было посоветоваться с товарищами, в комитете комсомола, в партбюро, прийти к нам, в конце концов. Необходимо было выработать какую-то совместную по-зицию, и тогда ваше выступление могло бы прозвучать значительно сильнее и убедительнее.

Давно отключившись от внимательного вслушивания в казуистическое словоблудие «Юрия Сергеевича», Геор-гий с каждой минутой все более и более утверждался в главном выводе: пронесло! Репрессивных акций не бу-дет, все ограничится абстрактными нравоучениями и «то-варищеским» порицанием. Что называется, отлегло!

Да и сам «Юрий Сергеевич», завершив лекционно-наставительную часть своей беседы, казалось, перевел дух со значительным облегчением.

А дальше пошел разговор, что называется, «за жизнь». Как Георгий представляет себе свое будущее, действитель-но ли он имеет склонность к педагогической деятельно-сти или это просто случайный и не очень обдуманный выбор будущей профессии, не заинтересован ли он по-пробовать себя на каком-то другом, возможно, и не очень близком к педагогике поприще...

«Господи, да уж не вербует ли он меня?»

Нет, майор КГБ Андрей Васильевич Завалишин не стремился пополнить Георгием Жаворонковым легион своих стукачей и осведомителей. Их было столько, что «Юрий Сергеевич» протер не одну пару казенных и штат-ских штанов, изучая и анализируя бесконечное литера-турное творчество своих «авторов». В студенте Жаворонкове он увидел родственную душу, своего потенциального коллегу, добросовестного и исполнительного кабинетного работника всесильного Комитета. А в том, что именно в них, малоприметных рядовых сотрудниках, а вовсе не в таинственных нелегалах, блистательных супершпионах, хладнокровных и бесчувственных убийцах-ликвидаторах сосредоточено все истинное могущество и всевластность советской опричнины, «Юрий Сергеевич» был убежден свято и непоколебимо.

— Жора, наша встреча была вызвана обстоятельствами чрезвычайными. Но я рад, что она состоялась, я считаю, что наша беседа была и интересной и содержательной. Надеюсь, что и дальнейшее наше общение будет не менее продуктивным. Скажу тебе честно: мы заинтересованы в твоей судьбе, мы считаем, что у тебя есть все необходимые данные, чтобы стать настоящей полноценной личностью будущего коммунистического общества. Но уж и ты нас, пожалуйста, не разочаровывай. Чтобы больше не приходилось расследовать какие-то твои необдуманные высказывания, демонстративные выступления... Это, знаешь ли, один раз может сойти с рук, ну другой... Но в будущем весьма и весьма чревато... И, разумеется, без всяких там детских глупостей, типа цветочка в лоб генсеку и распития спиртных напитков по крышам!

А вот это уже был удар не только ниже пояса, но нечто весьма похожее на хороший нокаут! Да что же это такое? Да неужели же они действительно в своем Комитете все про всех знают?! Как? Что? Откуда?! Из воздуха, что ли?

История с цветочком Генеральному секретарю произошла где-то в сентябре — октябре восьмого класса.

Любимый Никита Сергеевич внимательно и мудро взирал на подрастающее поколение с официозного портрета, укоренившегося под самым потолком над классной доской. Когда и как произошло, что во лбу Генерального появилась аккуратненькая маленькая дырочка, одному Богу известно. То ли случайная «травма» во время летнего ремонта, а может, и специально кто из работяг ткнул «верного ленинца» в лоб шилом или еще чемто остреньким, чтобы, так сказать, излишне не зарывался... Тайна, покрытая мраком. Во всяком случае, о том, чтобы «залечить» незначительное увечье «главного коммуниста планеты», никто не позаботился. Так бы и висел себе «продырявленный» Никита Сергеевич, если бы не замечательная погода в то теплое и солнечное осеннее утро. В это утро Георгий явился в класс одним из первых. Черт его знает, какая такая шлея под хвост неудержимо подстегнула его. Вообще-то хулиганистые эскапады были ему совсем не свойственны. Возможно, как-то по-особому завораживающе подействовало на него обаяние последних деньков уходящего «бабьего лета», возможно, сработали еще какие-то подсознательные мотивы, но только он, неожиданно даже для самого себя, почему-то подтащил к доске учительский стол, выхватил из вазочки гвоздику и, вытянувшись во весь рост, воткнул ее в художественное изображение руководящего лучшей половиной человечества лба. Парни — их было в тот момент в классе всего лишь двое-трое — заржали. Ржачкой встречал новую «звезду героя» Генерального и каждый из одноклассников. Учителя на протяжении первых уроков недоумевали: с классом — вполне вроде бы благополучным — что-то сегодня произошло, но что? Наконец кто-то из них ухватил боковым зрением «алую гвоздику». И началось!..

Следствие велось по всем правилам жанра: с очными ставками, перекрестными допросами, с размахиванием «кнутом» и с приторным подслащением «пряника». Класс держался, как единый партизанский организм на пытке. Но вне зависимости от результатов «допросов» «наверху» — а самым верхним верхом в этом деле были дирекция и парторганизация школы, которые пуще смерти боялись, что происшествие получит широкую огласку и тогда уже им придется отчитываться на таком «верху», что собственных голов не сносить, — хоть и бездоказательно, но начали делать определенные выводы. Всегда и во все времена в любом школьном коллективе существовал свой шут, паяц, клоун, тот, кто своими язвительными или дурацкими репликами вызывал взрывы смеха в классе, нарушал «нормальное течение учебного процесса», раздражал всех учителей — особенно самых скучных, занудных и ненаходчивых — как самим своим присутствием, так и непредсказуемостью неожиданных выходок и выкрутасов. В классе Георгия таким вечным нарушителем спокойствия был Костик Шлыков. И если старые педагогические «зубры» еще осмеливались вступать с Костиком в острые перепалки — ну в крайнем случае «доведет до ручки» — всегда можно выгнать с урока, — то молодые учителки просто-таки уливались от Котика слезами. Именно Котяра и был избран доморощенными следователями на роль «козла отпущения», тем более что выходка с цветочком была вполне даже в его духе. Георгий мучительно переживал создавшуюся ситуацию. Котик — а он был среди тех двух-трех одноклассников, которые присутствовали при процедуре посвящения Никиты Сергеевича в ранг «рыцаря гвоздики», — его не выдает, сознательно обрекая себя на все мыслимые и немыслимые кары, вплоть до пожизненного «волчьего» билета, а он, Георгий... Выходит, что он своим молчанием вроде как бы «закладывает» товарища? Нарастающее напряжение, моральные терзания разрешились очень просто: пленум ЦК КПСС, «волюнтаристская политика», «тенденции к установлению собственного культа личности»... Пора на пенсию, бывший дорогой Никита Сергеевич! «Цветочное дело», естественно, закрылось. Дырявый портрет отправился на склад — а скорее всего, и вообще на помойку, — а на освободившемся ржавом штырьке уютно обустроился будущий главный полководец Великой Отечественной войны полковник Брежнев.

Так, с «цветочком» более-менее что-то понятно. Об источнике «утечки информации» ничего не известно, но сама по себе утечка вполне возможна, учитывая, сколь много людей было в курсе инцидента. А вот «крыша»... Она с цветочной эпопеей никак не состыковывалась.

Устройство «летнего бара» на крышах было изобретением друзей-музыкантов; определенно, общение с этими остроумными, раскованными и безусловно незаурядными парнями было одним из лучших периодов в жизни.

В весенне-летние месяцы вся волгоградская молодежь «ходила» по местному бродвею, короткому отрезку Аллеи Героев от проспекта Ленина до тех самых интернациональных селянок, возле которых Георгий когда-то получил солнечный удар. Ну, разумеется, прежде чем достойно и с настроением «ходить», надо было несколько «подзаправиться», а иначе было скучно и неинтересно. В Центральном гастрономе закупалось определенное количество спиртного, весьма умеренное, впрочем; если позволяли финансы — устраивался роскошный пир с портвейном «Агдам», нет — так любое пойло подешевле сходило, там же закупались бутерброды, да не какие-нибудь старые и лежалые, а нарезанный заботливой тетенькой тут же, при тебе, свежачок.

Дальше — проще простого. В каких именно подъездах в дверях на крышу были выломаны замки — знали наизусть. Прихватив в ближайшем автомате пару стаканов — Георгий считался педантом и аккуратистом, он всегда настаивал на неукоснительном возврате после пиршества использованного имущества на место: «Мужики, нехорошо, ведь и еще кому-нибудь может понадобиться, а их уже и в помине нет!» — на лифте возносились на последний этаж, пробирались на крышу, раскладывали на плоском парапете вожделенную выпивку и закуску — и вот уже можно было если и не с уровня птичьего полета, то хотя бы с высоты неонового призыва «Летайте самолетами Аэрофлота» любоваться великолепной, сияющей огнями панорамой города. Чем тебе не вид на Босфор? Но кто же мог... Стоп! А вот Котик-то и мог! Он — единственный из всех одноклассников, кого как-то случайно — так получилось — прихватил с собой Георгий на одну из крышных пирушек. Выходит, что Котик, именно Котик, разыгрывая из себя несчастного, обиженного, терроризируемого, почти уничтоженного, в то же самое время просто-напросто «стучал».

Так Георгий Жаворонков провел свое первое профессиональное аналитическое расследование. Сколько их было в дальнейшем — никакому учету не подлежит. Выводы? А какие выводы? Кому это интересно через столько-то лет? Одноклассники разбрелись кто куда, друзья-музыканты совершенствуют свое мастерство в ближних и дальних консерваториях, Котик, насколько известно, тянет армейскую лямку где-то на Дальнем Востоке, а Георгий... А Георгию все чаще и чаще случалось общаться со своим «духовным наставником», с «Юрием Сергеевичем», неизменно вежливым, внимательным и вроде как не очень навязчивым.

На второй-третьей встрече Георгий был удостоен «высокой» чести — вероятно, это являлось одним из этапов постепенного окончательного приобщения к «своим» — «Юрий Сергеевич» счел возможным раскрыть Георгию свой «псевдоним» (впрочем, учитывая специфику его деятельности, интеллигентский литературно-театральный эвфемизм «псевдоним» вряд ли был уместен; правильнее было бы использовать определение «конспиративная кличка», а то и того проще — «кликуха»). Но как бы там ни было, теперь Георгий знал, что его идейного наставника по-настоящему (если, конечно, это действительно было «по-настоящему») зовут товарищ майор Андрей Васильевич Завалишин.

Вспоминая задним числом и с высоты уже своего собственного огромного опыта службы в рядах ордена коммунистических «рыцарей без страха и упрека» ту кропотливую и дотошную работу, которую проводил с ним майор Завалишин, генерал Жаворонков не мог не отдать должного специфическому, можно сказать, интеллигентному вербовочному мастерству майора. Традиционные приемы предполагали «захват» на чем-то «жареном», скручивание по рукам и ногам с перспективой «отключения кислорода» на всю оставшуюся жизнь. Кое-какие «жареные» или хотя бы «полужареные» факты Георгий своему майору конечно же подкидывал. И все-таки встречи с Завалишиным — не слишком частые, раз в месяц-полтора — скорее напоминали дружеские посиделки. Кстати, в «святая святых» — местную «Лубянку» — майор Георгия никогда не вызывал. Их встречи происходили либо в институтском комитете комсомола, либо в 417-м номере гостиницы «Интурист», своеобразном для гостиницы номере, в котором отсутствовал главный атрибут гостиничной меблировки — кровать. (Первый визит в гостиницу ознаменовался столкновением с величественным, просто-таки маршальского вида швейцаром: «Куд-да?! У нас только для иностранцев!» Но, услышав цифру 417, блистательный страж высоченных, добротного дерева дверей «сугубо для иностранцев» только что не собственным языком вылизал Георгию дорогу к лифту.) Неоднократно Георгий заполнял какие-то анкеты, уточнял и переписывал собственную биографию, давал какие-то не совсем понятного содержания подписки... Но большая часть времени уходила просто на разговоры: о том о сем, вроде бы ни о чем конкретном, более всего — о самом Георгии, о его семье, вскользь — о настроениях в студенческой среде, но без малейшего намека на то, что о каких-то услышанных «сомнительных» высказываниях и репликах необходимо докладывать товарищу майору. И вдруг в один прекрасный день вместо доброжелательной и всепонимающей улыбки старшего товарища Георгия встретил холодный колючий взгляд немигающих глаз.

— Проходите, Георгий Федорович, садитесь. — Георгий Федорович? После стольких месяцев Жоры и Жорочки? — Садитесь и рассказывайте.

— О чем рассказывать, Андрей Васильевич?

— Георгий Федорович, мы ведь тут не в игрушки играем. А если вы вдруг что-то недопонимаете, позволю себе напомнить: вы беседуете с сотрудником Комитета государственной безопасности СССР, кстати, вам прекрасно известно мое воинское звание.

— Извините, товарищ майор. — Немигающий взгляд и твердая жесткая настойчивость Завалишина давили, гипнотизировали; вероятно, именно так человек чувствует себя в упругих, пружинистых и безжалостных объятиях какой-нибудь анаконды. — Но я, честное слово...

— Это ваша анкета, товарищ Жаворонков? Заполнена вашей рукой и заверена вашей подписью?

Завалишин ловко, с полупереворотом метнул по полированной поверхности стола несколько скрепленных листков. Красной «птичкой» был помечен пункт: «Были ли ваши родственники в плену, на временно оккупированных территориях, на принудительных работах в Германии?» Решительное георгиевское «нет» было обведено тем же красным карандашом.

— Андр... Товарищ майор, но мои родители...

— Биографии ваших родителей, Георгий Федорович, достойны восхищения. Это биографии настоящих советских патриотов. Нас радует и то, что ваш младший брат, достаточно уже покуролесивший, несмотря на свой юный возраст, наконец-то, кажется, взялся за ум. — Лешка за последний год действительно как-то очень посерьезнел, повзрослел и настойчиво обивал пороги военкомата, добиваясь направления в одно из училищ бронетанковых войск. — Но почему же в этом очень важном пункте вы не сочли необходимым сообщить правду, а именно что ваш родной дядя, Семен Александрович Жаворонков, был взят в плен под Харьковом, более двух лет провел в различных лагерях военнопленных, бежал, участвовал в итальянском сопротивлении, а после войны категорически отказался вернуться на родину?

Заранее продуманная и выверенная тирада «товарища майора», произнесенная сдержанным, внушительным, «государственным» тоном, произвела тот самый эффект, на который она и была рассчитана: испуг, растерянность, смятение собеседника. Как хладнокровный и бесчувственный энтомолог, наблюдающий за последними трепыханиями крылышек насаженной на булавку бабочки, майор Завалишин с удовольствием вглядывался в пошедшее красными пятнами лицо Жаворонкова. Пусть эта победа была слишком мизерной — подумаешь, сопляк-студент! — но это была победа, это было ощущение схваченной «за живое» человеческой судьбы, властное и безграничное распоряжение чужой жизнью; это грело, радовало, будоражило кровь.

— Товарищ майор... Андрей Васильевич... но у нас в семье никогда...

— Георгий, речь не идет о том, обсуждалась у вас в семье судьба этого человека или нет. Речь о другом: вы, именно вы, а не кто-то еще из вашей семьи, знали о существовании у вас очень близкого родственника, пусть и неизвестного вам лично?

— Нет, то есть да, что-то смутное, краем уха, я, конечно, слышал...

— А почему же об этом «смутном» вы не сообщили нам?

— Но я полагал...

— Полагать и принимать решения — наша забота, товарищ Жаворонков. А ваша обязанность, заполняя документы для Комитета государственной безопасности, честно и добросовестно сообщить все факты своей биографии и все обстоятельства, касающиеся ваших ближайших родственников.

— Я должен поговорить с отцом!

— А вот этого делать как раз не следует. Мы проверили все обстоятельства, и нам известно, что ваш отец действительно давно прервал свои отношения с братом и все эти годы не имел с ним никаких контактов. Но родственные конфликты, даже по прошествии десятилетий, — явление достаточно болезненное. И заставлять вашего отца, заслуженного ветерана войны, вновь переживать эти застарелые семейные неурядицы — просто негуманно, а главное, нецелесообразно. К его брату, а к вашему дяде, Семену Жаворонкову, мы, к вашему счастью, не имеем никаких серьезных претензий. Известно, что в плен он попал в бессознательном состоянии после тяжелого ранения, что в плену вел себя достойно, не поддаваясь ни на какие антисоветские провокации, что после побега из плена сражался с врагами отважно и мужественно. Вот разве что в вопросе возвращения на родину... Ну время тогда было сложное — мы это прекрасно понимаем — многие оказались под влиянием лживой антисоветской пропаганды и не всегда умели ей достойно противостоять. Ваш дядя оказался, увы, в числе таких «заблудших» душ, но врагом нашего государства он никогда не был, а поэтому никаких серьезных обвинений в его адрес мы никогда не выдвигали и наблюдение за ним давно сняли.

Лукавил, ох лукавил товарищ майор Андрей Васильевич Завалишин. Уж ему-то было прекрасно известно, что итальянский партизан Симон, он же старший сержант Красной армии Семен Жаворонков, по собственному настойчивому требованию был отправлен на родину одним из первых транспортов и что его бессловесная тень ушла в небытие вовсе не на альпийских лугах или в долине реки Роны, а в лагерях НКВД под Воркутой.

Майор держал многозначительную мхатовскую паузу. Молчал и Георгий. После всего уже сказанного предположить, в какую сторону направится дальнейший разговор, было довольно трудно; самое время помолчать и сосредоточиться.

— Да, Георгий, завидую я вам, молодым! — На чело майора начало наплывать привычное, показно-доброжелательное отеческое выражение. — Завидую времени, в котором вы начинаете свою сознательную, взрослую жизнь, его сдержанности, терпимости, демократичности. Позволил бы я себе в годы своей молодости допускать такие выкрутасы, которые тебе сегодня так легко сходят с рук! Но учти: и сегодня с тобой разговаривали бы совсем в другом тоне, если бы не мое доброе к тебе отношение. Но я — и ты должен это понимать — прикрываю твои огрехи не только из-за хорошего отношения к тебе — это было бы служебным преступлением, а на это никогда не пойдет ни один настоящий чекист, — я просто очень верю в тебя, верю, что ты в конце концов переболеешь юношеским легкомыслием и научишься серьезно продумывать каждое свое слово и действие. Не разочаруй меня, Георгий! Ладно, тебе есть над чем поразмыслить. А сейчас — свободен, ступай.

Результатом проведенной беседы майор Завалишин был очень доволен. Уж теперь-то — он был в этом убежден — достаточно слабохарактерный, а возможно, где-то даже и рефлектирующий студентик был взят им, что называется, «с потрохами», теперь при всех вопросах, сомнениях, жизненных сложностях у Георгия Жаворонкова один путь — к «папе» Завалишину, чего, в общем-то, и добивался в конечном счете внешне неприметный и невзрачный, но необыкновенно властолюбивый и амбициозный гэбэшный майор.

Доволен был и Георгий. Правда, это было довольство совершенно другого рода: унес ноги — и слава богу! То, что он волею судьбы оказался вовлеченным в какие-то очень серьезные «игры», с одной стороны, радовало и увлекало. Но если посмотреть с другой стороны... Цепкий и пристальный взгляд, сопровождавший отныне каждый его шаг — а вездесущность этого взгляда была ему очень наглядно продемонстрирована, — действовал все-таки как-то угнетающе, хотелось встряхнуться, отбросить от себя, освободиться... Но Георгий, надо отдать ему должное, уже тогда очень хорошо понимал: освободиться от этих уз ему не удастся никогда!

В серьезной, строгой и сугубо деловой атмосфере прошла и следующая — где-то в начале нового учебного года — встреча с майором Завалишиным. Но на этот раз причиной озабоченности Андрея Васильевича были не какие-то очередные прегрешения студента Жаворонкова, а происшедшие месяцем раньше чехословацкие события.

Эти летние каникулы, как, впрочем, и предыдущие, Георгий проработал в составе сводного городского студенческого строительного отряда. Уж как так получилось, что слепленные «на живульку» коровники и еще какие-то там подсобные строения вполне устроили руководителей отдаленного башкирского колхоза, — одному Богу известно, но факт, что волгоградские студенты пришлись колхозникам «ко двору», и их пригласили приехать еще раз. А раз пригласили, то почему бы и нет? Заработки были, конечно, не ахти какие, но все-таки кое-что в итоге набегало. Не мог же Георгий — здоровый, взрослый мужик — позволить себе полностью сидеть на шее у родителей! Они, разумеется, и кормят, и поят, и, что называется, «на личную жизнь» не откажут, только попроси... Но стыдно же, в конце концов, в его возрасте изо дня в день стрелять «троячки» «на кино».

Работа в колхозе во второе лето определенно не заладилась, но виноваты в этом были вовсе не студенты. То цемент хозяева вовремя не завезли, то кирпичи где-то по дороге растеряли, то еще что-то там... Что ни день — бесконечные неувязки, неразбериха, простои. Ну а раз простои, то, разумеется... Нет, конечно же официальная продажа спиртного в период летней страды была строго лимитирована, возможно, на бумаге она и вообще обозначалась абсолютным нулем. Но где, скажите пожалуйста, в российской деревне, даже и в ее башкирском варианте, нельзя было при желании разжиться флягой-другой доброго самогона? Гульба шла беспрерывная и разудалая. Тут же, естественно, возникли и проблемы достаточно половозрелого и неуемного в своих желаниях возраста. Деревенские Казановы, всячески пытаясь добиться внимания и расположения студенческих «боевых» подруг, изо всех сил противились посяганиям «городских» на честь и достоинство их землячек. Дело дошло до двух-трех серьезных драк с применением подручных средств и с милицейским разбирательством.

Георгий вместе с командиром отряда, комсоргом, еще несколькими комсомольско-партийными активистами пытался утихомирить разошедшиеся страсти. Но куда там! Разгулявшаяся стихийная вольница полностью вышла из-под какого-либо контроля. И потом, одно дело — гневно и обличительно выступать с институтской трибуны, самоотверженно отстаивая принципы социалистической морали, а совсем другое — требовать от комсомольцев достойного поведения, митингуя на каком-то полуразрушенном сеновале; здесь очень даже реально было получить оглоблей по башке, а там — иди разбирайся, кто прав, кто виноват.

К концу июля стало и того хуже. К бытовой «напряженке» прибавилось реально ощущаемое общее политическое напряжение. Все перерывы в работе и паузы между выпивонами студенты заполняли беспрерывным слушанием «голосов». То ли особо раздольные просторы Башкирии этому способствовали, то ли просто на «глушилках» в далекой, Богом забытой глухомани экономили, но только Би-би-си, «Голос Америки», «Немецкая волна» ловились здесь не хуже «Маяка». И из пары-тройки имевшихся в наличии наимоднейших «Спидол», переделанных доморощенными умельцами со стандартных 25 метров на менее доступные для глушения 13, 16 и 19, бесконечным потоком звучала свежайшая «политинформация»: «Войска Закарпатского военного округа, завершившие летние учения, продолжают оставаться на территории Чехословакии», «Эмнисти интернешнл» выражает серьезную озабоченность развитием событий в Центральной Европе», «Чехословацкие лидеры апеллируют к международному общественному мнению», «Войска стран Варшавского договора концентрируются на границах Чехословакии» и, наконец, последнее: «Вновь, через двадцать три года после окончания Второй мировой войны, советские танки «утюжат» улицы Праги!» Все. После этого по всем «голосам» ударил непробиваемый вой, визг, скрежет. И оставшийся вне конкуренции «Маяк» торжественно провозгласил: «По просьбе правительства Чехословацкой Советской Социалистической Республики...»

Ситуация сложилась неординарная. Все советские люди должны были срочно продемонстрировать полную поддержку мудрого решения партии и правительства. Не являлись исключением и затерявшиеся в башкирской глубинке волгоградские студенты. Времени для подготовки экстренного (обозначенного в протоколе как «стихийно возникшее») комсомольского собрания не было. Понадеялись на «авось». Мол, надо «затравить» в нужном русле, а там всегда найдутся желающие выступить с пониманием и одобрением. Не нашлись! Не оправдался расчет на пассивную, инертную, равнодушную массу, из которой всегда можно было вычленить нескольких услужливых «чего изволите?». На бубнящие занудные и лживые заклинания об «обострении классовой борьбы» ком-

86

сомольско-партийных руководителей отряда (в том числе и на Георгия) с нескрываемым презрением взирали разбитые, хулиганистые, но очень разумные и прекрасно понимающие ситуацию парни и девчонки.

— Кто-то еще хочет выступить, товарищи? — Комсорг отряда усиленно играл в игру «Все хорошо, прекрасная маркиза», и от этой очевидной фальши Георгию стало совсем стыдно и тошно. — Прошу, товарищи! Нет желающих? — Комсорг призывно-вопрошающим взглядом обвел ряды отсутствующе-безразличных физиономий. — Ну тогда позвольте...

— А о чем говорить? Задавили чехов — вот вам и весь социализм!

Эту реплику — кажется, она исходила от Сашки Тенькова, по слухам, очень талантливого и перспективного физика, парня с цепким, ироничным умом и с не поддающейся никакому контролю несдержанностью на язык, — в протокол, разумеется, не внесли. Зачем портить благостную картину полного единодушия? А студенческий отряд, во избежание еще чего-нибудь иного-всякого, решили досрочно отправить домой.

— Вот так вот, Георгий. События последних месяцев ярко и убедительно свидетельствуют о том, в какой непростой и напряженной международной обстановке мы существуем. И каждое наше послабление, каждый наш промах тут же используются и берутся на вооружение международной реакцией, — заключил при очередной встрече Андрей Васильевич.

Количество прослушанных и прочитанных за последние недели материалов о происках и коварстве международного империализма настолько уже превышало все допустимые пределы восприятия, что Георгий с трудом сдержал себя от желания театрально «закатить глаза». Он был достаточно верноподданным и вернопослушным последователем коммунистической доктрины, чтобы находить в себе силы прилюдно демонстрировать непоколебимую веру в своевременность и разумность происшедшей акции. Но он был все-таки и достаточно думающим человеком, обучающимся хоть и на препарированных и выхолощенных советских источниках, но все-таки позволяющих сделать определенные выводы, а именно: оккупация независимой Чехословакии в 1968-м невероятно родственна оккупации 1938-го, разве что цвет мундиров был иной и соответственно танки были иной модификации и иного производства. Но вступать в дебаты с Андреем Васильевичем... Увольте! Не то место и не та ситуация.

— Нам предстоит очень большая и очень кропотливая работа. Мы, к сожалению, своевременно недооценили в полной мере тлетворного влияния Запада на умы нашей молодежи, никогда не устану повторять — замечательной молодежи, но, к сожалению, не имеющей еще достаточно жизненного опыта и соответственно умения противостоять враждебным поползновениям. И первейшая наша сегодняшняя задача — жестко и бескомпромиссно исправлять свои же собственные ошибки, дать молодежи, не переоценивая степени ее зрелости и политической подготовки, верные идеологические установки, способствовать формированию зрелого отношения к жизни, четких классовых позиций.

Это было уже практически нескрываемым указанием на необходимость «воспитательного» стукачества.

Впрямую вроде бы ничего и не говорилось, но и излишними эзоповскими замысловатостями гэбэшный сленг, которым пользовался майор, не отличался.

Георгий выходил из гостиницы с ощущением какой-то гнусности в душе. И тут еще на самом выходе столкнулся с Сашкой Теньковым.

— Ну, старик, ты что, уже обитаешь в люксе «Интуриста»?

Возможность подобной встречи никогда не исключалась. Да и наивно было бы предполагать, что рано или поздно никто не «застукает» походов Георгия в гостиницу. Самый центр города, рядом — главный почтамт, сзади — легендарный универмаг, где в 1943-м был пленен фельдмаршал Паулюс, направо уходит всегда многолюдная улица Мира... Честно говоря, более дурацкого места для «конспиративных» встреч нельзя было и придумать, если только сама «конспиративность», во имя каких-то высших целей, изначально не была задумана как нечто прозрачное, эфемерное и игрушечное.

— Да ну тебя, Саня, какой «Интурист»! Зашел за свежими газетами.

— И что же, «Комсомольскую правду» сегодня не завезли?

— Да оставь, какая «Комсомолка»! Ее в любом киоске можно купить. А у меня она и вообще идет по подписке. А вот свежий «Дейли Уоркер» действительно, говорят, будет только завтра. Я ведь, знаешь, пытаюсь как-то подтянуть свой английский...

— Это здорово, старик! Английский, да еще через «Дейли Уоркер»... Класс! Ну завтра так завтра, уж потерпи как-нибудь. Пока!

И Георгий прекрасно понял, что въедливый и язвительный Теньков ни минуты не сомневается в том, с представителем какой именно «печатной продукции» встречается в «Интуристе» комсомольский активист Жаворонков. А из этого следовало, что едва наметившийся круг общения с живыми и веселыми ребятами — институтскими физиками, Сашкиными приятелями, — напрочь для него закрылся.

С одной стороны, откровенное отторжение себя сообществом безусловно наиболее интересных и думающих сокурсников удручало, с другой — в этом отстранении был и несомненный положительный момент: встречи с майором оставались в рамках абстрактных общих рассуждений о настроениях студенчества, без конкретных фактов и тем более без конкретных фамилий. И Завалишин, прекрасно понимая, что Георгий — его креатура в студенческой среде — достаточно «засвечен» своими контактами с органами, даже не пытался добиться от него какой-то более целенаправленной информации, связанной с отдельными, персонально интересующими ГБ личностями.

А между тем политическая ситуация в тот год продолжала обостряться. Вроде как бы решенная, а по сути лишь загнанная вглубь, чехословацкая проблема продолжала кровоточить. (Чехи показали себя по-настоящему мудрыми и сдержанными политиками: индустриально развитая страна с мощной промышленностью, с прекрасно оснащенной и подготовленной армией, безусловно, могла бы оказать достойное сопротивление авантюрной интервенции; а чем мог быть чреват вооруженный конфликт в центре Европы — даже и в дурном сне трудно себе представить.) Ограничилось же все: «Вы нас — пушками, мы вас — клюшками!» Афоризм образный, броский, но вся его театральная хлесткость не скрывала глубокого разочарования, пессимизма и откровенной боли.

«У советской внешней политики в этом сезоне две проблемы: Даманский и Недоманский» — несгибаемый и неистребимый народный юмор разлетался по стране, минуя все цензурные ухищрения. Но если синяки, шишки и кровоподтеки, нанесенные игрокам нашей сборной неудержимым чехословацким форвардом, все-таки оставались в рамках спортивно-игрового действа, то обильная кровь, пролитая на китайской границе, совсем уже не соответствовала шутливо-ироничному к ней отношению.

Очевидным было и ужесточение внутреннего давления. Многочисленные собрания с воинственными резолюциями, практически нескрываемые репрессивные акции против «инакомыслящих»... Все было как-то напряженно, сумрачно и безрадостно.

Однако обстоятельства личной биографии Георгия Жаворонкова — а возможно, что уже настало время обозначать его биографию и более точным определением: «карьера», — складывались вполне успешно. С подачи несомненно покровительствующего ему майора Георгий начал работать в редакции институтской многотиражки. («Ты, Георгий, человек, несомненно обладающий литературными способностями, пишущий, публикующийся, а главное, трезво и разумно разбирающийся в сегодняшней политической ситуации. Студенческая газета — важнейший орган идеологического влияния на молодежь. А у вас там, честно говоря, бардака и балагана предостаточно. Присмотрись, наберись опыта...») Покрутившись пару месяцев в литсотрудниках, Георгий не только успешно пережил смену газетного руководства, но и круто пошел на повышение; ответственный секретарь — фигура в редакции важнейшая, хотя, увы, и оплачиваемая весьма скромно.

Без сучка без задоринки прошла, по окончании кандидатского срока, и процедура непосредственного приема Георгия в действительные члены самой гуманной и прогрессивной в мире партии. Все произошло предельно вовремя, ибо месяцем-двумя позже Иван Лукич Кожевников, секретарь парторганизации института, заведующий кафедрой и один из наиболее весомых и авторитетных «рекомендателей» Георгия, «полетел» не только с секретарства и завкафства, но и вообще из института. (Где и в чем промахнулся опытный закулисный интриган и прожженный партийный функционер — трудно сказать. То ли не успел достаточно рьяно и верноподданно приветствовать советские освободительные танки на улицах Праги, то ли припомнили ему излишне братские и сердечные полуторадесятилетней давности контакты с китайскими коллегами. А может быть, тема его докторской диссертации «Социалистический реализм как основополагающая идеологическая платформа развития современной чехословацкой литературы», — тема не им, кстати, придуманная, а навязанная «сверху», тема, прошедшая утверждение во всех необходимых вышестоящих инстанциях, еще недавно бывшая столь актуальной, сегодня зазвучала по меньшей мере двусмысленно.) Короче, покатил «Лука» на Север, к его счастью, не на крайний — времена были все-таки достаточно гуманные, — а всего лишь на север Волгоградской области, директорствовать в обычной средней общеобразовательной школе в благословенном городе Урюпинске.

А у Георгия летние месяцы тоже совпали с дальней командировкой. Официальный адрес — Москва, Высшая комсомольская школа, летний семинар для руководящих работников первичных комсомольских организаций.

И это действительно был летний семинар, во время которого сотрудники Высшей школы — только не комсомольской, а проходящей несколько по иному ведомству — присматривались к направленным из провинции в столицу по специальной разнарядке потенциальным кандидатам в будущие курсанты. Лишь по прошествии многих лет успешно развивающейся карьеры Георгий смог в должной степени оценить тот необыкновенный, единственный из множества шанс, который предоставил ему майор Завалишин. Ведь обучаться «чекистской науке» можно было где угодно, хотя бы и в том же Волгограде. Но учеба в Москве, в непосредственной близости от центральных структур «конторы», открывала совсем иные перспективы.

— Что же, Георгий, я рад, что ты меня не подвел. Отзывы о твоей кандидатуре вполне благоприятные, но учти — это еще только предварительное знакомство, окончательно решение о твоем зачислении еще не вынесено. И зависеть оно будет от твоей работы в ближайший год. Прежде всего — необходимо достойно закончить институт, нам в органах нужны люди образованные, с широким кругозором, с разнообразным кругом интересов, с умением интересно и не тривиально общаться с людьми.

Год действительно оказался очень насыщенным: тут и работа в редакции, и госэкзамены — на «красный» диплом Георгий не вытянул, но в целом экзамены сдал весьма успешно — плюс «домашнее» задание, полученное в Москве: усиленное занятие языком и основательная спортивная подготовка (обеспечить на должном уровне и то и другое опять-таки помог Завалишин).

И вновь лето, вновь командировка в Москву, теперь уже непосредственно для вступительных экзаменов и окончательного решения о зачислении. В августе Георгий вернулся домой в краткосрочный отпуск, будучи уже курсантом Высшей школы КГБ.

— Докладываю, товарищ майор, ваше задание выполнено.

— Знаю, Георгий, молодчина. Поздравляю!

— Я, товарищ майор...

— Подполковник.

Волгоградский период жизни Георгия Жаворонкова завершался эйфорией взаимных поздравлений, рукоплесканий и пожеланиями всяческих жизненных и служебных успехов в будущем.

Глава восьмая

На другой день оказалось, что весна как-то внезапно и вероломно закончилась.

«Ну что ж, все одно к одному, — кисло подумал Турецкий. — Еще вчера был май, весна, любовь, а сегодня... какой-то тусклый октябрь, да и только».

Над кладбищем нависли хмурые, всклокоченные тучи. Выходить из машины категорически не хотелось, тем более что налетавший ветер с такой силой сотрясал любимый синий «пежо» Турецкого, что казалось, стоит лишь выйти наружу, и тебя рванет бешеным порывом и унесет прямо в блеклое осеннее небо.

«Ну ладно, что это я раскис, как дитя, в самом деле!» — Александр Борисович стряхнул с себя наваждение и через считаные секунды уже шагал по ухоженной, чистенькой дорожке Новодевичьего кладбища бодрой походкой. Где-то над головой надрывно каркнула ворона.

«Теперь еще и это! Интересно, а в других городах вообще есть вороны? Сколько и где ни бывал, что-то нигде их не припомню... похоже, это такая специальная московская птица. Но какой все-таки пронзительный звук...»

Впереди показался хвост траурной процессии.

«Что это за планида у меня такая — разговаривать со скорбящими родственниками? Да еще на кладбище, на ветру. Не хочу скорбящих родственников! Хочу, чтоб был берег океана, пальмы, смуглые красотки и джин с тоником».

Становилось понятно, что меланхолия не желала проходить. Турецкий снова встряхнулся и даже еще прицыкнул сам на себя: «Да что же это такое? Немедленно прекратить, Александр Борисович! Курсом на скорбящих родственников — шагом марш!»

На самом деле день Александра Борисовича начался не с этого. Он начался с посещения здания на Лубянской площади, и настроен Турецкий был весьма боевито. Между двумя ведомствами — прокуратурой и госбезопасностью — издревле сложились странные, неоднозначные взаимоотношения. С одной стороны, прокуратура осуществляла надзор за действиями тайной полиции (исключая секретные агентурные операции, конечно), с другой стороны, всесильное ведомство только вежливо делало вид, что позволяет себя контролировать, по сути же не считало себя обязанным отчитываться перед кем бы то ни было. Плюс к тому, безусловно, существовала и некоторая конкуренция во всем, что касается профессионализма. Одни хотели показать другим, кто на самом деле круче.

Так было и сегодня. Турецкий, напруженный и подтянутый, с горящими глазами, был встречен заместителем директора ФСБ Игнатьевым, встречен не просто любезно, а даже ласково. Но Александр Борисович практически ничего не смог добиться ни от него, ни от его подчиненных, сотрудников покойного генерала Смирнова. Он чувствовал, что как рядовые, так и начальники ФСБ чего-то недоговаривают, что-то скрывают. Очень быстро созрело у Турецкого решение отказаться от помощи оперативной службы ФСБ в этом конкретном деле и действовать самим.

...В толпе провожающих в последний путь выделялась вдова — бледная, в черном платке, с перевязанной левой рукой. Даже сквозь завесу постигшего ее горя было видно, какая это красивая женщина. Статная, как придворная дама, изысканная, холеная. Над левым уголком верхней губы — небольшая аккуратная родинка, которая придавала некий шарм.

«А ничего дамочка», — подумал помощник генерального прокурора, но тут же на него вновь неслышно прикрикнул его «внутренний Турецкий»: «Александр Борисович! Это возмутительно! У женщины несчастье, а вы? Все о своем!», и его собеседник был вынужден согласиться: «Да, ты прав. К тому же ей уже и лет, пожалуй, крепко за сорок!», на что в свою очередь возмутился «голос совести»: «Нет, каков наглец! А вам-то, господин Турецкий, сильно ли далеко осталось до полтинника?»

Наконец печальная церемония завершилась, и, выждав какое-то время, Турецкий подошел к вдове.

— Здравствуйте, Елена Станиславовна, меня зовут Александр Борисович Турецкий, я из Генеральной прокуратуры. Примите мои самые искренние собо...

— Оставьте. Я не в состоянии больше слушать соболезнования, мне кажется, что у меня от них рвется что-то внутри. А вам, наверное, не привыкать беседовать со вдовами, так что... давайте к делу. Вы хотели...

— Я хотел поговорить с вами. Конечно, не сегодня — когда вам будет удобно.

Только теперь он заметил, что женщина не просто бледна, а даже какой-то зеленоватый оттенок есть в ее лице.

— Вы правы. Такая проклятая работа — вечно надоедать людям, когда у них случилось горе. Но что делать — ведь вы тоже хотите, чтоб убийца, убийца вашего мужа, который покушался, кстати, и на вас, был пойман.

Женщина вздохнула, но так тихо, что Турецкий скорее увидел, чем услышал этот вздох.

— Приходите ко мне завтра. Сегодня я, боюсь, не смогу.

— Ну-с, давай, Славка, попробуем подвести первые неутешительные итоги, — мрачно выдавил руководитель следственно-оперативной группы по делу под условным названием «Конверты смерти».

Промозглый день клонился к вечеру, на улице было по-прежнему так же отвратительно, а в теплом кабинете Вячеслава Ивановича Грязнова сидели со вдумчивыми аналитическими лицами двое: сам хозяин и Александр Борисович Турецкий.

— Итак, что мы имеем? Что объединяет трех адресатов «взрывных» конвертов? А объединяет их...

— Лубянка их объединяет, Саша. Лубянка, — прохрипел Грязнов.

— Н-да... Из чего мы делаем вывод...

— Что кто-то, пылая благородным негодованием, хочет отомстить гэбэшникам. Пардон, фэээсбэшникам. Ну и что ты дальше с этим будешь делать?

— Хрен его знает... — насупился Турецкий. — И, главное, эти твари на контакт не идут.

— А ты чего ожидал, голуба моя? Что они к тебе сами прибегут и на блюдечке с голубой каемочкой всю информацию, какая у них имеется, выложат?

— Тоже верно. Ч-черт, противное дело. Знаешь, смотрят они на тебя... как на недорогую мебель...

— Догадываюсь.

— И всячески дают понять, мол, нам и без вас хорошо, и расследование мы свое проведем, и все будет отлично. Охота вам — копайтесь, только на помощь не рассчитывайте.

— Нормально. Иначе и быть не могло.

— Ну да бог с ним. Ближе к телу, как говорил Мопассан. Что известно об Изольде Богатыревой?

— Пока без изменений. Шок, тяжелейшее психическое состояние. Врачи никого к ней не подпускают.

— Ясно. Значит, ждать. Что еще?

Грязнов пошелестел бумагами на столе.

— Ну вот, например, экспертиза. Так, ну химические термины я могу пропустить?

— Да уж, будь добр.

— Их тут полторы страницы, это все про бомбу. То, что мне сказали эксперты на словах, сводится к следующему: бомба изготовлена из несложных, почти подручных материалов, но изготовлена она — внимание! — профессионалом.

— Так-так!

— Изготовлена человеком, который точно знал, как максимально эффективно сложить из элементарных средств эту, — Грязнов поперхнулся...

— Бомбу-ёмбу, — закончил за него Турецкий.

— Далее, конверт, в котором находилась взрывчатка.

— Это который именно?

— Это речь идет о том единственном, который так и не взорвался. Обычный почтовый конверт, стандартный, изготовлен... это нам интересно?

— Нет.

— На конверте обнаружены микрочастицы слюны, — продолжал вещать Грязнов довольно-таки скучным голосом, — предположительно человека, который заклеивал конверты.

— Стоп! Вот отсюда поподробнее!

— А чего там подробнее? Есть слюна, есть ее анализ... как это называется... генетическая формула.

— Ну! Так это же ключ!

— Да какой же это, на фиг, ключ? И куда ты его, этот свой ключ, я извиняюсь...

— То есть если — допустим, в порядке бреда — у нас есть образец слюны подозреваемого... — начал фантазировать Александр.

— То мы можем путем экспертизы установить... — подхватил Вячеслав.

— А как нам завладеть образцом его слюны?

— А никак, Саша, никак! Я же тебе сразу сказал, что это тупиковый штрек. Для того чтобы у нас появилась проба его слюны, нужно, чтоб он пришел и, извините, харкнул нам прямо в нашу общую дедуктивную рожу.

— Не, погоди, погоди, Славка, я серьезно. Если как-то локализовать район отправки писем, например это можно сделать по почтовым штемпелям...

— И что? Заставить всех граждан этого твоего локализованного района сдать слюну?

— Ну-у-у...

— Сашок, у нас на дворе не пятидесятый год! И батьки Сталина уже, слава богу, нету, чтоб подобные массовые акции организовывать.

— Да, Славик, ты прав, я какую-то ерунду сморозил.

— Ну я рад, что ты наконец-то это понял.

С минуту оба аналитика молчали. Потом Грязнов продолжил:

— Ну вот тут еще есть свидетельница.

Турецкий вскочил:

— Слав, ты издеваешься? Почему ты сразу не...

— Успокойся, Саша. Вот же я и рассказываю. Есть свидетельница, между прочим, сама объявилась, когда услышала по ТВ о покушении, — Грязнов опять пошелестел бумагами, — Людмила Иосифовна Арье, двадцать второго года рождения, прописана... так, ну это не важно... которая якобы видела, как загадочный некто зашел в подъезд дома, где жил Смирнов. И было это за несколько минут перед взрывом, который госпожа Арье тоже слышала и описывает в самых драматичных выражениях.

— Ну!!!

— Сильно не радуйся, Саша. Старушка божий одуванчик — правда, она сама называет себя пожилой дамой. Толком ничего не запомнила, говорит много и охотно, эмоционально, образно, литературно... ну как еще?

— Но в плане информации...

— Полный мизер!

— Ты сам с ней говорил?

— Да. Можешь и ты с ней поговорить, но много радости тебе это не доставит.

— Да, свяжи меня с ней, пожалуйста. А что наш раненый охранник?

— Плоткин Иван Ильич, двадцати трех лет от роду, проживает по адресу... ну это тоже не важно.

— Вот бы кто мог нам порассказать. Он же единственный, кто говорил с убийцей. Он почему-то принял у него пакет для передачи генералу Смирнову. Что убийца ему сказал? Как объяснил, что оставляет у него пакет для генерала? Охранники обычно не работают почтальонами... Почему? Как?

— Да, он сможет нам сильно помочь с нашими «как» и «почему». Но беда в том, что он до сих пор еще в коме. И шансы на то, чтоб с ним поговорить в ближайшее время, пока не очень-то велики.

Людмила Иосифовна Арье встретила своего дедуктивного гостя поначалу весьма любезно.

— Проходите, молодой человек, проходите. Что будете пить? Сварить вам кофе?

— Спасибо, не стоит беспокоиться. Я не задержу вас надолго, я только хотел спросить...

— Вы просто не знаете, как я умею варить кофе!

— Благодарю за гостеприимство, но давайте все же лучше побеседуем. Прежде всего мне нужно знать...

— Так, погодите, молодой человек. Я что-то не пойму. Вы хотите услышать *мою* версию свершившегося преступления? Так тогда слушайте внимательно и не перебивайте!

— Да-да, конечно, — суетливо согласился Турецкий, а про себя подумал: «Ну и бойкая же бабулька!»

— В то утро я совсем не могла спать. Вообще-то я по природе своей сова, по ночам я всегда работаю, я, знаете ли, пишу мемуары. Жизнь моя была длинна, я видела столько всего интересного... что вам и не снилось, и мне есть что рассказать потомкам. Так вот, ночью я работаю, а утром соответственно долго сплю...

— Людмила Иосифовна, это, бесспорно, интересно...

— Вы очень нетерпеливы, мой милый юноша. И ваша нетерпеливость уже граничит с нелюбезностью.

Турецкий почувствовал, как внутри у него что-то вскипает.

— Простите. Мне просто не терпится поскорее узнать, что же конкретно вы видели в то утро на Фрунзенской набережной, дом номер...

— А я вам именно конкретно и рассказываю! А вы слушайте и не перебивайте. Имейте респект по отношению к старшим. — Людмила Иосифовна произнесла «рэспэкт».

«Вот несносная старуха!» — прикусил губу Турецкий.

— Итак... В тот день я проснулась очень-очень рано. Сначала я пыталась разгадывать кроссворд, но потом поняла, что это утро требует от меня чего-то другого. В полдень ко мне должна была прийти моя дочь, поговорить об одном деле... ну вот это уже действительно неважно и неинтересно вам... И вот, дабы такое свежее майское утро не пропало впустую, я пошла гулять по центру Москвы. Когда-то, когда я еще училась в Институте восточных языков, за мной ухаживал один мальчик, который жил там, в том самом доме, где и произошло это несчастье. Ах, это был такой симпатичный мальчик... Его папа был летчик-испытатель.

— Людмила Иосифовна!

— Да? Ах, как вы нетерпеливы. Так вот, я шла и любовалась самым прекрасным видом Москвы, который...

— Вы его видели?

— Да!! Я его видела! Я видела убийцу. Слушайте внимательно. А еще лучше — записывайте. Рост — средний. Худой. Волосы темные. Он шел... очень хмурый, напряженный.

— Вы смогли бы его узнать?

— Я? Да, конечно!

— Что он нес в руке?

— Обычный пакет, но точно я не разглядела.

— Какого он был возраста?

— Молодой... Моложе вас. И одет... Может быть, он был в форме... Не поняла. Когда мы поравнялись, я сразу обратила внимание на затаенный мерцающий огонь в его глазах. И во всем его облике было что-то...

— Что?

— Ах, не знаю. Демоническое, наверное.

Александр незаметно вздохнул.

— Все же он был в форме или в гражданском?

— Нет, не могу вспомнить... Меня просто потрясло выражение его глаз.

— Ну а дальше, Людмила Иосифовна?

— Дальше он зашел в дом. И потом был взрыв. Такой страшный «баммммм» — и полетели стекла.

— А этот, ну... с пакетом?

— Больше я его не видела.

— Спасибо вам, Людмила Иосифовна. Вот мой телефон, если вы вспомните что-то еще...

— Подождите, подождите, я еще хотела вам рассказать что-то очень важное.

— Я весь внимание.

— Я имею некоторое представление о том, как ведется следственная работа...

— Вы юрист?

«Вот тоска-то...» — снова мысленно вздохнул Турецкий.

— Я журналист, — отчеканила старуха, горделиво выпрямившись. — А журналист обязан знать все. Так вот,

104

я хотела дать вам несколько советов по розыску преступника.

В этот момент в кармане зазвучал «Турецкий марш».

«Кажется, в первый раз в моей жизни телефон зазвонил вовремя».

— Это Моцарт, — сказала Людмила Иосифовна, важно подняв палец.

— Извините. Да, алло! Секунду, Славка, — сказал Турецкий в трубку, а затем обратился к свидетельнице: — Простите, меня срочно вызывают. Я позвоню вам, Людмила Иосифовна. И большое спасибо. Всего вам доброго.

— Да, Славка, теперь я с тобой. Ты меня просто спас своим звонком.

— Что, старушка-свидетельница тебя заговорила?

— Тихий ужас! Все время говорит о демоническом облике, то ли в форме был, то ли нет. Если в форме, то это меняет дело. Надо ждать, когда охранник Плоткин даст показания.

— Я, Саша, к сожалению, с плохими новостями.

— Очень плохими?

— Да. Звонили из больницы. Наш охранник умер.

Вдова генерала Смирнова приняла гостя из Генеральной прокуратуры в кабинете своего покойного супруга. За прошедшие сутки Елена Станиславовна резко изменилась: она выглядела на десять лет старше, нежели казалась на похоронах, черты лица ее заострились, приобрели какую-то жесткость.

Изменилось и ее поведение: видно было, что теперь она вполне овладела собой и не даст себя застать врасплох. Поэтому Турецкий тоже взял деловой тон и не стал тратить время на реверансы.

— Елена Станиславовна, прежде всего мне необходимо услышать всю историю от вас, от начала до конца. Учтите, пожалуйста, что вы наш единственный свидетель.

— Единственный? А как же...

— Охранник Иван Ильич Плоткин скончался в больнице примерно час тому назад. Итак, прошу вас.

— Мы с мужем собрались немного пройтись по центру. Зайти в парочку магазинов, может быть, посидеть где-то в кафе. Свободное утро — это так редко выдается, вы понимаете. Машину брать мы не стали, со службы муж тоже машину не вызывал, думали, если что — так возьмем такси.

— Извините, что перебиваю. Кто-то мог знать о ваших планах?

— Н-нет. Никто.

— Простите. Дальше, пожалуйста.

— Муж спустился чуть раньше меня. Точнее, я задержалась, потому что, когда мы уже стояли в дверях, зазвонил телефон. Этаж у нас второй, поэтому я спускалась без лифта и слышала внизу голоса — мужа и охранника.

— Будьте добры, расскажите мне точно-точно, что именно вы слышали?

— К сожалению, только обрывки разговора. Кто же мог знать, что это окажется таким важным. Я не вслушивалась.

— И все-таки что точно вы слышали?

— Речь шла о каком-то пакете. Больше я ничего не слышала, потому что тут же раздался этот взрыв... я потеряла сознание; очнулась уже в больнице.

— Постарайтесь, пожалуйста, вспомнить. Ведь, наверное, охранник в таком доме, как ваш, не примет конверт у кого попало.

Елена Станиславовна сухо улыбнулась:

— Сожалею, Александр Борисович, но ничем не могу вам помочь.

— Извините, что заставил вас еще раз все это пережить.

— Ничего, — усмехнулась вдова, — это и так все время во мне.

— Скажите... Кто-нибудь угрожал Евгению Ивановичу? Нет, я понимаю специфику его работы и то, что он, наверное, не посвящал в нее родных... Но, быть может, вы случайно что-то слышали?

— Нет, ничего.

— Елена Станиславовна, а дети у вас есть?

— Почему вы спрашиваете? — вдруг напряглась вдова.

— Просто проформа. Я обязан все знать о потерпевшем.

— У меня есть сын от первого брака. У мужа детей не было.

— Ах, так это ваш второй брак. Как долго вы были женаты?

— Не очень долго. Около полутора лет. Но знакомы были давно.

«Вон оно как интересно. Я-то думал — тридцать лет вместе, по жизни рука об руку, генеральская жена, то да се... А они, оказывается, почти молодожены».

— А позвольте спросить про ваш первый брак.

Елена Станиславовна резко встала.

— Это не имеет никакого отношения к делу. И давайте не будем об этом.

— Хорошо. Тогда расскажите о вашей работе. Пожалуйста.

— А что рассказывать? Я искусствовед, кандидат наук. Работаю в Центральном московском музее, заместителем директора.

— Понятно. Что ж, спасибо вам, Елена Станиславовна. Я думаю, мы еще встретимся. А если что вспомните — может быть, какую-то деталь, пусть самую несущественную, — звоните. Вот моя карточка.

Вечером того же дня Александр Борисович и Вячеслав Иванович снова сидели в кабинете последнего с сосредоточенными лицами.

— Вот противное дело, а?

— Да, что-то никак не удается ухватиться за ниточку. И от федералов проку нет. Не спросишь же их, например, какими именно делами занимался генерал Смирнов.

— Спросить-то ты можешь. Только пошлют они тебя куда подальше. Секретность у них, понимаешь, государственная тайна кругом.

— Вот именно.

— Да и вообще какое-то это дело... кабинетное. Сидим-сидим... Нет бы побегать, пострелять. — Турецкий озорно подмигнул.

— Типун тебе на язык, Сашка. — Грязнов отчего-то помрачнел. — Подожди, настреляешься еще.

В кармане Александра вновь грянул «Турецкий марш».

— Алло? Да, здравствуй, Костя.

— Значит, так. Есть новости. Ты где?

— У Грязнова. Что случилось?

— Да то, что пришли новые конверты.

— Опа! И много ли?

— Два. Оба удалось обезвредить.

— Неплохо. Так, Костя, давай-ка мы лучше к тебе подскочим. Нетелефонный это разговор.

— Жду.

Меркулов дал отбой.

— Собирайся, Слав, Костя ждет. Там новые конверты пришли.

Глава девятая

Ликующе-праздничным, рвущимся ввысь торжественным фанфарам «Свадебного марша» Мендельсона определенно не хватало должного простора в стенах старинного московского особнячка, в котором располагался районный Дворец бракосочетаний. Музыка ревела на несколько порядков громче, чем это было допустимо для помещения довольно скромных размеров, оглушая и без того уже неестественно озабоченных и возбужденных происходящим «новобрачующихся». К тому же одна из колонок явно барахлила; периодически наиболее высокие, громкие и открытые звуки сопровождались каким-то кряхтением, бульканьем и присвистыванием.

«Ну ничего-то у нас на Руси не могут по-настоящему довести до ума! — Лейтенант Жаворонков, три недели назад вернувшийся из своей первой зарубежной командировки, уже успел, как ему казалось, приобрести некоторый опыт сравнений и сопоставлений, тем более что польские коллеги, отношения с которыми и без того были не самыми радужными, старались по возможности минимум времени отводить на непосредственное обсуждение деловых вопросов, каждый из которых мог потянуть за собой очередную цепочку непонимания, а все больше налегали на культурную программу: экскурсии, театры, концерты... И рестораны, разумеется... В том числе во время посещения ратуши советские офицеры оказались свидетелями свадебных церемоний. Была и музыка — тот же Мендельсон! — и цветы, и торжественные речи, но... все как-то очень сдержанно, степенно, без чрезмерного выхлестывания эмоций. (Поляки, разумеется, не подчеркивали, что для них гражданская регистрация браков — формальная дань социалистическим условностям, а истинный, по-настоящему волнующий и значимый для молодоженов обряд происходил в костеле.) — Чего стоило бы подобрать соответствующую громкость звучания, заменить неисправную колонку — так нет: вечный наш «авось» и «тяп-ляп».

Лейтенант ошибался. Конвейер бракосочетаний был и продуман — как и кем — вопрос особый! — и утвержден в соответствующих инстанциях. Были определены моменты, когда громоподобная музыка микшировалась — это значило, что происходила непосредственная процедура расписывания, — а затем взрывалась с еще более неудержимой силой, приветствуя рождение новой счастливой советской семьи.

«Интересно, сколько же раз в течение дня во всем мире звучит этот пресловутый марш? Вот уж поистине глобальная популярность! А наследникам господина Мендельсона — если, конечно, таковые существуют — можно только посочувствовать: все сроки действия авторских прав давно уже закончились. А то могли бы «грести» с пьески своего предка не меньше, чем с какой-нибудь нефтяной скважины!»

Советский Союз готовился присоединиться к международной конвенции по авторским правам. Вопрос изучался юристами, дискутировался на собраниях научной и творческой интеллигенции, создана была специальная правительственная комиссия. Разумеется, Комитет не мог остаться в стороне. Вот уже несколько месяцев изучение международных положений авторского права было одним из основных направлений повседневной работы лейтенанта Жаворонкова. Естественно, приобретенные в этом вопросе знания накладывали свой отпечаток и проявлялись в подсознательных, зачастую совершенно неожиданных реакциях.

«Стоп, Жаворонков! Ты что-то сегодня совсем не в своем уме! Какой «Свадебный марш», какие наследники, какая нефть?! Ты! Ты сегодня женишься! Именно ты, а не умерший полторы сотни лет назад Мендельсон! А у тебя в голове какой-то полный сумбур и бред! Очнись, родимый!»

111

...Роман с Леночкой Литвиновой развивался легко, естественно и стремительно. Для Георгия, твердо усвоившего с юношеской поры, что ухаживание за любимой девушкой — процесс сложный, непредсказуемый, а зачастую и мучительный — опыт общения с Олечкой Шатц не прошел даром! — открытость и непринужденность в отношениях, установившиеся буквально с первых же минут знакомства с Леной Литвиновой, явились чем-то исключительно новым, живым и радостным.

Оля Шатц, Оля Шатц... Кстати, по иронии ли судьбы или, наоборот, направляемые и руководимые ее указующим перстом, впервые встретились Лена и Георгий именно в доме Оли Шатц.

За годы учебы в гэбэшных «университетах» курсантов не слишком баловали отпусками. В летние месяцы устраивались то какие-то дополнительные теоретические семинары, то практические занятия, то выезды в военно-спортивные тренировочные лагеря. Слетать домой удалось лишь пару раз, да и то на считаные дни. Родители, естественно, скучали (Лешка бороздил на своих бронетранспортерах пустыни Туркмении, и оторваться от службы ему было еще сложнее, чем Георгию). Более того, в последний приезд Георгий обратил внимание на то, что и во внешнем облике отца, и в каких-то едва уловимых изменениях в манере поведения начинают проглядывать черточки чего-то такого, из-за чего расхожее и обычно ни о чем не говорящее выражение «наши старики» начинает наполняться своим прямым смыслом. Мама — тьфу-тьфу-тьфу — держалась пока молодцом! И тем не менее Георгий твердо решил, что весь обещанный месячный отпуск между окончанием учебы и началом непосредственной службы он полностью посвятит родителям (месяц, правда, сократился до десяти дней, но и это было большим подарком).

Пожалуй, никогда в жизни Георгий не проводил с родителями так много времени подряд. Они гуляли, чревоугодничали, немножко выпивали — куда же без этого! — выезжали за город, катались на теплоходиках по Волге и разговаривали, разговаривали, разговаривали... «Нет, с ними, слава богу, все пока что в порядке. И энергичны, и жизнерадостны. Лишь бы не болели!»

Первый из запланированных необходимых звонков был сделан по очень даже памятному телефону.

— Капитан Локтионов.

— Лейтенант Жаворонков. Могу я поговорить с подполковником Завалишиным?

— Георгий Федорович! — Голос капитана прямо-таки «поплыл» от умело изображаемой радости. — Счастлив приветствовать вас на волгоградской земле! Ну вот, голубчик, предполагали вскоре начать работать вместе с вами, а на вас вдруг Москва, так сказать, «наложила лапу»... Ну, со столицей не поспоришь, правда ведь? Успехов. Удач!

— Спасибо. А Андрей Васильевич...

— Переведен в другое управление. Кстати, с повышением в звании. Георгий Федорович, потребуется какая-либо помощь — звоните без стеснения.

Разумеется, незыблемые правила «конторы» не позволяли спросить: куда переведен Завалишин, почему и действительно ли это служебное повышение или подслащенная полковничьими погонами опала...

Обзвон друзей-приятелей ни к чему не привел. Застать дома удалось лишь Игоря Гасько, ныне артиста оркестра Киевского оперного театра: «Жорка, рад тебя слышать! Ты у нас теперь, говорят... Конечно, надо встретиться! Только знаешь, я сейчас немножко занят, пара неожиданных концертов... Надо позаниматься, кое-что подучить... А вот где-то через недельку... Уже уедешь? Жаль. Ну, значит, как-нибудь в следующий раз!»

Ясно. Ну а уж если даже Игореша — самый, пожалуй, осторожный и дипломатичный из их компании — не хочет с ним встречаться, то однокурсникам и тем более нет смысла звонить: свое отношение к избранной Георгием сфере деятельности они продемонстрировали уже давно и достаточно определенно.

Дела! Выходило, что в Волгограде, городе, в котором прошел большой и важный отрезок его жизни (заполняя одну из анкет, Георгий автоматически в графе «место рождения» написал «Волгоград», а потом долго, путаясь и смущаясь, объяснял моментально позеленевшему и заледеневшему кадровику, что Волгоград — город, с которым он настолько сроднился, что совершенно машинально и т. д. и т. п., получив в ответ суровую отповедь, мол, «анкеты, товарищ Жаворонков, заполняются не машинально, а предельно внимательно и аккуратно, в точном соответствии с действительными фактами, а если каждый будет руководствоваться эмоциями...»), в городе, где когда-то так легко и непринужденно устанавливались дружеские контакты, сегодня нет ни одного человека, кроме родителей, кто был бы рад общению с лейтенантом КГБ Георгием Жаворонковым.

«Ну почему на нас смотрят как на прокаженных? Ведь во всем мире не только существуют, но и пользуются уважением структуры, обеспечивающие безопасность государства. Почему же мы — вечные изгои? Да, у нас непростая история, да, многое из происходившего — преступление. Но ведь все перегибы прошлого обнародованы, осуждены. И потом, даже в самые «черные» годы в рядах органов была масса честных и порядочных людей, которые защищали страну, сражались за свои идеалы. Почему же до сих пор аббревиатура КГБ — синоним страха, ненависти, презрения?»

Георгий Жаворонков — святая душа — искренне верил, что с его приходом в органы, с насыщением их такими же, как он, гуманными и человеколюбивыми сотрудниками, людьми, так сказать, «новой» формации, бандитствующая охранка действительно может превратиться в демократический институт законности и порядка.

Тем более радостным для Георгия было услышать внезапный вопль: «Жорка! Ты!»

Увернувшись от ослепительно сияющей в солнечных лучах «Волги» с оленем на капоте — машина от этого неожиданного звукового «разряда» тоже, казалось, как-то дернулась и дрогнула, — Георгий — крик застиг его на самой середине пешеходного перехода у драмтеатра — чуть не вывернул шею, озираясь по сторонам. О! Безусловно, эта весьма элегантно одетая, можно даже сказать, респектабельная дама обращается именно к нему. Что? Быть не может! Да это же Маринка! Ближайшая Олина подруга Марина Титова!

И уже в следующее мгновение повисшая на руке Георгия Маринка обрушила на лейтенанта такой поток информации, что впору было для ее усвоения и запоминания вести самый настоящий протокол. И что она, Маринка, дважды неудачно пыталась поступить сначала в Горьковскую, а потом в Саратовскую консерваторию, затем, трезво оценив свои возможности, решила больше не биться лбом об стены, а сосредоточиться на теории и музыковедении и в итоге выбор этот был абсолютно правильным, ибо на теоретический факультет Астраханской консерватории она прошла чуть ли не первым номером и сразу же стала очень заметной и перспективной студенткой, что на втором курсе вышла замуж, родила — дочери уже четыре года, — что дочь — прелесть и главная радость в жизни, что учиться с крохотулечной малявкой на руках, конечно, было трудно, пришлось на год взять академический отпуск, из-за чего она, разумеется, отстала от своего курса, но теперь это не имеет никакого значения, ибо сейчас у нее уже все в порядке, все экзамены практически сданы, осталось лишь дописать дипломную работу и защититься. Наметились и перспективы будущей работы. Вот уже несколько лет ее приглашают вести музыкальные программы на радио и телевидении и в Астрахани, и в Волгограде, когда она здесь бывает. Но оставаться в Астрахани они не хотели бы, а что касается Волгограда — он как был глухой музыкальной дырой, так ею и остался: все разговоры об открытии собственного симфонического оркестра, оперного театра — пустая болтовня; городскому начальству все это абсолютно ни к чему, лишняя головная боль, а то, что люди от отсутствия настоящей культуры дичают и тупеют, — кого это волнует?

Так что и в Волгограде они вряд ли надолго задержатся: муж очень талантливый виолончелист, и ему необходим город, где есть хоть какой-то творческий простор, а не только бездарные ученики и копеечные филармонические халтуры.

«Фу-ты, господи! Сколько же у человека слов в запасе скопилось!»

Спустившись к набережной, они сели за вынесенный наружу из кафе-мороженого столик. Чем не европейский уровень? Ассортимент, правда, несколько...

Впрочем, «Цинандали» было очень холодным и, кажется, довольно качественным.

Грузины, для которых этот город по-прежнему продолжал негласно носить имя их великого и преступного соотечественника, старались поддерживать дух горожан своей самой сильной и убедительной продукцией: вином. Поэтому в Волгограде волшебные и загадочные наименования типа «Напареули», «Гурджаани», «Мукузани», даже знаменитая и легендарная сталинская «Хванчкара», — в других регионах — принадлежность, как правило, спецбуфетов и распределителей — не были чем-то экзотическим и абсолютно недоступным для простых смертных.

— Ой, Жорка, я все болтаю и болтаю... Совсем уже, поди, тебя заговорила. Ну а что ты? Как у тебя? Я слышала, ты учишься... на этого... ну как бы это сказать... на шпиона, что ли?

«Ну и ляпнула подруга! Ничего себе формулировочка! При желании вполне достаточный повод, чтобы стать в позу и обидеться. Но не на Маринку же! С ее-то непосредственностью. Да и потом, конечно же она дурачится!

Вон аж глазки хитренько прищурила, подкусила, так сказать, и довольна!»

— Мариночка, ласточка моя, ну что ты городишь? Какие шпионы? Ну да, я закончил школу КГБ, это не тайна, сейчас начинаю работать. В Москве. И это не секрет. Но при чем тут шпионы? Мы — обычные бумажные крысы, нормальные чиновники. Ворохи бумаг, инструкции, справки, отчеты... Ничего интересного. И уж тем более ничего детективного и шпионского.

— Ладно-ладно. Я же понимаю. Подписки. Обязательства. Государственные тайны...

— Да ну тебя, в самом деле!

— Все-все-все. Ну а с Ольгой-то встречаешься?

— Да ты знаешь, как-то...

— Ну ты даешь! Живете в одном городе — и за столько лет не собрался навестить старую подругу?..

— Мариш, ну ты же понимаешь...

— Ой, Жорка, как был ты упырем, так им и остался. Ну не сложилось у вас, ну расстались, бывает... Но почему же нельзя поддерживать нормальные человеческие отношения?

— Марин, я ведь...

— Обижен. Ты просто до сих пор смертельно обижен. Я же сказала: упырь!

— Да нет, совсем не то.

— А что же?

— Как она, кстати? Ты с ней общаешься? Что у нее?

И в течение нескольких следующих минут Георгий получил полнейшую информацию. Выходить замуж Оля совершенно не хотела, но родители настаивали, да и жениху — сыну старых друзей семьи (он, правда, старше

Ольги чуть ли не на пятнадцать лет, но как раз это-то не так уж и важно, разве не правда?), дипломату, сотруднику МИДа — для карьерного продвижения срочно надо было жениться, так что все совпадало. Ну а дальше пошли проколы. В африканской стране, куда он должен был ехать в достаточно высоком дипломатическом чине, произошел военный переворот, «вечная дружба» и «сознательно» избранный «социалистический путь развития» полетели к чертовой матери, так что советскому посольству было не до приема новоназначенных сотрудников, а впору хотя бы обеспечить старым кадрам возможность вовремя унести ноги. Вопрос с новым назначением завис в воздухе. Более того, какие-то деляги в МИДе, давно и успешно промышлявшие контрабандой, сумели, прогорая, подставить вместо себя молодого и, вероятно, еще не очень опытного в таких делах сотрудника. От судимости, правда, Андрею, мужу Ольги, удалось отвертеться (или откупиться), но на карьере, разумеется, был поставлен большой и жирный крест. Что происходит в таких случаях на Руси? Правильно, начинают попивать. Вот и Андрей... Сначала — слегка, дальше — больше, ну а потом и вообще «загудел» по-серьезному. Разумеется, развод, возвращение дочери к родителям... Все очень просто и банально. Ну жизнь есть жизнь. Дочка у Ольги, кстати, фантастически талантлива. И на рояле для своих шести лет вытворяет нечто невероятное, и музыку пишет, и стихи... Одним словом — вундеркинд!

— Ой! — Детская тематика, вероятно, подстегнула воспоминания о собственных родительских обязанностях. И, мельком глянув на часы: — Мне же через двадцать минут свою красавицу надо из садика забрать! Все,

Жорка, полетела! — и быстренько мелким почерком на салфетке: — Мой телефон, адрес... Улицу Историческую помнишь еще? Послезавтра муж возвращается с гастролей. Уверена, что вы друг другу понравитесь. Как это уже улетишь?.. Ну-у-у...

— Маринка, мы же не вольные творческие пташки, а шпионы!

— Ладно тебе! Ну болтнула что-то сдуру! Нечего цепляться к словам! А Ольге обязательно позвони. Увидишь, она будет очень рада.

И, звонко чмокнув Георгия в щеку, умчалась по своим музыковедческо-детскосадовским делам.

А Георгий еще долго сидел за надежно укрытым тенью разлапистой акации столиком, с удовольствием ловя периодически налетающие с Волги дуновения ветра.

Выпил еще стакан вина, потом какой-то бурды под гордым наименованием «кофе», даже выкурил пару сигарет, что вообще-то для него было несвойственно. В принципе он не курил, разве что по случаю. Но сегодня ему почему-то показалось, что именно такой, подходящий, случай и представился.

«Как она назвала меня? Упырь? А может, я и действительно упырь твердолобый? Все. Решено! Возвращаюсь в Москву — тут же звоню Оле!»

Однако с первых же дней начала непосредственной работы Георгий закрутился в таком водовороте многочисленных дел и обязанностей, что ни на что другое уже не оставалось ни времени, ни желания. В целом направление деятельности их сектора («неслабого», надо сказать, сектора, на несколько сотен сотрудников, из которых мало кто был в чине ниже майора) можно было определить как изучение перспективных научных и технических разработок в самых различных отраслях знаний и промышленности, прежде всего, разумеется, в вопросах оборонного характера. Но это была, так сказать, общая первичная установка. Ну а главным в их работе являлась разработка рекомендаций к публикациям в открытой научной печати как можно большего количества исследовательских материалов, что способствовало бы созданию в мире «светлого» имиджа советской стороны, готовой к всестороннему, открытому и честному сотрудничеству со всем прогрессивным (да и не только прогрессивным) человечеством, при одновременном полном и безусловном завуалировании и сохранении в строжайшей недоступности всего, что действительно представляло хотя бы минимальный военный или экономический интерес. В общем-то, это была цензура, но, с другой стороны, цензура, призванная создавать видимость полного ее отсутствия (вопросы промышленного шпионажа сотрудников Георгия не интересовали, для этого в «конторе» существовали специальные подразделения, надо понимать, не менее многочисленные и оснащенные).

Что касается сути работы его сектора, то тут для Георгия не существовало сомнений и какого-то разлада с самим собой: в необходимости подобной деятельности он был искренне убежден. Но почему начальство сочло целесообразным направить именно его, гуманитария до мозга костей, в сферу, где наиболее естественным было бы использование соответствующе подкованных в этих вопросах профессионалов — то ли их не хватало в орга-

нах? — это была загадка. Но начальству, как говорится...
И он с упорством и настойчивостью вгрызался в материалы по самым различным областям знаний, не очень зачастую понимая, как это может ему пригодиться и куда, в конце концов, эта линия его «вывезет».

— Добрый день. Могу я поговорить с Ольгой... Леонидовной?

— Слушаю вас.

— Оля...

— Жорка! Не может быть! Ну наконец-то!

И — все. И растаял многолетний лед, и полным идиотизмом показалось собственное поведение, собственная глупость и амбициозность, многие годы мешавшая сделать самое элементарное — снять телефонную трубку. Нет, Георгий не был настолько безумен, чтобы строить иллюзии о возобновлении романтических отношений. Что было — то прошло! Но почему действительно нельзя иногда перезваниваться, общаться, дружить, в конце концов... Ну почему он такой дикий? И еще подумалось даже с какой-то тоской, что вот уже столько лет он в Москве и за все это время не удалось завести не только настоящих друзей, но и просто хороших добрых знакомых. «Упырь чертов!»

Договорились встретиться сегодня же вечером. Пожалуй, впервые за месяцы работы Георгий, как истый чиновник, захлопнул очередную папку ровно в семнадцать ноль-ноль.

Заталкивая в портфель прихваченные в буфете шампанское и коробку финских конфет, он мысленно похвалил себя за «старомодность»: большинство его сослуживцев щеголяли с изящными «дипломатами», а туда не то что шампанское — пачку сигарет с трудом можно было втиснуть. Плюшевый заяц (или кот?) при ближайшем рассмотрении выглядел несколько страшноватенько, но ничего другого, такого же большого и по-своему даже эффектного, не было. Цветы. Надвигалось Восьмое марта. Вся Москва была завалена мимозами. Но Георгию почему-то не хотелось приносить мимозы. Почему? Ну не хотелось — и все. Наконец в переходе на «Октябрьской» повезло. Только что, по-видимому, прилетевший с благословенного цветочного юга обладатель огромной кепки распахнул гигантский чемодан. Тюльпаны! Тут же набежала толпа, но Георгий, что называется, вовремя оказался первым в нужном месте.

Дверь распахнулась смело и широко почти в то же мгновение, как Георгию удалось исхитриться и дотянуться до звонка — чертовски мешал огромный пакет с зайцем, — и в тот же миг Ольга повисла у него на шее:

— Жорка! Жорка! Ну наконец-то! Ну дай хоть на тебя посмотреть! Какой ты стал... солидный... — Отступив на пару шагов назад и чуть-чуть склонив голову набок, Ольга светилась радостной и открытой улыбкой. — Ну проходи же, что ж ты застыл в дверях!

Портфель — на пол, цветы — вахлак деревенский конечно же забыл размотать ворох газет, предохраняющих нежные дары юга от щипучего еще московского мороза, — хозяйке.

— Тюльпаны! Какая прелесть! Ой, а это что за зверь?! Ну-у-у, Натулька будет в восторге! Ее сейчас, правда, нет, она с родителями в Вильнюсе, у родственников, но уж когда вернется... «Родителей нет дома? Что бы это значило? Уж не задуман ли Ольгой этот визит как нечто более интимное, чем простая дружеская встреча? Чего ты напрягся, дурень! Расслабься! И... будь что будет!»

Сладостно-пугающие бредни рассеялись при первом же шаге в гостиную. У заставленной от пола до потолка книжными стеллажами стены стояла высокая статная молодая женщина с горделивой осанкой и с замысловатой прической, отливающей неброским бронзовым оттенком.

— Знакомьтесь. Лена Литвинова. Моя подруга и однокурсница. А это тот самый Георгий Жаворонков, я тебе рассказывала, Ленка, верный, терпеливый и благородный рыцарь моей юности.

Георгий сделал неуверенные полшага вперед, как-то не очень ловко шаркнул ногой, остановился. Он не очень хорошо представлял себе, как правильнее и естественнее знакомиться с женщинами. Рукопожатие вроде бы не очень уместно, не в служебном же кабинете, в самом деле! Целование рук... Тоже какое-то претенциозное пижонство, да и далеко не всем это нравится... Впрочем, этой молодой даме, похоже, подобная форма приветствия не показалась бы чрезмерной. Но Лена сама разрядила ситуацию. Неторопливо поставив на место толстенный альбом Босха, она повернулась к Георгию, сдержанно улыбнулась, кивнула и вдоль противоположной стороны стола величественно пронесла себя к глубокому креслу.

— Ребята, я так рада, что вы наконец ко мне выбрались! Ну про тебя, Жорка, и вообще говорить нечего, я уж и не надеялась с тобой когда-нибудь увидеться, ты ведь совсем ушел в какое-то глухое подполье, но ведь и с Леной мы поди года три уже не встречались, да, Ленка? Хоть и живем в одном городе. И вдруг в один и тот же день и ты неожиданно объявился, и подруга ненаглядная наконец соизволила... Чудеса!

Было похоже, что Ольга не лукавит, не наигрывает, а действительно искренне рада этому неожиданному (неожиданному ли?) свиданию. И возникшие было в первые минуты натянутость и напряженность стараниями оживленной и радушной хозяйки легко и просто трансформировались в непринужденную раскованность, свойственную общению очень давних и добрых знакомых. Да и Елена, надо сказать, несмотря на свой несколько озадачивающий с первого взгляда неприступно-царственный вид, вела себя очень дружелюбно и по-свойски. Тем не менее общая беседа складывалась трудно. Девушки касались каких-то тем, понятных лишь им одним, назывались имена, воскрешались факты, ничего, разумеется, не говорящие Георгию. Впрочем, постепенно, без излишних наводящих вопросов, из контекста беседы начала складываться общая картина. (Вот оно, обретенное комитетской выучкой умение внимательно слушать и анализировать получаемую информацию.) Оля и Лена — сокурсницы по музыкальному училищу при институте Гнесиных. Только после его окончания Оля продолжила учебу в институте, а Лена поступила в университет на отделение искусствоведения, сейчас учится в аспирантуре, пишет кандидатскую диссертацию. Дабы не выглядеть полностью бессловесным статистом, Георгий умудрялся периодически вставлять в это щебетание вполне уместные реплики, создававшие впечатление активного участия в общем разговоре. Светскость и галантность никогда не были его сильными сторонами, но сегодня ему, кажется, удавалось превзойти самого себя, весьма ловко и уверенно ухаживая за своими дамами.

— Ой, Жора, мы тебе уже, вероятно, так надоели со своими бабскими сплетнями!..

— Да что ты, Олечка!

— Ну а ты? Расскажи что-нибудь про себя. У тебя ведь такая интересная и загадочная работа.

— Ничего особенно интересного, Олюня, служба как служба.

— Ну да! Это в гэбэ-то! Я, знаешь ли, гражданка очень законопослушная. Но как только вдруг где-то помянут ваше ведомство — извини, мороз по коже.

— Да перестань, Оля! А собственно, откуда ты...

— Что значит: откуда? Ты ведь встречался недавно с Маришкой? Мы с ней не виделись тыщу лет, но перезваниваемся регулярно.

— Теперь ясно.

— Вот так вот, товарищ разведчик! Не только вам все про всех знать!

Подкусила-таки! Ну, Оленька была и осталась Оленькой. Вроде бы беззлобно, а там поди знай?!

Через пару часов Лена засобиралась домой.

— Олюня, спасибо, но ей-богу пора. Пока с вашего Ленинского выберешься... А тут еще ходят слухи, что именно у вас в районе шпана в последнее время окончательно распустилась...

— Ну, шпаны бояться — так и из дома не выходить. Но ты ведь будешь под такой охраной... Жора?

— Господи, да о чем разговор! Разумеется, я с удовольствием провожу Лену!

Поняв, что где-то подсознательно все-таки гнездившиеся в нем лирические бредни абсолютно не имеют под собой никакой почвы, Георгий был даже рад достойному и уважительному поводу распрощаться и откланяться. Расстались с уверениями в вечной дружбе, в необходимости не теряться ни при каких обстоятельствах, перезваниваться, встречаться.

Металлическая дверь допотопного лифта, как ни старался Георгий ее придержать, сорвалась и захлопнулась с оглушительным лязгом.

— Фу, какой мерзкий звук, — Лена судорожно дернула плечами, — впрочем, вы, вероятно, привыкли к подобному, в ваших казематах, поди, и не такое еще услышишь!

— Лена, вы хотите меня обидеть? Вам неприятно мое общество?

— Ни в коем случае! Просто... мне никогда еще не приходилось прогуливаться в сопровождении сотрудника КГБ, так что я немного... Извините.

На улице подморозило, и веселенькие еще несколько часов назад первые весенние лужицы превратились в сплошную ледяную корку. Лена, на своих высоченных, не очень соответствующих времени года каблуках, хоть и крепко держала Георгия под руку, поминутно скользила. В какой-то момент ее занесло настолько сильно, что падение казалось неминуемым, если бы не ловко извернувшийся Георгий, буквально заключивший свою ткнувшуюся ему носом и губами в щеку спутницу в объятия. На мгновение оба замерли и, едва обретя равновесие, расхохотались, почувствовав, что эта случайная неловкость, несомненно, их как-то вдруг сблизила.

Да здравствуют нерадивые московские дворники! Если бы не они, скромный лейтенант не удостоился бы поцелуя такой красивой женщины!

— А у вас в Комитете все кавалеры ухаживают так же стремительно-настойчиво?

Такси, как ни странно, удалось поймать почти сразу же. Лена жила на Чехова, Георгий ютился в коммунальной времянке в районе Маяковки, куда Комитет на первых порах расселял своих начинающих сотрудников. По соседству, можно сказать.

— Может быть, зайдем куда-нибудь перекусить? В Дом актера, например? — Георгий не был фанатом ресторанов, да и зарплата, вполне, впрочем, приличная для начинающего советского чиновника, не предполагала пока что особых излишеств, но изредка он баловал себя, предпочитая заведения творческих союзов.

— Да туда ведь не пробиться сейчас.

— Это вас пусть не волнует.

Ужинать так поздно Лена категорически отказалась, ну разве что немного шампанского... Разумеется, уже на втором бокале был предложен и принят «брудершафт» и, разумеется, оба, символически коснувшись друг друга губами, уже прекрасно понимали, что эта случайная встреча, несомненно, будет иметь продолжение.

И оно последовало буквально через два-три дня. Лена, нисколько не жеманясь и не кокетничая, сразу же согласилась увидеться вечером, предупредив, правда, что в шесть тридцать она обещала быть на открытии выставки какого-то ее знакомого художника, что это займет примерно час-полтора, а вот потом... Впрочем, возможно, Георгий захочет пойти вместе с ней... Георгий, естественно, захотел.

По адресу, который они нашли далеко не сразу, предварительно прилично поплутав по размахам Юго-Запада, почему-то обнаружилось... профтехучилище. Разумеется, вопросы: как? что? почему? — возникали сами собой, но Георгий предпочел не выказывать своего недоумения, а молча следовал за Леной, уверенно поднимавшейся по лестнице. И действительно, на втором этаже обнаружилось довольно большое помещение — что-то вроде актового зала, — стены которого были увешаны, достаточно, впрочем, редко, с большими промежутками и просветами, разнокалиберными картинами. По залу хаотично перемещались несколько десятков человек, представлявших собой невероятно разношерстную толпу: вечерние туалеты, дополненные блестящими камешками, пара-тройка «джентльменов» чуть ли не в смокингах, прекрасные шубы, дубленки, а рядом с ними потертые кожанки и висящие ниже колен свитера, какие-то занюханные тужурки, изящные австрийские сапожки, соседствующие с якутскими унтами и даже с «радёмыми» валенками. Но апофеозом этого «костюмированного бала» являлся человек в майке, в заляпанных краской джинсах и в сандалиях на босу ногу. Излишне говорить, что это и был главный герой сегодняшнего вечера, художник-бенефициант.

— Леночка, ты все-таки пришла, умница, спасибо тебе!

— О чем ты говоришь, Сережа! Это же для всех нас такое событие!

—Да-да-да! Конечно! Все-таки мы прорвались! Етти-иху-мать! Мы прорвались! И пусть теперь попробуют...

— Сережа, это мой друг, Георгий Жаворонков.

— Ага. Пишет? Рисует? Нет? Ну и ладно. Это все фигня! Парень, чувствуй себя как дома.

Атмосферу между тем назвать домашней было весьма затруднительно, скорее это напоминало какую-то пародию на светский прием с примесью подъездной попойки. Дамы разгуливали с бокалами шампанского, показательно разливалось импортное сухое вино, но при желании в уголочке можно было щедро «отовариться» ненаглядной отечественной «беленькой», чем многие из гостей «свойской» категории не гнушались пользоваться. С каждой минутой становилось все шумнее и безалабернее. Кто-то что-то говорил, провозглашались тосты и здравицы, обнимались, целовались, лупили друг друга по плечам...

«Интересно, до мордобоя дело дойдет или нет?» Георгий с бокалом сухого вина методично передвигался от картины к картине и так же методично фиксировал в себе нарастающее с каждой минутой раздражение.

— Нет, вы скажите, ну разве это не грандиозно? — Какой-то лысый плюгавчик с всклокоченной седой бороденкой так вцепился в локоть Георгия, что тому с трудом удалось не выплеснуть содержимое бокала в наплывшее откуда-то слева роскошное декольте. — Извините, я, кажется, вас немного побеспокоил. Но тут такая давка. Что поделаешь, событие! Событие, которого давно ждали и уже почти перестали надеяться. Ох, Серега, Серега, Сережка! Великан! Колосс! Гигант!

Отвечать, к счастью, не пришлось, ибо полутораметровая плешь внезапно была заслонена коленкой истинного гиганта скандинавской стати, рыжебородого и веснушчатомордого.

— Жора, ты совсем уже одурел от наших гениев? — Лена вынырнула откуда-то из недр пьюще-жующей толпы и, прежде чем раствориться в ее противоположной части, заговорщически подмигнула Георгию: — Потерпи еще чуть-чуть, пять — десять минут.

Очутившись наконец на улице, Георгий несколько раз глубоко вдохнул морозный воздух. Лена поглядывала на него откровенно насмешливо и иронично.

— Ну и как тебе?

— Послушай, Леночка, я вовсе не собираюсь изображать из себя глубокомысленного знатока искусства. Более того, скажу честно, что я во всех этих вопросах — полный профан. Но на мой взгляд, то, что показывал ваш знаменитый Сережа, — серая, заунывная, посредственная и бездарная мазня!

— Ага! Вон ты как! Ну, может быть, в профессиональном смысле ты и профан, но уж в отсутствии интуиции тебе никак не откажешь!

— Не понял?

— А чего тут понимать? Предельно точная оценка. Заунывно и бездарно.

— Но почему же...

— А потому что он гонимый, зажимаемый, третируемый. Потому что его посредственные работы возводятся в символ борьбы с режимом, борьбы за свободу...

— Извини, но это уже политика.

— Разумеется, политика. А почему, ты думаешь, там был французский атташе по культуре, третий секретарь посольства ФРГ, десятка полтора западных корреспондентов?

— Позволь...

— Разумеется, и без ребят из вашего ведомства не обошлось. Двоих я точно знаю в лицо, возможно, были и другие.

— Хорошенькое дело!

— Да, извини, я была не права. Не следовало приводить тебя на это сборище. Одно дело — когда вы присутствуете, так сказать, по долгу службы, а совсем другое — просто так, непонятно почему. Этого у вас там, наверху, могут и не понять. Обещаю, что больше ничего подобного не повторится.

— Что ты, Лена...

— Жора, я ведь не вчера на свет родилась!

И уж действительно, в чем никому не пришло бы в голову заподозрить молодую женщину — так это в наивности и простодушии. Коренная москвичка во множестве поколений, ироничная, хваткая, уверенная в себе, Леночка по праву, а вернее, по месту рождения ощущала свое почти что генетическое превосходство над провинциальными пришельцами, наводнившими ее любимую столицу. Впрочем, и определенные «права рождения» имели место: по материнской линии можно было достаточно далеко углубиться в историю весьма достойного и состоятельного купеческого рода. Со стороны же отца — и того чище: тщательно вуалируемые до поры до времени дворянские корни так и стремились вырваться на поверхность, что всегда являлось предметом озабоченности заведующего кафедрой политэкономии Московского авиационного института Станислава Юрьевича Литвинова. Избрав в ранней юности стезю преданного служения режиму, Станислав Юрьевич был, однако, достаточно гибок, чтобы не ограничиваться в своих лекциях и выступлениях прямолинейным вдалбливанием в юные — и, как правило, скептически настроенные — головы примитивных марксистско-ленинских постулатов. Замечательный оратор и дипломатичный партийный функционер, он умел, ни на йоту не отклоняясь от генеральной — на сегодняшний день — линии, создавать видимость объективного и прогрессивного подхода к любым острым вопросам. Добивался на своих лекциях атмосферы особой доверительности, искренности и как бы личной причастности каждого из присутствующих в аудитории к неординарным решениям банальных вопросов. Что тут скажешь? Талантливый человек, вынужденный, увы, в силу обстоятельств растрачивать свой талант на оболванивание — иначе и не назовешь, пусть даже это оболванивание достаточно тактичное и деликатное — доверчиво внимающих ему слушателей.

Ситуация «двойных стандартов», безусловно, проявлялась и в домашней атмосфере. Регулярно слушались «враждебные» голоса, в доме не переводилась самиздатная и тамиздатная литература, причем Станислав Юрьевич был искренним и убежденным поборником ограничения для широких масс доступа к подобной информации. Но одно дело — незрелые и легковерные «массы», а совершенно другое — лично он, опытный и закаленный идеологический работник и его семья. Впрочем,

Евгению Мироновну Литвинову, доцента кафедры иностранных языков, вся эта диссидентщина не очень интересовала, скорее волновала по причине «как бы чего не случилось». Что же касается Лены, то с того времени, как ее стали допускать до знакомства со всякой «крамолой», чтение нелегальщины стало ее постоянным и любимым занятием.

Нет, Леночка Литвинова не была ни наивна, ни легкомысленна. И, взяв на себя руководство «культурной программой» их свиданий с Георгием, она действительно тщательно избегала всего, что могло бы быть истолковано двусмысленно. В столице, с ее интенсивной творческой жизнью, даже в рамках вполне добронравного и официально признанного искусства всегда находилось немало яркого и незаурядного. Театры, концерты, выставки... Как правило, у Лены всегда, во всех местах обнаруживались какие-то знакомые и приятели, которые обеспечивали ее и ее спутника контрамарками. Впервые воспользоваться своим служебным удостоверением Георгию пришлось в Большом зале консерватории, где концерт Гилельса вызвал столь большой ажиотаж, что Елениных связей оказалось недостаточно. Первоначально казалось чем-то неловким и неуместным размахивание перед носом администратора столь одиозными корочками: все-таки ведь концертный зал, а не какой-нибудь, пусть и недоступный для простых смертных, ресторан, но Георгий был принят и обслужен столь уважительно, что в дальнейшем никаких колебаний он уже не испытывал.

Все больше и больше вступала в свои права весна, и все чаще Лена и Георгий гуляли по московским улицам.

Георгий считал, что он уже очень хорошо изучил этот огромный и многоликий город, проведя немало часов за картами и схемами, исходив пешком вдоль и поперек всю его историческую часть. Однако прогулки с Леной показали, что знает он только поверхностный, рекламно-туристский слой, Лена же раскрывала перед ним нечто более потаенное, глубинное и живое: историю улиц и отдельных зданий, легенды и предания минувших веков, факты и обстоятельства судеб множества известных личностей, переплетенных с московскими реалиями.

С первых же дней у них установились какие-то ровные, спокойные, почти семейственные отношения, поэтому и первая близость, произошедшая где-то на второй-третьей неделе знакомства, была воспринята обоими как явление естественное и само собой разумеющееся. Таким же само собой разумеющимся продолжением явилось и предложение «руки и сердца», которое было принято без жеманства и особых раздумий.

«Знаешь, мать, — прокручивал жене сложившуюся ситуацию Станислав Юрьевич, — возможно, офицер ГБ — и не самая лучшая партия. Но, с другой стороны, парень он, кажется, толковый, непьющий, к Лене вроде бы относится и хорошо, и уважительно, что очень важно! Кто знает? Вдруг он со временем сделает в своих органах приличную карьеру? Почему бы и нет? А хороший чин в органах — это совсем даже неплохо».

Как бы там ни было, но родителями Лены Георгий был принят вполне доброжелательно. («В любом случае он не обычный хапужный охотник за московской пропиской и квартирой, как этот подонок Ленечка, — имелся в виду первый Ленин муж, — ему, при его службе, это просто не нужно, уж чем-чем, а этим добром органы своих обеспечивают исправно».) Родителями же Георгия, особенно мамой, известие о предстоящей женитьбе сына было воспринято просто-таки с откровенной радостью: «Слава богу, сынок, наконец-то, давно пора!»

Кто высказывал резкий протест — так это приглашенная Леной в свидетельницы ее приятельница Люда Колосова. «Ребята, мы, конечно, все прогрессивные и современные, но все-таки народной мудростью, а она гласит, что женившиеся в мае всю жизнь маяться будут, пренебрегать не следует. Георгий, ну что тебе стоит договориться о переносе регистрации на недельку-другую?» Но Георгий категорически отказался от каких-либо переносов. Достаточно и того, что, узнав о его месте работы, руководство Дворца бракосочетаний даже и не заикнулось о положенном подающим заявление трехмесячном «испытательном» сроке: «Когда бы вы хотели регистрироваться? Сейчас посмотрим, что там у нас есть на это число... Двенадцать часов дня вас устроит?..» Да и потом, если уж идти на поводу у каких-то суеверий, то перенос регистрации можно приравнять к возвращению домой за чем-то забытым, что, как известно, удачи не сулит. А какая из примет наиболее сильнодействующая — поди проверь!

И вновь своды дворца сотрясаются от парадно-напыщенного марша!.. Впрочем, нет, на этот раз он звучит как-то по-другому. Ну разумеется, по-другому, ибо на этот раз он адресован непосредственно Лене и Георгию.

«И пусть вашему маленькому семейному кораблику всегда сопутствуют благоприятное течение и попутный ветер!»

Поставлены подписи. Надеты кольца. Выпито шампанское.

И вместе с заключительными праздничными аккордами Елена и Георгий проследовали к началу новой, теперь уже их совместной семейной биографии.

Глава десятая

Победа! Ура! Трубите в трубы! Мы победили, и враг бежит-бежит-бежит...

Главный враг моего отца повержен. Точнее — он не просто повержен. Он мертв! Что может быть прекраснее этого? Это один из самых счастливых дней в моей жизни. Угрызения совести? Бросьте, я и не знаю, что это такое. Я чувствую только упоение победой. Вот Наташа — та, конечно, в ужасе, ей тяжело привыкнуть ко всему этому. Но ничего, ничего. Все равно она будет мне помогать, никуда она от меня не денется — теперь уже не денется. Да и я от нее тоже... что там говорить, без нее я сейчас пропаду. Не вытяну.

Эта история началась много лет назад в средней школе номер... вот черт, не помню номер! Я забыл номер школы, в которой просидел за партой ни много ни мало десять лет. Ну неважно, одним словом, это было очень давно. Если бы я сочинял роман, я начал бы так: «Был тусклый весенний день, серые клочковатые облака тревожно ползли по бледно-бирюзовому небу, и редкий робкий луч, изредка пробиваясь через пыльное стекло, проникал в наш класс. И тут вошла она... и озарила...» Так бы я написал, если бы создавал роман. Но на самом деле я вовсе и не помню тот день, когда она появилась. Просто сначала ее не было, а потом вдруг оказалось, что она уже есть. Да и не озарила она собой ничего, поскольку ничем особенным не отличалась от остальных девчонок — ну разве только своей рыжиной.

Наташу перевели к нам из другой школы в середине третьей четверти. Она была маленькая, смешная, с нелепыми косичками цвета ржавого металлолома и вся усыпана веснушками. Несколько дней класс молча приглядывался к ней, а потом ее начали допекать: сперва дразнить — ну это святое, рыжих дразнят всегда. А потом и просто откровенно травить. Переломом в отношении класса к Наташе послужило коллективное обсуждение фильма «Чучело» — да-да, той самой картины, явившейся таким откровением в восьмидесятые годы, а теперь уже давно превратившейся в киноклассику. И почему так часто случается, что хорошие фильмы учат совсем не тому, чему хотелось бы авторам. Людям свойственно подражать дурному, особенно подросткам: в детективе они начинают брать пример с насильника и убийцы, а вовсе не с мужественного следователя, в фильме про войну — с фашистов. Так вышло и с «Чучелом»: наша школьная шпана, вместо того чтоб научиться добру, начала искать потенциальную жертву. И рыжая подошла для этой роли, как никто.

Собственно, тут-то лишь я ее и заметил. Покуда над ней смеялись, я не особо реагировал и даже сам иногда посмеивался вместе со всеми. А вот когда начали бить, мне внезапно стало ее жалко. Нет, не то чтоб она мне понравилась — вовсе нет. И какого-то обостренного чувства справедливости у меня тоже нет и никогда не было. Просто мне стало ее безотчетно жалко — и я подошел к главарю по прозвищу Коляныч и двинул ему по роже. Завязалась драка, из которой я вышел победителем, и к Наташе как-то резко перестали приставать; она как бы перешла под мою защиту. В классе меня не особенно-то любили, потому что я ни с кем не дружил и не общался. Но и связываться не хотели, поскольку я всегда был очень силен физически.

Думаю, тогда-то Наташа и влюбилась в меня — сначала это было, конечно, просто чувство благодарности, но потом оно перешло, как это часто бывает, в нечто большее — к моему немалому удивлению. Мне-то ведь она была не нужна — ни сама она, ни ее дружба, ни ее любовь; то, что я ее тогда защитил, был просто спонтанный минутный порыв, и впоследствии я сделал все возможное, чтоб как-то отдалиться, отделаться от нее... но все тщетно! Девчонка эта прилипла ко мне, как лейкопластырь... нехорошо, наверное, говорить так о своей девушке, тем более что, кроме нее, у меня в этом мире не осталось ничего и никого... но тогда именно так оно и было. И химией-то она увлеклась только для того, чтоб побольше времени проводить в моем обществе, стала ходить после уроков вместе со мной на факультативные занятия с Горбушкой, то есть с Диной Леонидовной. Парадокс в том, что это именно она сделала химию своей профессией, а я так и остался простым сапером.

Постепенно отношение в классе к Наташе как-то выровнялось — не думаю, что это произошло благодаря мне. Скорее, дело тут в том, что девочкой она была доброй, незаносчивой, компанейской. А еще она как-то незаметно превратилась из смешной девчушки с конопушками в стройную красавицу с пышной огненной шевелюрой — и вот тут-то мужская часть нашего класса всполошилась; но девушка была занята только и исключительно мною, и ее ровно так же не интересовали все остальные, как она сама не интересовала меня.

...И вот как-то так случилось, что мы стали вместе спать. В первый раз это произошло, когда нам обоим было по шестнадцать лет, произошло само собой и практически случайно. Наш класс собрался на очередную вечеринку, в тот раз — по случаю дня рождения Пашки-художника. Обычно я игнорировал подобные мероприятия, но как раз Пашку-художника мне обижать не хотелось, он был веселый и незлобивый, к тому же несколько раз помогал мне — он действительно очень хорошо рисовал — в изготовлении пособий для городской олимпиады по химии.

Вечеринка была довольно скучной, нудной, по крайней мере, мне она показалась именно такой. Сначала еда, потом танцы-обжиманцы, ну и, конечно, выпивка на всем протяжении и безо всякой меры. Ближе к концу обстановка накалилась — возраст-то молодой, горячий! Несколько парочек уже разбрелись целоваться по темным углам, кто-то пытался клеиться к Наташе, она была, как всегда, совершенно индифферентна. Остальные, возбужденные до предела, накачивались спиртным, курили и болтали всякую чушь. Как я понимаю теперь, общая атмосфера повлияла и на меня. Но тогда я просто почувствовал, что мне все смертельно надоело, и я сказал, что ухожу. Собственно, говорить это было особо некому, так как гостеприимный хозяин уже давно и мирно дремал лицом в салате.

Наташа оживилась: «Вот ты-то меня и проводишь!»

Мы вышли на улицу, и почему-то скоро оказалось, что идем в обнимку; наверное, на нас обоих подействовало выпитое. Потом мы начали целоваться. Дальше все шло уже помимо нашего контроля, и очень скоро мы оказались в постели, у меня дома. Папа был тогда в командировке, а мать... тоже где-то отсутствовала, — наверное, ночевала у одного из своих любовников.

И вот оно свершилось! В первый раз все произошло ужасно неловко и нелепо. Мы оба были друг у друга первыми, ничего не умели, тыкались друг в друга на ощупь, как слепые котята, и особого удовольствия не испытали. Странно, что у нас вообще что-то там получилось; но величием момента мы оба прониклись тогда — в наш первый раз.

Дальше был второй, третий, четвертый. Наш роман продолжался в общей сложности несколько лет. Поначалу мне просто нравилось спать с Наташей; при всей своей нелюдимости и необщительности я вырос нормальным, здоровым парнем, с нормальными для моих шестнадцати лет, здоровыми мужскими инстинктами. А к Наташе я в известном смысле уже привык (недаром же она три года старательно навязывала мне свое общество), она меня не раздражала. Так что мне приятнее было делать это с ней, нежели с какой-то чужой, незнакомой девкой.

А потом со мною произошло нечто странное: я влюбился. Произошло это постепенно: как-то незаметно я стал все сильнее привязываться к Наташе, меня подкупала ее неизменная доброта, уживчивость, неконфликтность. Ее какая-то... солнечность, что ли. Мне стало недоставать ее, когда мы были не вместе; и вот наконец выяснилось, что я без нее — как бы уже и не я.

К этому моменту мы давно закончили школу, учились в разных институтах.

И тут совершенно неожиданно Наташа забеременела — как это произошло, я не понимаю, вроде мы соблюдали все, что нужно соблюдать. И сразу, как только это обнаружилось, я совершенно ясно понял, что хочу жениться на Наташе и вместе с ней растить наше маленькое смешное продолжение — я конечно же был уверен, что это обязан быть сын. Я уже рисовал себе различные картины нашей совместной жизни — втроем, и каждая следующая картина была трогательнее и умилительнее предыдущей.

Каким же шоком явилось для меня, что моя жена, как я уже мысленно, предвосхищая события, называл ее, была абсолютно другого мнения.

— Не надо идти на поводу у обстоятельств. Нам хорошо вместе, верно? Если нам и дальше будет хорошо — то мы и будем с тобой вместе, а ежели повезет — так всю жизнь. Но ребенка надо планировать и производить на свет тогда, когда **мы** это решим, а не тогда, когда за нас это решит злой рок или там добрый случай.

— Но послушай, Наташа, если уж так получилось...

— Что значит «получилось»? Ну мало ли что там получилось, ну всякое бывает, ну не убереглись — что же теперь, из-за этого все будущее себе коверкать? Ты учишься, я учусь, нам еще даже двадцать не стукнуло, мы ничего в этой жизни не добились, и вдруг — бац! Пеленки-распашонки, вся жизнь резко подчиняется маленькому существу, невозможно ничего сделать, ничего достигнуть. Ну ты, отец, еще туда-сюда, институт-то хотя бы закончишь, хотя и тебя тоже этот якорь будет к земле прижимать. А для меня, матери, это тупик, понимаешь, тупик! Жизнь заканчивается кухней, это тупик, конец!

Я был в ужасе. Неожиданно с небес свалившееся розовое счастье рассыпалось на глазах. Покладистая, сговорчивая Наташа неожиданно выказала редкую строптивость.

— Так что же ты предлагаешь?

— Ну что, что... сделаю аборт, что ты, маленький, что ли?

— А вдруг ты не сможешь больше иметь детей?

— Что за чепуха, где ты этого начитался? Миллионы женщин делают это и потом преспокойно и благополученько себе рожают — и хоть бы хны!

И тут произошла ужасная сцена: во мне что-то надломилось, я стал валяться у нее в ногах, плакать и умолять. Моя подруга успокоила меня, приголубила, и мы даже — на пике всех страстей — занялись любовью, но ничто не помогло: решения своего она не изменила.

Мы не виделись несколько дней, а потом она позвонила мне сказать, что сделала то, что хотела. Я почувствовал, будто это во мне умер какой-то очень важный кусок. Я сказал ей, что хочу побыть какое-то время один, и она поняла меня. Я заперся дома; родители меня не беспокоили, и у меня было время поразмыслить, разложить все по полочкам. На занятия я не ходил, пару раз звонили из деканата, но я сказал им, что в институт больше ходить не желаю, и они от меня отстали. Пробовал пить водку, однако это показалось мне слишком пошлым, пробовал читать — а ведь я всегда любил читать — буквы прыгали перед глазами и не складывались в слова. Тогда я стал просто сидеть: просыпался утром, завтракал и садился на один и тот же стул, глядя в одну и ту же точку. Так я провел недели две, а потом мне стало смертельно скучно, я отправился в военкомат и добровольно попросился в армию.

Наташе я не позвонил; вот так вот исчез, не попрощавшись, хотя это и было ужасно глупо. Она вскоре вышла замуж — за мужчину почти вдвое старше ее, прожила с ним год с небольшим и потом сбежала от него. Детей у них не было.

Глава одиннадцатая

Несколько часов, проведенных за клавиатурой компьютера, начали все сильнее отзываться тупым одеревенением в затекшей спине, и, отстранившись наконец от экрана монитора, полковник Жаворонков прежде всего предельно далеко вытянул шею, закинув голову за подголовник сделанного по спецзаказу ортопедического кресла, затем крепко зажмурил глаза, большим и указательным пальцами крепко, почти до боли, надавил на глазные яблоки, свел напряженные пальцы по направлению к переносице, пока в глазах не завихрились оранжево-багрово-фиолетовые радуги, затем сцепил руки на затылке «в замок» и потянулся так, что, казалось, лопатки скрестились и пересеклись в этом усилии, а под левой так даже что-то вроде бы и хрустнуло. «Ч-черт бы их! Ортопеды сраные! Час-другой на их пыточном стульчаке — и уже кишки из ушей лезут!»

Полковник давно уже отвык заниматься рядовой, черновой работой. Как правило, помощники, ассистенты, референты выкладывали на стол начальнику уже обработанные, рассортированные, отфильтрованные и заключенные в красивую кожаную папку материалы, с которыми можно было знакомиться и вносить свои указующие почеркушки в условиях максимального телесного комфорта: мягчайшего кожаного кресла с обволакивающей спинкой и уютными широкими подлокотниками, дивана с многочисленными дополнительными подушками, амортизирующими все мыслимые острые углы и неудобные изгибы. Но сегодня полковник решил тряхнуть стариной и собственноручно отредактировать предстоящее в Баден-Бадене выступление российских ученых на конференции, посвященной новейшим разработкам в области радиационной защиты. Подчиненные из новичков недоумевали — с чего бы это такая прыть? — но для ветеранов отдела вопросов не было: проблемы радиационной защиты были для их начальника делом глубоко личным, причиной жуткой семейной трагедии.

Лешка, Лешка, Лешка! Хулиганисто-беспечный, разгульно-бесшабашный и... героически-самоотверженный. Ведь знал же он, не мог не знать, на что идет, требуя немедленной отправки в Чернобыль, в город своего детства. Фактически с голыми руками на излучающее невидимую смерть радиоактивное чудовище. Это потом уже был приобретен некоторый опыт, апробированы хоть какие-то защитные приемы и приспособления, это потом уже ликвидаторы аварии стали не только все чаще и чаще выживать, но иногда даже и оставаться относительно здоровыми людьми. Первые же сгорали в считаные дни и недели. В их числе — майор бронетанковых войск Алексей Жаворонков.

Для родителей этот удар оказался непосильным. Сердечная недостаточность, с которой отец жил уже не первый десяток лет, вылилась в два последовавших один за другим инфаркта. Второй оказался роковым. Через несколько месяцев также инфаркт унес никогда не жаловавшуюся на сердце Веру Александровну.

Нет, радиация и все, что с ней связано, было очень больной темой для Георгия Федоровича.

А вообще-то за годы своей карьеры в какие только научные области не приходилось углубляться полковнику Жаворонкову! Без малейшего преувеличения его можно было считать широкообразованным и эрудированным человеком.

Разумеется, эрудиция эта была достаточно поверхностной, в глубины и тонкости научных разработок Георгий Федорович не вникал, да, собственно, никто — и прежде всего он сам — не ставил перед ним таких задач. Направлением его работы было создание определенного морального климата в общении с «подопечными», можно даже сказать, установление по возможности дружественных отношений, этакий «пастор-исповедник», всегда готовый выслушать очередного неразумного «дитятю», предостеречь от непродуманных действий и заявлений, мягко и без нажима направить «на путь истинный».

Разумеется, «подопечные» прекрасно знали, что имеют дело с сотрудником КГБ-ФСБ, что доброжелательность и любезность немногословного, умеющего с вниманием и неизменным интересом выслушивать проблемы и сомнения собеседника вежливого офицера подкреплены незримо (а порой и зримо) присутствующими за его спиной работниками того же ведомства, исповедующими другие установки: неусыпно следить, контролировать каждый шаг, а в случае чего и пресекать всеми возможными средствами!

Но факт остается фактом: Георгию Федоровичу на протяжении всей его службы сопутствовала удача. То ли «клиенты» ему попадались добропорядочные, то ли действительно он мастерски умел создавать благоприятный психологический климат в отношениях с этой непростой публикой, но за все годы ни один из курируемых им ученых и исследователей не только не предпринял никаких попыток сбежать на Запад, но и во всех выступлениях, публикациях, общениях с зарубежными коллегами все они дружно являли собой просто-таки образцово-показательную сознательность и патриотичность. Разумеется, начальство ценило такой высокий коэффициент в работе, и, разумеется, чины, должности и соответствующие им материальные поощрения исправно следовали по нарастающей.

Завидной стабильностью и упорядоченностью отличалась и семейная жизнь Георгия Федоровича. Оба они, и он, и Лена, не были уже к моменту вступления в брак желторотыми, восторженными юнцами, вспыхивающими от каждого взгляда или прикосновения. Оба умели достаточно жестко контролировать свои чувства и эмо-

ции. С одной стороны, это вносило в их отношения из-
лишние, возможно, сдержанность и рациональность, с
другой — надежно защищало от неуравновешенной эк-
зальтированности, неумеренного опьянения бурлящими
страстями и почти неизбежного разочарования, когда эти
страсти не находили, по мнению партнера — неважно,
кого именно из них, — должной ответной и своевремен-
ной реакции. Был ли это «брак по расчету»? Вряд ли. Скорее это был брак «с расчетом». С расчетом на то, что уже,
в общем-то, пора, что ловить еще каких-то синиц в небе,
пожалуй что, и надоело; поди знай еще: с кем и как что
сложится или не сложится, с расчетом на будущий профессиональный и служебный рост каждого из партнеров,
с расчетом на столь необходимые для создания соответ-
ствующего имиджа «представительские» возможности:
«Знакомьтесь, мой муж: лейтенант — капитан — майор —
полковник, а там — чем черт не шутит? — может, со временем и генерал?» «Моя жена, искусствовед, кандидат
наук, а то и доктор искусствоведения...» Ну разве не красиво и не внушительно это звучит?

Материальная база семейного благополучия росла
неуклонно. Прежде всего «контора» добросовестно по-
могала своим служителям решить один из самых болез-
ненных для советских людей вопрос: квартирную пробле-
му. Лишь три-четыре месяца молодоженам Жаворонковым пришлось побродить по съемным квартирам. (Разумеется, идея совместного проживания с родителями у
Лены даже не возникала. Так же с порога была отметена
за полной несостоятельностью и возможность вселения
Леночки в гэбэшную времяночную комнатушку Георгия — вариант скудного и зачуханного сугубо мужицко-

го служебного общежития.) Начав с миниатюрной однокомнатной квартирки в Теплом Стане, Жаворонковы изрядно поперемещались по столице, с каждым переездом существенно улучшая свои жилищные условия. Забегая вперед, можно заметить, что полученная вскоре после обретения полковничьих погон огромная четырехкомнатная полногабаритная квартира на Кутузовском по своему статусу уже соответствовала генеральскому чину. Случайность? Или своего рода намек и аванс? Вполне возможно.

Лена, продолжая учиться в аспирантуре, на полставки начала работать лаборанткой в Московском художественном музее. Зарплаты хватало разве что на колготки. Но не это было главным. Всемирно знаменитый музей был одним из крупнейших в стране и в мире хранилищем и исследовательским центром русского модерна двадцатых годов, направлением в искусстве, которым Лена очень увлекалась и мечтала после защиты диссертации заняться по-серьезному. Тема диссертации, правда, была куда как «оригинальна»: «Ф. А. Бруни — основоположник русской классической школы живописи». Георгий даже позволил себе однажды съязвить: «Нет фигуры модерней, чем почтенный наш Бруней», за что и получил немедленную отповедь: «Знаешь что, милый мой, острить проще всего. Но лишь полные идиоты идут на защиту проблематичных и спорных тем. Диссертация — не научная работа, а своего рода экзаменационное задание, которое нужно выполнить аккуратно, в срок и не вызывая у оппонентов острого желания тебя завалить». — «Вот как? А я, как раз наоборот, считал, что диссертация и есть научная работа». — «Научная работа начинается тогда, когда ты уже получил свою степень». — «А как же...» — «Знаешь, есть такое банальное, пошлое, но тем не менее очень актуальное в нашей жизни выражение: «Ученым можешь ты не быть, но кандидатом быть — обязан!» У нас столько этих никчемных и никчемушных кандидатов и докторов, что пытаться что-то делать, над чем-то работать, не имея этой самой степени, — безнадежное дело. Перекусят и проглотят! Я понятно объяснила?» — «Ну, в общем-то...»

Особого энтузиазма к домоводству Елена никогда не испытывала. Как только чуть-чуть укрепились финансовые возможности семьи, все бремя домашних забот было переложено на приходящих домработниц. Бесконечной чередой следовали одна за другой Марьи Степановны, Пелагеи Семеновны, Варвары Прокофьевны... Хозяйкой Елена Станиславовна была строгой и требовательной, угодить ее требованиям было непросто. Неоднократно Георгий, приблизительно помнящий работавшую у них Нину Харитоновну, явившись домой в неурочное время, обнаруживал на кухне совершенно незнакомую ему личность. Увещевания в том духе, что, мол, «Леночка, при моей службе и должности запускать в дом неизвестных людей...», ни к чему не приводили. Ответ был один: «Не могу же я из-за твоей работы терпеть в доме нерях и распустех? А толковые и аккуратные мне лично не попадаются. Уж раз ты такой важный и таинственный — пусть твой Комитет сам подыщет нам кого-нибудь подходящего».

В конце концов этим и кончилось. Отдел обслуживания Комитета прикрепил к семейству Жаворонковых моложавую, энергичную и, безусловно, прикрывающую фартуком горничной служебные погоны своего ведомства особу, которая более-менее соответствовала представлениям Елены Станиславовны о необходимой ей для ведения домашнего хозяйства женщине. Но это произошло, разумеется, далеко не сразу. Предварительно Георгию Федоровичу потребовалось солидно подняться по служебной лестнице и уже закрепиться на определенной, предусматривающей подобные привилегии высоте.

Стихией, в которую Елена Станиславовна погружалась с настоящим упоением, была светская жизнь: приемы, выставки, театральные премьеры, концерты. В первые годы супружества Георгий Федорович прилагал все усилия, чтобы не пропускать намеченных Леночкой «мероприятий», тем более что выбранное ею, как правило, было по-настоящему интересно также и для него. Да и — чего уж тут греха таить! — приятно было сознавать, что они — пара, на которую, безусловно, обращают внимание. Собственно, он прекрасно понимал, что обращают внимание конечно же на Елену, а его роль — сопровождающий увалень при эффектной даме. Но когда при их появлении кое-кто из знакомых и полузнакомых отводил глаза и где-то в стороне шелестел невнятный, неразборчивый шепоток, о примерном содержании которого нетрудно было догадаться («Леночка Жаворонкова. Хороша, ничего не скажешь! А это ее муж. Кстати, он «оттуда», так что поосторожнее»), это временами злило, временами развлекало, пока не усреднилось на каком-то равнодушном безразличии: «Да, «оттуда»! Ничего ни от кого не скрываю! А если вы идиоты или вам действительно есть чего бояться — так и будьте осторожнее, черт с вами!»

Но постепенно Георгию становилось все труднее и труднее выкраивать время для постоянного сопровождения жены в ее непрестанных интеллектуально-творческих выходах. Уже не помогали ни периодически практикуемые им явления на службу ни свет ни заря, ни, напротив, засиживания допоздна дома после очередного выставочного раута; объем работы нарастал неудержимой лавиной, и разгребание ее практически не оставляло свободного времени. Все чаще Елена Станиславовна была предоставлена сама себе, что, впрочем, ее ничуть не смущало и не беспокоило. Беспокойство же, скорее, испытывал Георгий Федорович. Зная решительный, независимый и самостоятельный характер своей супруги, зная круг ее общения, который, прямо скажем, далеко не во всех своих проявлениях был ему симпатичен, он вполне даже мог допустить, что когда-нибудь его жена способна выкинуть «нечто эдакое». Нет, чувство, обуревающее Георгия Федоровича, не было примитивной и прямолинейной ревностью, тем более что никакими конкретными фактами он не располагал. Так, некие смутные ощущения на уровне ничем не подкрепленной интуиции. Нарастающее разочарование Георгия Федоровича, скорее всего, вызывала вся система взаимоотношений, сложившаяся в их семейном союзе.

Выросший в достаточно простой, немного разгильдяйской, но необыкновенно сплоченной и дружной семье, Георгий свято верил в патриархальную незыблемость семейных устоев, в непритворную и горячую заинтересованность каждого из ее членов в делах и проблемах своих ближайших «единокровных». Установившийся же у них с Еленой дух рациональных, почти на уровне дипломатических протоколов, семейных контактов, где каждый был предоставлен сам себе и лишь минимально включался в жизнь и дела другого, — состояние, вполне устраивающее его половину, — был Георгию глубоко чужд и несимпатичен. Хотелось ну если не нежности, то хотя бы тепла, отзывчивости, взаимопонимания. Их не было. И опять же из воспитания в духе прошлых патриархальных традиций: Георгий был искренне убежден, что формальную семью может сделать семьей истинной лишь совместное «произведение» — ребенок. Разговор об этом он завел буквально в первые же дни после женитьбы и... получил по полной программе: «Жорочка, милый, ты в своем уме? Нам сейчас ребенка?! А моя учеба? А диссертация? А первые шаги в карьере? Ты что, хочешь превратить меня в тупую домохозяйку? Ребенок сейчас — это же крест на всей моей будущей жизни! Конечно, вам, мужикам, куда как просто рассуждать: пять минут поутютюкался, десять минут поумилялся — и вперед, к своим делам! А ты крутись как хочешь! Нет, дорогой. Пока не защищусь — ни о каких наследниках даже не мечтай! Впрочем, и наследовать-то сегодня особенно нечего. Вот об этом лучше заботься. А с ребенком — время еще терпит».

Время терпело достаточно долго. Успешно прошла защита, лаборантка Леночка довольно быстро и уверенно преодолела весьма извилистый и тернистый путь к должности старшего научного сотрудника Елены Станиславовны, в перспективе рисовались реальные возможности серьезно задуматься о будущей докторской... Но столь желанное для Георгия количественное и качественное изменение их семейного состояния оставалось в прежнем положении, причем установленный Еленой много лет назад статус-кво в обсуждении этого вопроса как бы и не предполагал с его стороны дополнительных намеков и углубления в тему.

То, что до появления на горизонте Георгия она успела приобрести немалый жизненный опыт, Елена никогда не скрывала. О имевшем место замужестве с «ловцом прописки и квартиры, подонке Ленечке» — притче во языцех Леночкиного папы, Станислава Юрьевича, — Георгию было сообщено еще до женитьбы. «Уж извини, каких только глупостей не наделаешь по молодости. Но... Я все тебе рассказала и... больше никогда не хотела бы возвращаться к этой теме».

Рассказала Леночка, разумеется, лишь то, что сочла нужным, изложив в то же время кое-какие детали своей биографии весьма приблизительно. Ну в самом деле, кто же будет мужикам, особенно потенциальным кандидатам в мужья, выкладывать всю свою, так сказать, девичью подноготную?

И первое замужество было не совсем замужеством, ибо за пару дней до регистрации законного брака папа застукал «мерзавца Ленечку» на своей секретарше — «своей» в самом широком смысле слова — и... целомудренно возмутился: «Как кобель кобеля — охотно готов тебя понять, как отец невесты — извини! Чтоб духу твоего больше не было ни у меня в доме, ни в институте! Серьезный и уважительный повод к твоему увольнению кадровики уж как-нибудь найдут. На «волчьем билете» настаивать не буду, не беспокойся и помни мою доброту». И покатил Ленечка назад в свой Зачуханск или в нечто столь же цивилизованное и «столичное».

А у Леночки — по официальной версии — от пережитого стресса случился выкидыш. Ну на самом-то деле это был не выкидыш, а аборт, сделанный, кстати, несмотря на всю блатную и финансовую подкладку, не очень удачно, и избавлялась Леночка, скорее всего, не от последствий без пяти минут супружеской связи с провинциальным Казановой, а от плода краткосрочной, но бурной и страстной увлеченности новомодным философом, гением и пророком Ефимом Чурковым.

Господи, ну кому же придет в голову обременять влюбленного жениха, а в дальнейшем молодого мужа знанием таких скучных, никчемных, да и вообще никому не нужных подробностей?

Впрочем, в случае с Георгием Жаворонковым Лена, безусловно, шла на определенный риск. И истоки его коренились в «конторской» принадлежности Георгия. Как человек разумный и прагматичный, без идеалистического идиотизма воспринимающий существующую в стране ситуацию, Леночка прекрасно понимала, что стоит Георгию, что называется, «ковырнуть мизинцем» — и у него на столе будет лежать ее полнейшее досье, начиная с первых, фигурально выражаясь, «гуканий» в роддоме и кончая восемью стихотворными строчками, произнесенными пару дней назад в виде тоста на юбилее фотографа и графика Юры Сойкина. Но зрелая и опытная женщина с тонкой интуицией и незаурядным психологическим чутьем, Елена, тогда еще Литвинова, была убеждена, что такой человек, как Георгий, не пойдет на унизительное ворошение грязного белья, а следовательно, умеренное количество «лапши на уши» успешно приживется. И она не ошиблась в Георгии.

В первый период замужества Елена Жаворонкова была, можно сказать, вполне довольна своей жизнью. Муж, безусловно, по-своему любил ее: степенно, уравновешенно, даже как-то вдумчиво — в полном соответствии с его сдержанным и замкнутым характером. Елену это вполне устраивало. Все ее просьбы неукоснительно выполнялись, к постоянно оказываемым знакам внимания и уважения она настолько привыкла, что день, прошедший без подношения цветов или какого-либо подарка-сувенира-сюрприза, воспринимался как нечто выходящее за рамки обычного. Финансово она чувствовала себя достаточно свободно. А учащающиеся командировки Георгия Федоровича за границу успешно помогали решать вопросы гардероба, почти не прибегая к услугам местных барыг-спекулянтов: аккуратный и педантичный Жаворонков, снабженный каталогами (им же привезенными в прошлую поездку), точными указаниями и размерами, очень быстро научился рационально производить необходимые покупки.

Анализом же собственного отношения к мужу Елена Станиславовна предпочитала себя не утруждать. Безусловно, ни о какой влюбленности речь не шла. Но то, что она испытывала к Георгию, человеку надежному и добропорядочному, определенную привязанность, сомнения не вызывало. Конечно же Жаворонков, лишенный какой-либо броскости, яркости, резко отличался от людей привычного ей круга: художников, артистов, журналистов, с их постоянными творческими импульсами, всплесками фантазии, иррациональными порывами. (Но в скобках заметим: всегда ли подобное отличие бывает непременно в худшую сторону — это еще вопрос.) К тому же Георгий Федорович умел очень цепко, на лету схватывать и усваивать новую информацию — профессионал, ничего не скажешь! — никогда не торопился с высказыванием в малознакомом обществе своих суждений, а уж если и произносил пару коротких фраз, то всегда к месту и по делу. Лене, что называется, не приходилось за него краснеть. Напротив, среди ее приятелей и знакомых он пользовался репутацией спокойного, немногословного, но очень разумного и эрудированного человека. Собственно, так оно и было на самом деле.

Первые годы, когда супруги проводили вместе практически все свободное время, а в течение рабочего дня успевали еще перекинуться пару-тройку раз несколькими словами по телефону, возможность какого-либо флирта или романа «на стороне» исключалась сама собой. Вообще-то Лена и до замужества не отличалась какой-то повышенной любвеобильностью. Разумеется, у нее было несколько различной продолжительности и различной степени влюбленности связей. Но сказать, что эта сторона жизни составляла для нее нечто неотъемлемое и насущно необходимое, никак нельзя. И потом, в конце концов, она действительно была толковым и образованным искусствоведом и вкладывала в свою работу немало сил, энергии и времени. Иное дело — когда Георгий в значительной степени отстранился от светских развлечений супруги, предоставив ей возможность проводить время по собственному усмотрению. Яркая, эффектная женщина, появляющаяся в обществе в одиночестве, конечно же сразу стала объектом повышенного внимания многочисленных богемных и светских «вольных стрелков». Их не отпугивало даже хорошо всем известное служебное положение мужа независимой и держащейся достаточно неприступно холеной красавицы. Ну и что, в конце концов? Ну муж-гэбист, но павлиний-то хвост распускается не перед ним, а перед его супругой. Это что, государственная измена? Да плевать мы на них хотели! Церберы поганые!

Но уж кто не хотел ни на что плевать — так это сама Елена Станиславовна. Она прекрасно понимала, что за ней пусть и вторым планом, не как за основным объектом наблюдения, но постоянно приглядывают, что любой сочтенный компроматом факт будет тут же зафиксирован и, даже если не попадет немедленно на стол к Георгию Федоровичу, сохранится в анналах и вполне вероятно, что когда-нибудь все-таки да и «выстрелит». К тому же, честно говоря, ни одного достойного кандидата в любовники, способного заставить потерять голову, кинуться в безрассудную, а в ее случае и небезопасную, авантюру, на горизонте не просматривалось. Так, обычные и уже порядком примелькавшиеся и надоевшие премьерно-вернисажные шаркуны. Заехать с кем-то из них после спектакля в ресторан — ради бога! Не возбраняется. Мы — женщины современные и эмансипированные. Но до определенного предела. Далее — ни-ни! Чтоб в отчете потом все выглядело скромно, достойно и внушительно: «00.10. В сопровождении N покинула «Славянский базар». 00.20. Села в такси. 00.45. Вышла у своего дома и поднялась в квартиру». Такая «индульгенция», да еще подписанная должностным топтуном, повесомее «пояса верности» будет. Лишь один раз позволила себе Леночка «дать слабину».

Уж больно сладкозвучно распевал стремительно покоривший столицу стройный, гибкий, белокурый забайкальский гений! Дала слабину и... была жестоко разочарована. Обаятельный, артистичный и выглядящий со сцены столь соблазнительно новоявленный Орфей оказался грубым, примитивным, почти что на уровне дикого, необразованного неандертальца, жеребцом, а вместо романтического любовного свидания имела место поспешная случка на квартире одной из Леночкиных приятельниц. Происшедшее отрезвило и без того достаточно трезвомыслящую и разумную Елену Станиславовну.

Физиологической потребности разнообразить свою сексуальную жизнь она не испытывала. Георгий Федорович, надо сказать, при всей его сдержанности и умеренности в интимной жизни раскрывался совсем с другой стороны. И потом, Елена Станиславовна, защищенный кандидат наук, старший научный сотрудник, начавший набрасывать заметки к докторской диссертации — и на этот раз это будет уже точно «ее» тема; политическая ситуация в стране, кажется, «теплела», а Казимир Малевич и его окружение все-таки не «враги народа», — теперь уже и сама была заинтересована в том, чтобы упрочить свой семейный союз рождением ребенка. И она хотела на все сто процентов, а может быть даже и больше, быть уверенной, что отец ребенка — именно Георгий Федорович, а не какое-то случайное увлечение. Не то чтобы она так уж испытывала неудержимую тягу к материнству, но годы шли, возраст начинал приближаться к критическому. Как ни крути, но «пора, мой друг, пора!». И вот тут обнаружилось, что уже почти желаемый ребенок весьма проблематичен.

Первые годы замужества Елена активно использовала различные предохранительные средства: ставились и удалялись какие-то пружинки, поглощались привозимые из-за кордона новомодные противозачаточные пилюли. Нет, к добыванию и доставке этой зарубежной продукции Георгий Федорович не имел никакого отношения: Елена не считала необходимым информировать его о столь сугубо женских делах, тем более что реакция Георгия на все эти идущие вразрез с его стремлениями и желаниями ухищрения была ей прекрасно известна. Но, наконец немного переведя дух после защиты, в полной мере насладившись собой как кандидатом искусствоведения, Елена Станиславовна приняла волевое решение: все, рожаю. Немедленно были отменены все защитные прибамбасы, и Леночка начала ожидать естественного результата: не слишком желанной, но — уже никуда не денешься! — запланированной и неизбежной беременности. Месяц, два, полгода, год... Безрезультатно.

Вскоре первоначальное недоумение сменилось уже достаточно серьезной озабоченностью. Неужели же поспешное решение, принятое в ранней юности, действительно привело к такому необратимому итогу, как бесплодие? Вновь врачебные консультации, обследования, различные препараты. Только теперь преследовалась уже прямо противоположная цель. И вновь Елена предпочитала в одиночестве переживать все свои тревоги и сомнения, ни словом, ни полусловом не намекая мужу на уже волнующую и беспокоящую ее ситуацию.

Все медицинские показания с ее стороны были вполне благоприятны. А поэтому врачи все чаще и чаще начинали поговаривать о необходимости супругу пройти соответствующую проверку. Но этот вариант был для Елены Станиславовны категорически неприемлем. Оставалось только терпеливо ждать и надеяться. И вот, кажется, наконец... Кажется, кажется... Да нет, теперь уже определенно не кажется! И все-таки Елена еще некоторое время не торопилась делиться своим сюрпризом с Георгием. И лишь когда срок беременности перевалил за десять недель, она решилась: пора и мужу начать морально настраиваться на предстоящее вскоре отцовство!

Сегодня Георгий Федорович сумел закончить свои дела необыкновенно рано: к началу четвертого были окончательно выверены и отредактированы все документы и отчеты по конференциям микробиологов, состоявшимся в прошлом месяце в Женеве и Далласе. Интересно, на какую очередную научную стезю в следующий раз направит его начальство?

Собственно, несколько свободных часов «выплыли» у него совершенно случайно.

Начальник отдела неожиданно отменил намеченное на шестнадцать ноль-ноль совещание по весьма расплывчатой и неопределенной теме: «Координирование текущей работы отдела в свете современной политической ситуации в стране». Нечто столь туманное и невнятное, что, скорее всего, разговор свелся бы к одной-единственной рубрике: «Разное». И тем не менее отмена совещания была событием беспрецедентным, обычно запланированные «говорильни» проводились с жесточайшей пунктуальностью, невзирая ни на какие обстоятельства.

Жаль! Знать бы заранее — можно было бы куда-нибудь сходить с Леной, а то уже давным давно нигде вместе не были. Но сегодня — именно сегодня — Леночка пробросила утром, что день у нее намечается суматошный, «в бегах», что объехать ей надо полгорода, а в институт она сегодня вряд ли вообще попадет. На всякий случай Георгий набрал номер домашнего, а потом и Елениного служебного телефона. Безуспешно. Что ж, значит, не судьба. Ладно. Приехать непривычно рано домой, спокойно понежиться в ванной вместо традиционного поспешного душа, подремать у телевизора... Хорошо! Нормальный вечерний отдых степенного обывателя, ведущего размеренную и упорядоченную, не обремененную никакими экстремальными заботами жизнь.

В этот момент зазвонил телефон. Внутренний. «Так, кажется, порасслаблялся в халате с книжкой».

— Георгий Федорович? Здравствуй, дорогой!

«Женька Смирнов. Чего это вдруг? Ну не вызов к начальству — и то слава богу!»

— Евгений Иванович! Рад тебя слышать!

— Смотри-ка, помнишь еще! Молодчина! А ведь на улице встретимся — и не узнаем, поди, друг друга! Сколько лет уж не виделись!

— Это точно!

— Нет, а правда. В одном ведомстве служим, из одной кормушки кормимся — а как на разных планетах.

— Ну ведомство-то у нас не маленькое. Корпим каждый в своем углу.

— Во-во! Именно что корпим. А жизнь между тем проходит.

«Чего-то ему надо от меня, просто так он не стал бы звонить».

Однокашник Жаворонкова по школе КГБ, Женька — Евгений Иванович Смирнов, — стройный, смуглый, черноволосый красавец, — был полным антиподом Георгию. Всегда элегантный, подтянутый, изысканно-галантный, он был, что называется, грозой женских сердец. Легенды о его похождениях частенько скрашивали суровые, без преувеличения, учебные будни будущих чекистов. Только легенды! Возникающие и распространяющиеся неведомыми путями, ибо сам Женька никогда не позволял себе ни полслова, ни намека о каких-то своих сердечных делах. Все россказни и любой треп он сопровождал немного загадочной, приятной и доброжелательной вроде бы улыбкой, неустанно мурлыкая себе под нос: «Что наша жизнь? Игра!» И «игрался» он, надо сказать, весьма успешно, сумев ни разу за время учебы не влипнуть из-за своих амурных дел ни в одну скандальную историю, а напротив, заработав за годы учебы репутацию человека умного, серьезного, перспективнейшего в будущем службиста. Как следствие — направление в центральный аппарат и успешная, довольно быстрая карьера. Впрочем, в сфере его деятельности — приглядывание за иностранцами и, главное, за их несанкционированными контактами с неразумными советскими гражданами — что тут было на первом месте, что на втором — сказать трудно, да, так вот, в этой области служебное продвижение шло на порядок быстрее, чем в аналитике и психологических изысканиях, которыми занимался Георгий.

— Что наша жизнь, Женька?

— Увы, Жора, не игра, а бумажки, бумажки, бумажки. Вот ведь и сейчас ты плечом трубку придерживаешь, а глазами продолжаешь бегать по строчкам очередного... Не знаю, что там у тебя в этот момент в руках: отчет, доклад, постановление... Угадал?

— В целом картина до муторности реалистичная. Но именно сегодня — не угадал. Как ни странно — удалось разгрестись досрочно. Уже лыжи домой намыливаю.

— Серьезно? Потрясающее совпадение. Я вот тоже сижу и, можно сказать, отдыхаю. Слушай, Жаворонок, зашел бы, а? По рюмашке тяпнем, чаек погоняем...

«Определенно у него есть ко мне какое-то дело. Это все неспроста».

— Ну я не знаю...

— А чего тут знать-то? Раз, два, задницу из кресла вытянул — и вперед!

— Звучит соблазнительно.

— Дорогу-то в мою келью найдешь?

— Обижаешь...

...Нельзя сказать, что между Георгием Жаворонковым и Евгением Смирновым возникла в годы учебы какая-то особая дружеская симпатия. Вообще отношения курсантов их небольшой группы друг к другу отличались ровностью, вежливой сдержанностью, но в то же время и какой-то деловитой, что ли, отстраненностью. Каждый сознательно, а скорее подсознательно ощущал, что в будущей службе излишне близкие дружеские связи могут оказаться нежелательными, могут сковывать инициативу, а возможно, и затруднять принятие каких-то принципиальных решений. Скорее всего, срабатывала продуманная система подготовки будущих кадровых работников «системы», воспитывавшей в каждом психологический тип «одинокого волка». «Конторе» не нужны были дружеские сообщества. Озабоченные своей личной судьбой и карьерой индивидуалисты-одиночки, настороженно присматривающие друг за другом и всегда ожидающие со стороны коллег вероломных и коварных выпадов, были значительно более удобны в управлении, чем какие-то сплоченные группы и кланы.

Если Георгий и общался со Смирновым чуть-чуть более активно, чем с другими сокурсниками, то, скорее всего, тут срабатывал принцип притяжения полных противоположностей: закрытость, замкнутость и почти что сумрачная сдержанность одного уравновешивались артистичностью, показной легкостью и чрезмерной даже компанейскостью другого. «Мы, грузинские князья...» — по легенде какая-то прапрабабушка Смирнова происходила из малоизвестной, но родовитой грузинской семьи. И действительно, в облике и манерах Жени Смирнова вполне можно было усмотреть наличие и влияние каких-то южных кровей, скорее не кавказского, а средиземноморского порядка, что-нибудь такое итальянско-испанское. «Что наша жизнь, мужики? Игра!» Гусар, да и только. Бокал об пол, сабля бьет по ногам, глаза горят огнем одержимости. «Сегодня ты, а завтра я!» А как только расслабится немного, как только перестанет наигрывать восторженную горячность, так со дна глаз и выпрыгивает истинная сущность: жесткие, колючие, остроотточенные ледяные стилеты. Непростой человек! Чтобы заметить и понять это, не надо было быть особенно искушенным психологом. Непростой. Но по-своему небезынтересный, чем-то привлекающий и притягивающий к себе. Возможно, сдерживаемыми и скрываемыми до поры до времени, но безусловно присущими ему железной волей и властностью.

Как получилось, что Георгий пригласил его свидетелем на свое бракосочетание? Черт его знает! Встретил незадолго, и как-то слово за слово... Пригласил и тут же ну не то чтобы пожалел, но весьма и весьма напрягся, потому что Женька так посматривал на Леночку... Впрочем, именно так он смотрел на всех женщин, это был его, так сказать, «фирменный» взгляд, тут уж ничего не поделаешь.

И вновь Смирнов, выскочивший внезапно, как черт из табакерки, будто бы специально, чтобы поженить Георгия, снова исчез на долгие месяцы. Объявился опять неожиданно более чем через год и с совершенно неожиданным приглашением. Женька просил на этот раз Георгия быть свидетелем уже на его свадьбе: «Долг платежом красен, старик!» Увы, именно в эти дни Георгий уезжал на океанографическую конференцию в Варну, и именно в этот раз ему впервые было разрешено поехать вместе с женой. «Женька, старина, я бы с дорогой душой, но у меня, как назло, командировка. Наша служба... Ты же понимаешь!» — «О чем разговор, Жора! Мы — люди подневольные! Ну так встретимся позже, оба уже как солидные, степенные семейные люди!»

Но подобная встреча так и не состоялась. Несколько раз Жаворонковы и Смирновы виделись в театрах, преимущественно в Большом: Диана — худенькая, стройная и гибкая Диана Смирнова — танцевала в кордебалете, с большим энтузиазмом уславливались перезвониться ну вот буквально в самые ближайшие дни... На этом дело и кончалось.

Сегодняшний звонок бывшего однокашника был полной неожиданностью. А потому настораживал.

Женькина «келья» была как минимум в три раза больше кабинета Георгия. Отделанная точно такими же псевдодубовыми панелями, она, после аскетизма рабочего места Жаворонкова, выглядела более обжитой, освоенной и по-своему даже уютной, позволяя судить о вкусах и пристрастиях ее хозяина. Прекрасная и явно очень дорогая радиоаппаратура, огромный телевизор с уютно ориентированными на него роскошными креслами, по стенам в дорогих и красивых рамах — картины (оригиналы? — быть не может: это же импрессионисты!), тут и там расставлены, развешаны какие-то сувенирные безделушки. Даже Великий Инквизитор Феликс Эдмундович поглядывал вроде бы повеселее и поласковее, чем с точно такого же портрета у Жаворонкова. Если бы не массивный письменный стол и приставленный к нему буквой «Т» огромнейший стол для совещаний — чем не гостиная в достаточно благосостоятельном особняке?

Смирнов встретил его с распростертыми объятиями. От поцелуев обоюдно уклонились, но потискали друг друга и по спинам похлопали вдоволь.

— Жаворонок, выглядишь отлично! И не потолстел вроде бы, а? — Женька быстро чиркнул пальцем по животу Жаворонкова. — Ан нет, голубчик, животишко-то начинает проклевываться! Ты чего ж это, брат?

— Ну работа-то наша, сам знаешь, сидячая в основном. Тут хочешь не хочешь...

— А бассейнчик? А спортзальчик? А трусцой за здоровьем спозаранку?

— А-а... Где время-то на все это взять?

— Не-ет! А я — всенепременно и регулярно. А иначе ведь совсем закиснуть можно. Располагайся, чувствуй себя, как говорится... Виски? Коньяк?

— Ну плесни коньячку чуть-чуть.

Смирнов ловко крутанулся на каблуках, сделал несколько быстрых шагов в сторону утопленного в стене сугубо служебного по виду шкафа, распахнул дверцу. Возможно, бутылочное количество было и не столь уж великим, но зеркальные стены создавали иллюзию какой-то бесконечной сверкающей батареи.

— Ну у тебя тут прямо изобилие!

— Кто знает, когда что может пригодиться. «Хеннеси» употребляешь?

— Вполне.

Коньячные рюмки были небольшие, но Евгений наполнил их весьма щедро.

— За встречу!

— Будем!

Чокнулись и осушили до дна не отходя от бара.

— Сейчас. — Смирнов нажал кнопку селектора. — Лидочка, лапушка, сообрази нам кофейку, только такого, какой лишь ты умеешь делать! — Жаворонкову: — Или ты чаек предпочитаешь? — Георгий отрицательно покачал головой. — И правильно. Лидуня у меня — кудесница. Кофе варит просто фантастически!

Прихватив бутылку и рюмки, разместились в уютнейших креслах у журнального столика. Тут же с подносом вплыла и Лидуня. «Черт возьми! Ей бы не кофеек разносить, а что-нибудь от Диора демонстрировать! Женькин почерк. Стал бы он держать у себя в секретаршах какую-нибудь грымзу преклонного возраста!»

— Лидочка, солнышко, век тебе благодарны будем! Спасибо, с остальным мы сами справимся.

Одарив расслабляющихся чекистов лучезарной улыбкой, Лидочка пронесла себя, как по подиуму, к двери.

Хлопнули еще по одной. Редко пьющий Георгий почувствовал нарастающее где-то внутри приятное тепло и даже легкое помутнение в голове. Гостеприимный хозяин разливал кофе, придвигал к гостю тарелочки с канапушками, печенюшками, крекерами.

— Ну рассказывай, что у тебя, как... — Смирнов неустанно продолжал заботиться о постоянном освежении пустеющих рюмок.

— Женя, да то же, что и у тебя. Протираю штаны с утра до ночи.

— Ну не скажи! Это я сугубо кабинетный монумент. А ты-то ведь по всему миру мотаешься. Знаем-знаем, не скромничай!

— Ну мотаюсь иногда. Но должен тебе сказать: это такой «туризм», что и врагу не пожелаешь: все время в напряжении, все время на нервах...

— Все. Молчу. Производственные тайны — дело сугубо секретное. Мне их знать — ни к чему: своих хватает. А что дома? Как Леночка? Так же восхитительно красива и неотразима?

— Да, ты знаешь, она молодчина! Отлично защитилась, добилась интересной работы. Сейчас вот о докторской диссертации начинает подумывать...

— Ой, да не о том я! Ну их, в самом деле, с их карьерами!.. Нам бы с тобой уже пора с колясочкой прогуливаться, кровинушку собственную лелеять...

— Ну слушай...

— Вот и моя туда же! Все пляшет, пляшет, остановиться не может. Юбилеи, премьеры, гастроли... И потом, Леночка все-таки человек научный, серьезный, академический... А у этих плясунов нравы-то, сам понимаешь, излишне вольные... Провожаешь на пару-тройку месяцев в какие-нибудь Австралии-Аргентины — и сам не знаешь, с чем к тебе вернутся и вернутся ли вообще.

— Ну это ты уж, положим, загибаешь! — Достаточно хорошо зная Женю и его пристрастия, Георгий был абсолютно убежден, что долгие отлучки жены были тому только на руку, уж можно было быть уверенным, что времени зря он не терял.

— Ничего я не загибаю. А эти бабы... Помяни мое слово: доконают они нас рано или поздно! Тут вот, кстати, у меня подобралась маленькая фотовыставка...

Ловким, гибким движением Женька извлек из внутреннего кармана с полдюжины цветных фотографий и подбросил их под руку к Георгию. «Боже мой, это же Лена!»

Несомненно, это была Лена, смеющаяся, забросившая характерным жестом голову назад, с бокалом в руке, в компании какой-то вызывающе красивой женщины и двух бородатых хмырей.

— Что это значит? — Сглотнув ком в горле, Георгий, не церемонясь, налил себе полную рюмку коньяка и заглотнул ее единым духом.

— А это значит, дорогой мой дружище, что моя наружка зафиксировала позавчера вечером в ресторане «Националь» твою жену в компании с очень известной скульпторшей Региной Поволоцкой и двумя голландскими обормотами, вроде бы искусствоведами.

— Извини, я не совсем понимаю...

— За супружескую верность можешь быть абсолютно спокоен. Эти хлысты — стопроцентные пидоры, с гарантией. Удивляюсь Регинке: такая опытная женщина, уж под какой только заграничной шушерой не валялась — и вдруг не распознала голубеньких!

Женечка недоговаривал. Сугубо иностраннолюбивая Регина, как правило, подкладывала себя под объекты, намеченные ей Евгением Ивановичем Смирновым. Было получено соответствующее задание и по голландцам. Но ребята оказались стойкими однолюбами.

— И что я...

— А ничего. Парни, к счастью для нас, — подчеркиваю: в первую очередь для нас с тобой, Жора, — ни с какими спецслужбами не связаны. Так, разная дребедень, «Эмнисти интернешнл», какие-то там еще качатели человеческих — ха-ха! — прав... Сюда тащат всякую забугорную макулатуру, отсюда — эти идиотические правозащитные письма, воззвания, протоколы... Мелочевка! Их ковырнут на границе. Найдут что — не посадим, конечно, но вытурим со свистом и навсегда. А вот нам-то, старый, здесь жить и работать.

— Я должен подать какой-то рапорт?

— Жора, ну ты прямо как будто бы и не родной, как будто бы и не наш. Ну как ты считаешь? Если бы эти картинки представляли собой какой-то серьезный и значительный компромат, требующий дальнейшей разработки, мог бы я тебя с ними знакомить? Несмотря на все мои дружеские чувства к тебе и искреннее восхищение Леночкой? А? Старик? Вот то-то же. Повторяю, все это — чушь, не стоящая выеденного яйца. Я бы и говорить тебе ничего не стал, если бы не... В общем, я тут... подзакругляю весь этот свой балаган. На днях передаю дела. Приказа еще нет, но вот-вот... Собственно, приказ-то все равно будет сугубо закрытый. Так что разглашаю тебе, так сказать, малую государственную тайну. Меня перебрасывают на укрепление безопасности одной... ну, в общем, одной сугубо независимой республики, какой — не имеет значения, со временем узнаешь. Они там что-то чрезмерно распустились. Настало время крылышки-то подкромсать немножко. И я, как говорится, не хотел бы оставлять в своем столе всякие гнилые и ненужные хвосты. Усек? Галерейка — тебе на память, негативы уничтожены, а парнишку этого, моего фотохудожника — толковейший парень, кстати, — я забираю с собой, с неплохим повышением, так что можешь не беспокоиться: пока он из моих рук кормится — ни на какие пакости не сподобится, а там и вообще поезд уйдет и все быльем порастет. Ну что, по последней и не заводиться?

И, доведя в обнимку до дверей кабинета, не удержался, сверкнул напоследок своим холодным, кинжальным взглядом:

— А с Еленой ты, Георгий Федорович, должен все-таки серьезно поговорить. Что за детская легкомысленность, честное слово!

...Не так, нет, совсем не так мечталось Георгию Федоровичу Жаворонкову провести случайно выпавший ему за много недель свободный вечер. Сумел-таки любезный однокашник основательно подпортить настроение. Да что там настроение? Не в настроении дело! Сложившаяся ситуация была достаточно небезопасна не только для Лены, но и лично для него. Хорошенькое дело! Супруга ответственного офицера КГБ уличена в контактах с какой-то диссидентской швалью и крайне сомнительными иностранцами! Ничего себе! Да и в то, что Смирнов уничтожил негативы и копии фотографий, Георгий абсолютно не верил. Слишком уж не в стиле их «конторы»! Более того, Жаворонков был абсолютно убежден, что и вся их сегодняшняя «дружеская» встреча была тщательнейшим образом зафиксирована, запротоколирована и препровождена в места долгосрочного хранения, так сказать, на всякий случай, до подходящего момента.

«А Женька — сука! И всегда был дерьмом и мерзавцем! Разыграл прямо-таки показательный учебный этюд. Сю-сю-сю, тю-тю-тю, коньячок, кофеек и — тра-ах! — фотографиями по башке, как серпом по яйцам! Классик следствий и допросов! Ублюдок поганый!»

В квартиру постепенно начинали вползать сумерки. Георгий прошел к бару недавно появившейся у них финской стенки — даже в их отделе снабжения стеночку эту пришлось ждать почти год, — окинул взглядом свои запасы: положим, выставка не хуже, чем у этого дерьма собачьего; выпивали что-нибудь Елена и Георгий редко и немного, знакомые заглядывали к ним нечасто, а всякие-разные красивые бутыли Георгий привозил из каждой поездки. Но вот «Хеннеси» не было. Ладно, «Курвуазье» —

тоже неплохо. Лишь бы не мешать что-то разнородное, еще в юности это усвоено: начал пить коньяк — так уже и продолжай.

Щелкнув пультом огромного и тоже недавно приобретенного телевизора «Сони», Жаворонков плюхнулся в кресло. «Сегодня в Кремле Генеральный секретарь Центрального комитета Коммунистической партии Советского Союза товарищ Юрий Владимирович Андропов принял партийно-правительственную делегацию Корейской Народно-Демократической Республики. Встреча прошла...»

«Хоть «Сони», хоть не «Сони», а тончик нашей пресловутой программы «Время» так и продолжает оставаться в духе черно-белого «Рекорда». Господи, ну почему же мы не можем до сих пор найти хоть какую-то мало-мальски человеческую интонацию в своей пропаганде? Ну почему же у нас на полном серьезе вещают словами и интонациями, от которых всех уже давно воротит?»

Фотографии во внутреннем кармане пиджака по-прежнему продолжали беспокоить. Достал, пересмотрел еще раз, сложил веером, перемешал, перетасовал и вновь разложил свой безрадостный пасьянс. «Отличное качество! Когда хотим — все умеем. Однако с Еленой действительно придется, как это ни прискорбно, серьезно поговорить. Ну что это такое на нее нашло? Ведь и умна, и серьезна, и осторожна... И вдруг — на тебе! Но и наши дерьмодели хороши! Вечное приглядывание, прислушивание, принюхивание... Нет, определенно неслучайно нас так ненавидят за нашу иезуитски-инквизиторскую въедливость, за садистски-самодовольную всезнайность!»

Хлопнула входная дверь. «Лена. Надеюсь, одна?»

— Георгий? Вот сюрприз. В такое «детское» время уже дома?

— Случайно освободился. Я тебе звонил.

— Ну я же говорила, что сегодня весь день в разъездах.

Приблизилась, щелкнула выключателем торшера.

— Ого! Да ты, я смотрю, времени зря не теряешь! Чего вдруг?

— Да так. Заходил к Женьке Смирнову, дернули по рюмочке, захотелось еще немного.

— Смирнов? И как он?

— Нормально. Передавал... очень большой привет.

— Угу. Ну и ему при случае.

— Он вообще-то уезжает...

— И черт с ним! Знаешь, я тоже хотела бы немного выпить.

— Ты?

— Да. Я. Шампанского. Я там с утра уже заложила бутылку в холодильник. Принес бы!

— Леночка...

— Давай-давай, открывай! Ну что ты бредешь, как парализованный! Нашему будущему ребенку вряд ли понравится, что у него такой заторможенный папаша!

— Ле-на...

— Жора! Ты что, не рад?

— Лена, Леночка... Да я... Да у меня просто слов...

— А ты успокойся, налей шампанского...

— Но тебе ведь, вероятно, нельзя уже...

— Ну дурень! Глоток хорошего французского шампанского никогда еще никому не повредил. Да и потом, не так уж все сразу. У нас впереди еще полгода. Достаточно времени, чтобы и на диетах посидеть, и о здоровье маленького побеспокоиться... Ну наливай уже наконец!..

— Лена...

Мог ли Георгий Жаворонков в подобной ситуации говорить о каких-то гнусных фотографиях, о сдержанности, бдительности, осторожности? Разумеется, нет! Тема зависла в воздухе и рассеялась в эйфории семейного счастья.

Надвинувшаяся ночь стала одной из самых сладких и памятных по всей предыдущей и последующей супружеской жизни Елены и Георгия Жаворонковых.

Глава двенадцатая

— Итак, кто же адресаты? — спросил Турецкий.

— На сей раз это наши коллеги из областной прокуратуры.

— Вот как? Это уже интересно, правда, Костя?

— Старший советник юстиции Николай Петрович Кокушкин...

— Помню его.

— И судья Левашова-Анисина, Лариса Вячеславовна.

— Письма пришли на служебный адрес? — спросил Грязнов.

— Да, а в областной уже были предупреждены на предмет подозрительной почты, — ответил Меркулов.

— Интересно, что всем, кроме Смирнова, эти «конверты смерти» прислали на рабочий адрес, — заметил Турецкий. — А кто такая эта Левашова? Фамилия знакомая, кажется, какое-то скандальное дело за ней числилось.

— Совершенно верно, у тебя прекрасная память. Дело очень гнилое и гнусное. Это было так называемое «дело двух ученых».

— «Дело двух ученых»?

— Да, не помнишь? Жили-были в нашей просвещенной стране двое ученых мужей: один в Москве, а другой в Новосибирске, в знаменитом Академгородке. Звали их Валентин Давыдов и Игорь Суворов, оба по специальности — физики, только Давыдов — это сибиряк — был старше, уже за пятьдесят, а Суворов — моложе, меньше сорока. Занимались они важным и интересным делом: изучали сплавы и сверхпластичность металлов. Давыдов заведовал кафедрой — там, у себя в Академгородке, а Суворов работал в одном НИИ у нас, в Москве, был он эсэнэсом — старшим научным сотрудником.

Дело свое и свои металлы физики безумно любили, работа у них спорилась, оба были одержимыми, настоящими трудоголиками и мечтали в жизни только об одном: ухватить наконец за хвост эту вечно ускользающую научную истину и, таким образом, принести пользу людям. Своей стране. Родине.

Проблема была только в том, что у Родины не находилось денег на исследования наших физиков. А ученый так уж устроен: не исследовать не может. Известно, например, что зубы у лошадей растут всю жизнь: если лошадь перестанет жевать, то и они перестанут стачиваться и, продолжая расти, пробьют ей верхнюю челюсть и вопьются в конце концов в мозг. То же самое и с научным экспериментатором: если не давать ему проводить испытания, то у него что-то такое отрастет и вопьется в мозг — и в результате он просто погибнет.

Поэтому когда некая корейская фирма предложила Валентину Даниловичу Давыдову профинансировать его исследования, то он с радостью согласился. Приблизительно в это же время он познакомился с молодым столичным коллегой, Игорем Петровичем Суворовым, и вовлек его в свой проект, объединив таким образом одной идеей два исследовательских института и корейскую фирму-партнера.

Сначала все шло преотлично: исследования давали интересные результаты, корейцы были довольны, а уж ученые тем паче. А потом началось нечто странное.

Сначала Давыдова вызвали в местное отделение ФСБ, где вежливый полковник в сером же штатском костюме мягко указал ему на тот факт, что не следует российскому ученому так вот уж злоупотреблять контактами с иностранцами.

Потом его вызвали снова, на сей раз уже не к полковнику, а к генералу, и не к местному, а приезжему из Москвы. Генерал повторил практически все то же самое, что говорил до него полковник, но бросилось в глаза, что он был как-то необыкновенно грустен.

Впрочем, Давыдов не особенно волновался. Можно даже сказать, что он не принял это двойное предупреждение всерьез: ему ведь явно нечего было беспокоиться. Он не имел допуска ни к какой секретности, все его опыты были абсолютно открытыми, вся информация, которую он передавал корейцам, была уже ранее опубликована в отечественных научных журналах. Чего же тут тревожиться? Слава богу, времена уже не те, и черный ворон не рыщет по ночам по безлюдным улицам, и его будущие жертвы не сушат в дорогу сухари.

Одним словом, арест явился для исследователя полнейшей неожиданностью. Как? За что? Его?! И сейчас?!

А между тем ему инкриминировалось абсолютно нешуточное дело: измена Родине путем передачи секретной информации.

Вновь приезжал грустный генерал из Москвы, встречался с арестантом и, казалось, хотел что-то сказать между строк... но молчал. А следом за ним появился другой генерал, «злой» — начальник грустного. Этот кричал на ученого, называл его «сукой» и на «ты» и обещал «вкатить по полной».

Потом был процесс, на котором областной суд Новосибирской области вынес оправдательный вердикт. Действительно, информация, являвшаяся предметом обмена русских ученых с корейскими партнерами, не была секретной. В зале суда мелькнул седоватый профиль «грустного» генерала из ФСБ; Давыдову показалось, что он пытался ему подмигнуть.

На какое-то время про ученых забыли, а спустя примерно полгода внезапно арестовали московского коллегу — Игоря Суворова. Давыдов полетел в Москву, чтоб быть ближе к месту событий; там-то его и «взяли». Таким образом, второй процесс проходил уже в Москве, над обоими учеными вместе, и вела это дело судья Левашова-Анисина Лариса Вячеславовна. А государственным обвинителем выступил Николай Петрович Кокушкин.

Странное это было дело, очень странное. Во-первых, повторное обвинение по делу, по которому ранее уже был вынесен оправдательный вердикт. Во-вторых, адвокату ученых практически не давали подступиться к делу. В-третьих, шли какие-то странные игры с составом присяжных, в результате чего жюри оказалось полностью подконтрольным — кому? Не нужно особенно гадать.

В процессе следствия по делу несколько раз появлялся «злой» генерал, впрочем, теперь он уже не кричал, а говорил что-то типа «поделом ему» и вполголоса напевал оперные арии, в частности «Что наша жизнь? Игра!». «Грустный» генерал более уже не приходил.

А тем временем история двух ученых постепенно приобрела широкий общественный и даже международный резонанс. Оживились правозащитники. Елена Георгиевна Боннер дала интервью радио «Свобода». Высказались по поводу позорного судилища Буковский по телефону из Лондона и Щаранский по телефону из Иерусалима. Даже сам Солженицын уделил несколько минут этой актуальной проблеме. Радио «Эхо Москвы» — совместно с RTVI — открыло горячую линию, в Интернете появился сайт в поддержку Давыдова и Суворова. И все это совершенно не помогло! Суд присяжных вынес свой окончательный и беспощадный вердикт, и гласил этот вердикт вот что: 14 лет строгого режима Валентину Даниловичу Давыдову как идейному организатору измены Родине и 12 лет Игорю Петровичу Суворову.

— Какая невеселая сказка! Да, теперь я вспомнил это дело, — проговорил Турецкий. — Это гнусное дело. Откровенно говоря, от таких историй пропадает вообще всяческое желание...

— Но тем не менее здесь есть о чем задуматься.

— Что ты имеешь в виду? Месть? Родственники ученых захотели отомстить фээсбэшникам? Как-то это не вполне правдоподобно...

— Все может быть, — нахмурился Меркулов. — Я ничего не имею права исключить.

— Да, ты прав, конечно. Попробуем порыть немного в этом направлении. Вот что, пожалуй, пусть Володька Поремский пообщается с семьями ученых. Хватит дурака валять.

В момент, когда зазвонил телефон, Владимир Поремский вдыхал пьянящий аромат и думал о прекрасном. Он любил все красивое, а особенно красивых девушек — и вот именно с одной из них он и собирался сегодня на свидание, пользуясь неожиданно выдавшимся свободным вечером. Ну а поскольку являться на свидание без цветов невозможно, он отправился в цветочный магазин, где моментально опьянел от запахов, буйства красок и разнообразия.

Почему-то вспомнилась юность и первые ухаживания. «Где мои семнадцать лет?» Тогда, помнится, элементарные гвоздики и те были проблемой. А уж как чахло они выглядели... Нет, конечно, на рынке у небритых восточных людей было и покрасивее и поразнообразнее, но все равно до нынешнего раздолья далеко! Капитализм, понимаешь!

А кстати, замечательное занятие для пенсии — открыть небольшой магазинчик цветов и проводить свои неспешные старческие дни среди прекрасного...

Вот от этих-то рассуждений его и отвлек звонок старшего помощника генерального прокурора Александра Борисовича Турецкого.

— Здорово, Володя.

— Привет, Александр Борисович.

— Скажи, ты любишь путешествовать?

— Шеф, ну кто же не любит путешествовать?

— Вот и отлично. Я думаю, заотдыхался ты уже, пора тебе подключаться к делу, над которым мы уже пару дней ломаем головы.

— Я уже готов ломать вместе с вами.

— Отлично. Для начала поедешь в командировку.

— Надеюсь, на юг? — Поремский улыбнулся мобильнику.

— Да, разумеется. Как ты угадал? Почти на юг. Ну, точнее говоря, не совсем, а скорее даже на восток.

— А именно?

— В Новосибирск.

— Ого!

— Короче, приезжай, все обсудим.

— Когда приезжать, шеф?

— Как «когда»? — даже удивился невидимый Турецкий в трубке. — Да сейчас!

«Накрылось свидание», — мысленно вздохнул Владимир и сказал вслух:

— Еду.

Ночной полет прошел на удивление легко. А столица Западной Сибири Поремскому неожиданно приглянулась. Город производил довольно умытое впечатление, да и вообще... почему один город нравится, а другой нет? Загадка...

Знаменитый Академгородок производил впечатление некой курортной зоны. Главная авеню называлась «Морской проспект» — в честь так называемого «Обского моря», искусственного водохранилища при гидроэлектростанции, кардинально изменившего климат во всем регионе. Ох уж эти преобразователи природы и поворотчики рек вспять...

Но тем не менее название «Морской проспект» создавало некую расслабляющую атмосферу, да и народ одевался большей частью по-пляжному, девушки были воздушны и веселы.

Улица, на которой стоял коттедж Валентина Давыдова, носила лирическое название «Золотодолинская». По виду — типичный район вилл в какой-нибудь не слишком дорогой Европе, типа Чехии. Впрочем, на этом позитивные впечатления Поремского закончились. В доме царило запустение и разруха. Мебель была обтянута чехлами, под ногами стояли многочисленные коробки с книгами и посудой. Его встретила жена хозяина, Анна Николаевна. Владимир почему-то поймал себя на том, что ему мысленно хочется назвать ее вдовой; он увидел в этом какой-то недобрый знак и рассердился сам на себя: надо же, взял живого человека и похоронил. Но что-то в этом было... неспроста, неспроста. Оговорка по Фрейду, как говорится.

Анна Николаевна извинилась за разгром:

— Коттедж принадлежит не нам, его предоставляет Академия наук. Ну и после того, что случилось, они еще какое-то время сохраняли его за мной, а теперь...

— Куда вы переезжаете?

— У меня будет простая скромная квартирка в «Щ», — ответила хозяйка и, увидев удивление гостя, пояснила: — Это такой район Академгородка, называется микрорайон «Щ».

— Анна Николаевна, послушайте, — начал Володя. — Прежде всего я хочу сказать, что очень вам сочувствую и считаю дело вашего мужа очень... ну мягко говоря, странным.

— Мы все еще не перестали надеяться...

— Тем не менее не хочу вас напрасно обнадеживать и скажу честно: мы расследуем совсем другое дело, но оно пересеклось с делом вашего мужа. Может быть, наше расследование станет неким толчком, и для вас что-то изменится, но я не могу вам этого обещать, поскольку наша цель изначально — другая.

— Я понимаю вас.

— Я должен задать вам несколько вопросов... быть может, немного неожиданных. Нас интересует все, что касается контактов вашего супруга с ФСБ.

— Что вы имеете в виду? — Анна Николаевна выпрямилась.

— Я конкретизирую. Нам известно, что Валентин Данилович встречался с некоторыми сотрудниками органов. Ежели угодно — они с ним встречались, вызывали, или как еще сказать. Если вы знаете, с кем именно, прошу вас назвать их.

— Ах это. Да, Валю действительно несколько раз вызывали. Не в саму гэбэйку... простите...

— Ничего, ничего, — улыбнулся Поремский.

— В саму ФСБ он не ходил, они встречались с ним в гостинице «Интурист», это в центре, на Ленина. Говорят, это у них так принято. Явочная квартира и так далее. Штирлицы, словом.

— С кем именно он встречался?

— Ну вы же знаете, они фамилий и званий не называют. Говорят: «Зовите меня Иван Иванович». Первый, с кем Валя виделся, был наш, местный «Иван Иванович», а потом приезжали двое из Москвы.

— Тоже «Иван Ивановичи»?

— Только один. Точнее — Евгений Иванович. А вот второго мы запомнили лучше. Это довольно интересный персонаж.

— Расскажите, Анна Николаевна.

— Во-первых, он назвался человеческим именем. Ну то есть явно настоящим, а не... как это у них называется...

— Конспиративным?

— Совершенно верно.

— Так как же его звали?

— Его звали Георгий Федорович.

Поремский достал блокнот.

— А во-вторых? Вы сказали «во-первых»...

— А во-вторых, он явно намекал мужу, что хочет ему помочь и вытащить его из всего этого грязного дела. И Светочка Суворова, жена Игорька, говорит то же самое. Георгий Федорович вроде бы действительно старался помочь, такое это производило впечатление. Нет, конечно, я все понимаю: «злой следователь» и «добрый следователь» — это классическая пара...

— Вы контактируете с госпожой Суворовой?

— Конечно! Мы же товарищи по несчастью. Соломенные вдовы.

— Она приезжает к вам?

— Чаще я к ней. Она молодец, если бы не она, я бы уже утратила всякую надежду. Меня сломали. А она держится. Общество образовала, петиции пишет, интервью дает разным там «голосам».

— Скажите, Анна Николаевна, а дети у вас есть?

— У нас взрослый сын, Дмитрий. Но он живет за границей.

— Где именно, можно поинтересоваться?

— В Вене. Зовет меня к себе, но я не могу сейчас уехать. Я все-таки надеюсь...

— А он не приезжал в Россию?

— Приезжал, конечно, на процесс. А с тех пор... Он, знаете ли, очень тяжело пережил то, что произошло с отцом, и теперь, как бы это сказать... Не очень патриотично настроен. — Давыдова вздохнула. — А попросту говоря — возненавидел эту страну и ее власти предержащие.

Поремский едва заметно улыбнулся и черкнул закорючку в блокноте.

— Вы нам очень помогли, Анна Николаевна. Надеюсь, в следующий раз мы увидимся при более благоприятной ситуации.

— Даже не надейся! — рявкнул Турецкий в самое ухо Владимиру.

— Вы о чем, шеф? — переспросил Поремский, отодвигая телефон.

— Я вижу, что ты уже намылил лыжи в Вену скататься.

— Александр Борисович...

— Ладно, ладно, шучу. А кстати, хороший город! И, между прочим, уже второй раз всплывает в этом деле. Вся эта взрывная история с конвертами...

— Да, я помню. Бургомистр Вены...

— Нужно узнать, приезжал ли Дмитрий Валентинович Давыдов в Россию в интересующие нас числа. Ведь мать могла просто не знать.

— Я тоже сразу об этом подумал. Он обозлен на всех и на все.

— И вполне может захотеть отомстить. Теперь дальше. Как, ты говоришь, звали «доброго» гэбиста?

— Георгий Федорович.

— Да, сочетание не слишком частое. Может оказаться настоящим именем и отчеством. Попробуем что-нибудь разузнать.

— Что мне нужно делать, шеф?

— Вылетай в Москву. Мне кажется, главное ты там выяснил. А я, пока ты будешь лететь, съезжу познакомлюсь с госпожой Суворовой.

Однако знакомиться с Суворовой выпало также Поремскому: что-то не сработало в плане, составленном его шефом, Александром Борисовичем; сам Турецкий навестить Светлану не успел, и поэтому Владимир направился к ней прямиком из Домодедова.

Госпожа Суворова была настроена довольно агрессивно:

— Мы этого дела не оставим, так и знайте. Мой муж ни в чем не виноват, и мы намерены это доказать, в какие бы инстанции ни пришлось для этого обратиться, хоть в Организацию Объединенных Наций. А то, что произошло с моим мужем и с Валентином Давыдовым, есть не что иное, как попытка реставрации сталинизма, попытка возрождения диктатуры в России.

Было ясно, что этот текст она повторяет — с незначительными вариациями — не в первый и не во второй раз, а еще чувствовалась в ней — в ее интонациях, в голосе, выражении глаз — какая-то затаенная зверская усталость, проступавшая через весь ее напор.

— Позвольте узнать, кто это «мы»?

— Мы — это родственники пострадавших. Мы — это Московская Хельсинкская группа. Мы — это все мыслящие и чувствующие люди России, это все свободные люди всего мира.

«В газете работает», — подумал Поремский.

— Вы знакомы с Дмитрием Давыдовым?

— Конечно! Дима очень активно участвует во всех наших делах, обеспечивает связи с западной общественностью, поскольку сам живет на Западе.

— Его мать говорила, что он, наоборот, разочаровался и отстранился.

— Ни в коем случае! Он просто бережет мать, не хочет ее лишний раз волновать. Аня и так... ну неважно. «Разочаровался» — безусловно, и это еще мягко сказано. А вот «отстранился» — никогда!

— Когда Дмитрий в последний раз приезжал в Москву?

— А почему вы спрашиваете?

— Ответьте, пожалуйста. Или это секрет?

— Да нет... приезжал он... месяца четыре назад.

— А в последнюю неделю он не собирался в Россию?

— Н-н-насколько я знаю, нет.

— С этим ясно, спасибо. Светлана Аркадьевна, расскажите, пожалуйста, про Евгения Ивановича и Георгия Федоровича.

— О-о-о, а вы хорошо подготовились, на пятерку! Сразу видно, что выжали из бедной Анечки все, что смогли. Признайтесь, вас ведь именно это и интересует больше всего, а судьба наших мужей — так, чтоб разговор поддержать.

— Светлана, ну зачем вы так. — Владимира задело за живое. — Я ведь тоже человек, и даже, надеюсь, довольно порядочный. Мне глубоко противна вся эта история, и я всецело на вашей стороне, так же как и вся наша команда, поверьте мне. Правда, сейчас от нас мало что зависит, потому что мы действительно — вы правы — расследуем другое дело.

— Извините, я не хотела, — взяла себя в руки Светлана. — Так какое дело вы расследуете?

— Об убийстве Евгения Ивановича Смирнова, генерала ФСБ, — зачем-то бухнул Поремский и тут же горько пожалел.

— Что-о-о?! Убийство? — Глаз Светланы вспыхнул недобрым огнем. — Я, правда, кое-что слышала про какие-то взрывы... но не знала, что жертва — это наш «друг» Евгений Иванович!

— Ну-у...

— Значит, теперь вы ищете, кто бы мог желать ему смерти. Но я вас разочарую. Никто из нас его не убивал — и я вам скажу почему. Евгений Иванович — пешка, никто, пустое место. Давыдова и моего мужа репрессировал не Евгений Иванович, а система, а с системой нужно бороться иными методами. И мы это делаем.

Раздался звонок в дверь.

— Извините. Это пришла мама. У вас ко мне еще что-нибудь?

— Нет, спасибо, Светлана.

Поремский уже был в прихожей, где Суворова представила его своей матери — бойкой старушке. Был бы на его месте Александр Борисович, он узнал бы ее сразу.

— Всего доброго. Я думаю, мы не прощаемся, — проговорил Владимир и был таков.

— Шеф, здесь что-то не так. — Поремский взволнованно расхаживал по кабинету Турецкого. — Больно уж она, эта Светлана... ну боевитая, что ли.

— Мы проверили компьютер Шереметьева, а также справились на железной дороге. Давыдов-младший в Россию не приезжал уже четыре месяца.

— Ну да, так она мне и сказала.

— Володь, а может быть, это она сама?

— Суворова?

— А почему бы и нет? Кто сказал, что убийца должен быть обязательно мужчина?

— У вас же есть показания свидетельницы.

— Ну это, конечно, да, с одной стороны. Свидетельница, да... Госпожа Арье, Людмила Иосифовна.

— Кто?! — подскочил Поремский. — Как вы сказали? Людмила Иосифовна?

— Ну да, а что?

— Это же мать Светланы!

— Что-о?!

— Александр Борисович, тут что-то нечисто.

— Да, теперь я тоже начинаю так думать.

— Шеф, послушайте, — взволнованно зачастил Владимир, — это она принесла Смирнову пакет, а мать нарочно ее покрывает и рассказывает вам про убийцу-мужчину, чтоб пустить нас по ложному следу.

В дверь коротко стукнули, и в комнату ввалился Грязнов.

— Мальчики, я только что от Кости. Он сумел кое-что разузнать по каким-то своим хитрым каналам.

— Ну говори!

— Ваш Георгий Федорович — это генерал Георгий Федорович Жаворонков. Работал под началом нашего Смирнова. Курировал зарубежные контакты российских ученых.

— Ну это уже кое-что, — кивнул Турецкий, — теперь мы уже знаем фамилию.

— А где он сейчас? — поинтересовался Поремский. — И чем он занимается? И вообще кто он, что он?

Александр Борисович вопросительно посмотрел на Грязнова, на что тот едва заметно покачал головой.

— А вот это, мой дорогой друг, — широко улыбнулся Турецкий своему помощнику, — именно вам и предстоит узнать.

Глава тринадцатая

Первое совещание сотрудников Департамента науки и культуры новый начальник, генерал-лейтенант Смирнов, проводил не в своем кабинете — там шел ремонт и переоборудование в соответствии со вкусами нового хозяина, — а в небольшом «совещательном» зальчике, приютившемся за малоприметной дверью, расположенной в конце гигантского коридора.

Возникший за спинами одетых в штатское сотрудников, Смирнов, в великолепно сшитом генеральском мундире, при всех регалиях, стремительно пронесся через зал к некоему подобию трибуны для выступающих, сдвинутую в правую часть миниатюрной сцены. Холеный вид, безукоризненная прическа, рекламно-лучезарная улыбка и широкий, размашистый жест великодушного хозяина, оценившего и принявшего верноподданическое приветствие подчиненных: «Прошу садиться, коллеги!»

Опустившись в свое кресло — крайнее правое в третьем ряду, — генерал-майор Жаворонков внимательно вглядывался в лицо своего старого приятеля, ставшего отныне его непосредственным начальником. Сложные, неоднозначные чувства вызвало у Георгия Федоровича известие об этом неожиданном назначении.

Их департамент вот уже почти два года вел какое-то странное, безначальное существование. Руководивший этой структурой почти полтора десятилетия генерал-лейтенант Сокурский внезапно и, казалось бы, совершенно немотивированно подал в отставку. Мотивация прояснилась чуть позже, когда Юрий Николаевич Сокурский выплыл на вновь открывшиеся финансовые просторы в качестве председателя правления совета директоров Юго-Восточного коммерческого банка развития. Казалось бы, по всем существующим иерархическим канонам руководство департаментом естественным образом должно было перейти к заместителю Сокурского, начальнику Управления координации научных исследований, то есть к генерал-майору Георгию Жаворонкову. Так оно и было на практике. Но официальное назначение все откладывалось и откладывалось... Из кулуаров до Георгия доносилось, что вроде как «Жаворонков, конечно, работник отменный, но вот с этим делом (следовало характерное пощелкивание по горлу) несколько...». Тем не менее ситуация стабилизировалась и казалась очень прочной и устоявшейся. И вдруг...

— Должен вам признаться, что, готовясь к этой встрече, я столкнулся с проблемой вроде бы формальной, на первый взгляд незначительной, а между тем во многом определяющей и сегодняшнюю нашу позицию, и суть наших будущих отношений. — Генерал Смирнов продолжал лучиться сияющей улыбкой. — А именно как сегодня, в наше смутное и сумбурное время, я, начинающий руководитель, могу обратиться к своим сотрудникам? Товарищи офицеры? Увы! Это прекрасное и, по сути, предельно точное обращение, с которым, кстати говоря, мы срослись всей своей жизнью, воспитанием и службой, за последние годы усилиями всевозможных ниспровергателей всего и вся было невероятно дискредитировано и сегодня звучит атавизмом и чуть ли не ругательством. Господа офицеры? «Наполнить бокалы, поручик Голицын, корнет Оболенский, надеть ордена!..» Так, кажется, распевает этот псевдобелоэмигрант, как его... Малинов, Малинин... Не помню точно. Это мы-то, чернорабочие, всю жизнь разгребающие бесконечные завалы антигосударственных и антиобщественных выступлений, «господа» офицеры, Голицыны и Оболенские? Смешно, честное слово! Не хватает еще только назваться поручиками Ржевскими из анекдотов!

193

Жаворонков, погруженный в свои мысли и слушающий витийствования Смирнова, так сказать, вполуха, не мог тем не менее в очередной раз не позавидовать той легкости и непринужденности, с которой его бывший сокурсник, что называется, «покупал» аудиторию. Причем «покупал» по дешевке. Но аудитория тем не менее прекрасно «кушала» всю эту демагогию и прямо-таки на глазах уже начинала «отдаваться» обаятельному и свойскому новому начальнику.

Нет, по большому счету Георгий никогда не был завистником, его самолюбие безмятежно мирилось с неожиданными карьерными взлетами сотрудников и подчиненных, с внезапными возвышениями каких-то серых и малоприметных фигур. И в свете сегодняшних реалий обход его «на вираже» Женькой Смирновым, личностью, безусловно, интересной и неординарной, Георгий воспринял достаточно сдержанно и достойно: ну раз так решили «в верхах», значит, так тому и быть. Разумеется, определенные обида и разочарование имели место: все-таки их структура была в значительной степени его «вотчиной», именно он являлся одной из ключевых фигур, формирующих общее направление работы отдела, работы, которая поглотила массу лично его сил, времени и энергии. И вот теперь все это налаженное и четко функционирующее «хозяйство» переходило под власть «варяга»...

— И вот какое простое и, по-моему, самое разумное решение пришло наконец мне в голову. — Генерал Смирнов выдержал многозначительную, но не чрезмерную, а очень точно выверенную паузу. — Все-таки мы, слава богу, живем и работаем в атмосфере нашего родного, поистине гибкого, живого, богатого и выразительного русского языка. А что может быть естественнее для нашего языка, чем одновременно и дружественное, и уважительное обращение по имени и отчеству?

Ловко, исключительно ловко и мастерски строил Смирнов свое вступительное выступление. И не зависть, а скорее какую-то ревнивую неудовлетворенность самим собой, своей простотой и прямолинейностью вызывали у Жаворонкова гибкие и артистичные словесные пассажи старого приятеля и нового начальника.

— Ну а уж если, не приведи господь, придется ссориться и конфликтовать — вот тогда и пригодятся казенные «товарищи полковники» и «господа генералы». — Всем своим видом симпатичный и обаятельный Евгений Иванович демонстрировал, что лично он ни в коем случае не допускает такой возможности, а только что озвученное им — не более чем дань сухой канцелярской формальности.

«Да прекрати ты наконец перед самим собой-то дурака валять! — Жаворонков с бешеной силой сжал пальцы в кулаки, так что судорогой свело мышцы в районе локтевых суставов. — Ревность! Именно ревность! И не служебная, не карьерная, а обычная, застилающая глаза мутной пеной мужицкая ревность к более успешному и удачливому сорпернику».

— Я, друзья мои, как вы уже, вероятно, прекрасно информированы, всю свою жизнь посвятил службе в органах. Тем не менее многое в специфике работы вашего, пардон, теперь уже нашего, департамента для меня является и новым, и необычным. Не сомневайтесь, я постараюсь как можно быстрее вникнуть во все тонкости стоящих сегодня перед нами задач. Собственно, работу в этом направлении я уже начал, даже не дожидаясь официального назначения. Надеюсь, что с вашей помощью мне удастся достаточно быстро с ней справиться.

Смирнов, периодически на годы исчезавший из поля зрения Жаворонкова, обладал удивительной способностью внезапно выскочить, как черт из табакерки, и, неожиданно объявившись вовремя и в нужном месте, по-своему вмешаться в жизнь Георгия. Так случайно он стал свидетелем на их с Леночкой свадьбе, так собранной его «шаркунами» «фотогалереей» он походя омрачил столь радостное для Георгия событие, день, когда Лена сообщила ему, что отныне он может вполне реально готовиться к столь давно желанному Жаворонковым отцовству...

Как ни странно, но наиболее частые встречи двух бывших соучеников происходили именно в те восемь — десять лет, когда Смирнов возглавлял госбезопасность одной довольно крупной и значительной республики. По слухам, он очень преуспел на этом поприще, введя в своей «вотчине» жесткие и неумолимые порядки, опутав всю подвластную ему территорию густой сетью агентов и информаторов. Во всяком случае, никаких громких инцидентов с правозащитниками, невозвращенцами и диссидентами за его республикой не числилось. Это не значит, разумеется, что их не было. Волна неудовлетворенности существующей действительностью, стремление к свободе, желание обновлений во всех сферах жизни неудержимо нарастала по всей стране, медленно, но верно вырываясь из-под контроля властей предержащих. Но в смирновском регионе все происходило тихо и тайно. Недоброжелатели были загнаны в глубокое подполье, никакие скандальные судебные процессы не допускались —

это не значит, конечно, что их не было: были, и в немалом количестве, но все производилось аккуратно, сдержанно, без излишнего афиширования. «Смирнов? О-о-о, Евгений Иванович — выдающийся руководитель!» — и в глазах сохранившихся еще в «конторе» «реликтов» старой закалки, а также и их более молодых коллег, искренне разделяющих восхищение «стариков» приемами и методами работы «фирмы» в прошлом — таком ли уж прошлом? — вспыхивали ностальгическое восхищение вперемешку со стальной непримиримостью к всяческим «иномыслиям» и «иноделаниям».

А Женька между тем как будто бы и не уезжал никуда из Москвы. Что ни премьера в Большом, на Таганке, в Ленкоме — Евгений Иванович тут как тут, иногда — вместе с супругой, чаще — один. Объяснение простое: «Дианочка на гастролях. Как ни уговариваю ее прекратить уже прыгать по всему свету — ни в какую. Так вот и живем на два дома, то я в Москву, то она ко мне». (А дом, надо сказать, то бишь квартиру в Москве, Смирнов не только сохранил, но и существенно улучшил, перебравшись вскоре после своего нового назначения в знаменитый «Дом на набережной».) И вновь, как и раньше, при каждой семейной встрече услаживались обязательно перезвониться и хорошенько спокойно «посидеть», и так же, как и раньше, забывали об этом намерении, едва расставшись. Георгий чертовски не любил встречаться с Женькой без Дианы: уж так тот откровенно «въедался» глазами в его Леночку... И, к сожалению, надо признать, что и Леночка, в свою очередь, с каждым следующим разом посматривала на опереточно-артистичного Евгения Ивановича все с большей и большей симпатией. Повышенной мнительностью Георгий Федорович не страдал. А вот своей интуиции привык доверять. И она подсказывала ему, что если у Лены со Смирновым и не произошло пока какого-то чрезвычайно интимного сближения, то обоюдный интерес, несомненно, имеет место и, следовательно, рано или поздно, но с этой стороны надо ждать любых сюрпризов.

— Проанализировав ряд последних работ нашего подразделения — а, как я уже говорил, входить в курс дел я начал уже некоторое время назад и, не отвлекая пока ваше внимание на себя, постарался самостоятельно проработать, так сказать, инспекционно-ознакомительные вопросы, — с большим удовлетворением должен констатировать, что каждое из изученных мной дел проведено на великолепном профессиональном уровне. Временами читая ваши отчеты и резюме, я ловил себя на мысли: что это? Докладные записки сотрудников службы безопасности или научные рефераты? Ибо большинство из просмотренных мной материалов отличается глубиной проникновения не только в политические, экономические, но и в чисто научные аспекты. Честное слово, если вдруг кому-то придет в голову преобразовать наше управление в научно-исследовательский институт широкого профиля, мы определенно не ударим в грязь лицом!

Шутка начальника была воспринята так, как и положено подчиненным реагировать на начальственные добродушные остроты: легким оживлением и добродушными улыбками.

«Ну Евгений Иванович! И всегда-то был завзятым болтуном и демагогом, но сейчас уже, кажется, и самого себя превзошел! И льет, и льет... И все вроде бы складно и логично, а по сути дела до сих пор ведь не произнес ничего вразумительного. — Красиво поставленный, с выразительными модуляциями и оттенками сочный баритон Смирнова все больше и больше начинал раздражать Жаворонкова. — А по делу-то хоть что-нибудь будет сказано?»

Генерал Смирнов как будто бы услышал эту мысленную критическую реплику. На лицо его в одно мгновение наползла маска озабоченной вдумчивости и сосредоточенных размышлений. Тут же на глазах посерьезнили и сотрудники; долгий чиновничий опыт позволял мгновенно реагировать на эмоциональные перестройки начальства и безошибочно включаться в нужный тон и настроение.

— Ни для кого не секрет, дорогие друзья, что наше общество переживает сейчас сложный, я бы даже сказал, болезненный период. Давно назревавшие перемены и преобразования вырвались в определенный момент из-под контроля и, чего уж там греха таить, во многом пошли совсем не в том направлении, как это задумывалось. Широко и смело введенные в нашу жизнь новые демократические институты до сих пор еще не в полной мере справляются с возложенными на них задачами. И хотя, безусловно, на сегодняшний день ситуация более-менее стабилизировалась, последствия нескольких лет хаоса и разброда нам предстоит преодолевать еще достаточно долго. Существенным спадом, практически во всех отраслях, отмечено развитие нашей экономики, никак нельзя признать допустимым ослабление столь привычного для нашей страны политического веса на международной арене, не отрицая огромных достижений в борьбе с коррупцией и организованной преступностью, нельзя не сказать, что в этих областях еще работы — непочатый край.

«Ну а дальше, дальше-то что?» — Жаворонков поймал себя на том, что ожесточенно грызет пальцы: вдруг вернулась отвратительная детская привычка, которую ему вроде бы уже давным-давно удалось окончательно изжить.

— Разумеется, неблагополучие в обществе сказалось и на мироощущении наших сограждан. Многие прониклись черным пессимизмом, утратили жизненные координаты, разуверились в возможности в обозримое время достойно построить свою жизнь и жизнь своих семей. И для многих и многих решением проблемы стало казаться лишь одно: эмиграция. Сложилась нездоровая тенденция: свобода перемещения — одно из значительнейших завоеваний демократии, делающая наше общество действительно открытым и гуманным, — превращаясь в свободу перемещения лишь в одном направлении, подтачивает жизненные ресурсы государства, лишает его творческого и научного потенциала, лишает его — не побоюсь этого слова — будущего!

«О-го-го! Вон как! Это что же, значит, вновь «держать и не пущать», что ли? И интересно, это собственные Женькины «размышлизмы» или он просто «озвучивает» намечающуюся где-то наверху новую политику?»

По части «держать и не пущать» генерал Смирнов слыл большим специалистом.

Даже в конце восьмидесятых — начале девяностых, когда ОВИРы уже всей страны пачками и без особых раздумий штамповали визы «на постоянное место жительства», ведомство, подчиненное Евгению Ивановичу, продолжало прежнюю, серьезную и вдумчивую работу. «Самуил Львович, а действительно ли Бергер Ирина Наумовна, приславшая вам вызов для воссоединения вашей семьи, является вашей троюродной тетей?» Безукоризненно вежливые — грубиянов и хамов Евгений Иванович не терпел — ледяные красотки из ОВИРа с садистским удовольствием выслушивали невразумительное бормотание бедного Самуила Львовича о родном брате, двоюродных сестрах, племянниках... А когда вдоволь натешивались своей полной властью над покрасневшим и вспотевшим заявителем, с понимающей улыбкой кивали и «сочувственно» изрекали: «Мы готовы рассмотреть вашу просьбу. Только, знаете ли, ни по советским, ни по законам любой другой страны в мире троюродная тетя членом семьи не является, так что придется вам найти в Израиле более близких родственников. Вот вы там что-то про брата говорили... Ах, брат уже двадцать лет как умер? Сочувствую, но, к сожалению, ничем не могу...»

Самуила Львовича и подобных ему, помурыжив раз пять-шесть, выпускали. А вот если кто-то, не дай бог, имел какой-то самый незначительный допуск... Тут дело и вообще было труба! Государственные секреты превыше всего! Через десять лет — пожалуйста!

На какие только ухищрения не приходилось идти людям, чтобы выскользнуть из железных объятий руководимой генералом Смирновым машины! Наиболее распространенным способом был обмен квартиры на другой город, другую республику, другой ОВИР. Обмен квартиры! Легко сказать! А сколько сил, нервов, времени, денег все это требовало!... Во многих, ох во многих семьях в

Тель-Авиве, Иерусалиме, Хайфе до сих пор еще, вероятно, с особой «теплотой» поминают элегантного, вежливого и артистичного Евгения Ивановича.

— Вполне допускаю, что у многих сейчас мелькнула мысль: «Как? О чем он говорит? Что же, вновь «железный занавес», вновь отгороженность и закрытость от всего мира?» Нет, дорогие друзья, разумеется же нет! Жизнь, как говорится, а вернее, поется нашей замечательной певицей, невозможно повернуть назад. Да никто ее и не собирается поворачивать вспять. Но это не значит, что все мы, все наше общество и государство имеем право закрывать глаза на остроту и болезненность возникшей проблемы, спокойно мириться со сложившейся ситуацией, попустительски соглашаться с разворовыванием творческого потенциала нашей Родины, не пытаться сохранить и преумножить для будущих поколений величие и могущество нашей России.

«И опять словоблудие! А конкретней, конкретней, друг мой Женечка!»

— Да, друзья мои, нам сегодня, с нашей разворованной экономикой, с до предела ослабленной финансовой системой трудно, очень трудно противостоять «их сиятельству» баксу, особенно когда за аналогичную работу у нас и «там» конкретной творческой, научной личности вместо наших грошей этих самых баксов предлагаются десятки, а то и сотни тысяч. Что же, выходит, что «против лома нет приема»? Есть! К счастью, есть! И тут я еще раз с огромным удовольствием хочу обратиться к изученным мной материалам ваших последних работ. Ну, к примеру, конференция астрофизиков в Осло, или, скажем, семинар по молекулярной биологии в Токио, или, допустим, курс лекций по генетике в Штутгарте... Да что, собственно, я занимаюсь этим бессмысленным перечислением? Вы сами не хуже меня осведомлены о сути своих последних работ. А главное, что я хотел бы подчеркнуть — вывод, объединяющий все ваши отчеты: практически каждый из наших ученых получил выгодные и лестные предложения, от каждого требовалась закорючка на уже заготовленном контракте — и беспроблемная, обеспеченная, а по нашим, к сожалению, сегодняшним понятиям — так просто райско-миллионерская жизнь. Но ни один — ни один! — из наших соотечественников не купился на эти щедрые посулы! Что это? Наивное бессребреничество? Нерасчетливость? Пресловутое научное существование «вне мира сего»? Нет! Безусловно, нет! Патриотизм российского человека, гордость за свою страну, желание принести ей максимально возможную пользу... Вот в чем я вижу истинные мотивы поведения наших ученых! И, безусловно, моральный климат, созданный психологическим влиянием наших сотрудников, аура доверительности и доброжелательности сыграли тут непосредственную роль. Браво, коллеги!

Аплодисменты, прозвучавшие после этой тирады, вряд ли можно было назвать бурными. Но тем не менее они имели место, а на лицах сотрудников стало появляться выражение некоей самодовольной удовлетворенности.

«Черт возьми! Ну прямо-таки нашкодившие школяры, получившие вместо ожидаемой выволочки от классной руководительницы неожиданную похвалу. И это доблестные майоры, полковники и генералы службы безопасности? Впрочем, стоп, Жаворонков! Вот теперь ты уже действительно необъективен, а проще говоря — беспричинно злобствуешь. Женькина «тронная речь» и в самом деле выстроена ловко, умело и дипломатично».

О дипломатических начинаниях Смирнова Жаворонков был достаточно наслышан. Депутатом Верховного совета своей республики он стал уже в первые годы своего назначения. Тогда это было довольно просто. Не быть депутатом руководитель такого ранга (шутка ли? — председатель республиканского комитета госбезопасности) просто не мог. Но политический климат менялся, выборы — если и не стали полностью свободными и открытыми — все-таки действительно стали походить на выборы, когда не из одного — одного, по старой советской традиции, ну а хотя бы одного — из полутора. И в этой новой реальности генерал Смирнов не только сохранил свои позиции, но и сумел возглавить какую-то там парламентскую секцию — разумеется, занимавшуюся правами человека, укреплением демократических преобразований в республике, ну и чего-то там подобного в этом же роде. Даже Беловежский обвал и распад Советского Союза сказался на карьере Смирнова далеко не сразу. Став неожиданно иностранным подданым, Евгений Иванович еще довольно долгое время продолжал заботиться о государственной безопасности нового независимого государства, к которому, формально уже, он не имел никакого отношения. Но, естественно, местные ребята не дремали. Нужен был хоть какой-то, хоть минимальнейший повод. Он, разумеется, нашелся.

— Нам, дорогие друзья, предстоит большая работа. Трудная работа, не скрою этого. Рассчитывать на то, что по мановению некоей волшебной палочки мы моментально сможем решить все свои проблемы, не приходится. И тем не менее я считаю, что мы можем смотреть в будущее с оптимизмом. Методы и приемы нашей деятельности намечены и апробированы. Совершенствовать их и развивать — в этом залог нашего успеха, в этом гарантия того, что мы сможем оказать посильный вклад в возрождение и становление новой могучей России.

«Ищите женщину!» Кто и когда из древних мудрецов, а может быть, и не мудрецов, а просто людей, обремененных или собственным житейским опытом, или философским обобщением коллизий и проблем, преследующих современников, впервые произнес эту сакраментальную фразу, не известно. Но анонимность автора отнюдь не уменьшает актуальности во все времена и эпохи этого емкого и точного высказывания. «Ищите женщину!»

Женщин, промелькнувших через жизнь Евгения Ивановича Смирнова, можно было отыскать очень много. Но ни одной из них никогда не приходило в голову создавать впоследствии какие-то сложности своему бывшему возлюбленному. И секрет этой сдержанности крылся не только в служебном положении Евгения Ивановича, хотя, разумеется, высокий чин ответчика конечно же играл свою роль — кто, в добром уме и в здравом рассудке, захочет конфликтовать с бывшим любовником — генералом КГБ? — но и в несомненной ловкости и виртуозно сыгранной Евгением Ивановичем тактичности, с которой он умел уважительно и деликатно обставлять каждое очередное расставание, побуждая сохранить о себе — любимом — самую добрую память.

Роковой удар был нанесен из, казалось бы, наиболее защищенной области: собственной семьи. Роковой, потому что для супруги генерала — Дианы Смирновой — он стал смертельным в самом прямом смысле, а Евгению Ивановичу существенным образом подорвал его начинавшее уже пошатываться, но пока еще достаточно устойчивое и крепкое положение.

Диана Смирнова — солистка кордебалета Большого театра, — всегда активно занятая в репертуаре, объездившая с гастролями весь мир, постепенно начинала сдавать свои позиции. Возраст, накопившаяся со временем усталость, сценические травмы, наступающие «на пятки» способные и прекрасно обученные молодые артистки... Занятость в спектаклях постепенно уменьшалась, свободного времени становилось все больше и больше. С неизбежностью вставал вопрос о необходимости в самом скором времени прекращать свою карьеру. Но Диана — и в этом ее можно понять — стремилась оттянуть принятие и воплощение в жизнь этого жесткого и болезненного решения. А избыток свободного времени ничуть ее не обременял, даже, вполне вероятно, шел на пользу ее самочувствию.

Прекрасно обеспеченная материально, и не только благодаря генеральскому окладу супруга, но и, возможно даже и в большей степени, за счет собственных трудов и усилий, имевшая уже долгие годы практически открытый заграничный паспорт, она забыла о возможности каких-либо ограничений в выборе любых приходящих ей в голову заграничных вояжей. Знаменитые горнолыжные курорты, виндсерфинг и водные лыжи в престижнейших и изысканных уголках планеты, плавание с аквалангом в акваториях, известных своей повышенной опасностью встреч с акулами... Вскипающий в крови адреналин помогал Диане Смирновой бороться с усталостью, разочарованием, неумолимо щелкающими годами. Ну и конечно же каждая поездка сопровождалась обилием и разнообразием самых невероятных и непредсказуемых встреч.

Лишь считаное количество раз Диана выезжала за кордон с супругом, считаное и вычисленное до того необходимого минимума, который позволял сохранять легенду о полном благополучии давно уже ставшего номинальным брака. Кстати, бытовавшие в советской, а позже перекочевавшие и в российскую действительность обывательские легенды о якобы свободных поездках за границу высоких гэбэшных чинов требуют деления на пять — десять — двадцать, а может быть, и больше порядков. Разумеется, Евгений Иванович располагал дипломатическим заграничным паспортом, разумеется, получение любой желаемой визы было заботой его сотрудников и делом нескольких часов... Но... Генерал Смирнов предпочитал не пользоваться излишне часто этой привилегией. Одно дело — официальный визит в составе какой-либо делегации под присмотром легально заявленных вымуштрованных охранников и, что еще важнее, нелегальных, малоприметных «волкодавов»-ликвидаторов из спецподразделений, а совсем другое — личная частная поездка. Нет, Евгений Иванович не был трусом, он — и не без оснований — считал себя достаточно хорошо подготовленным профессионалом, способным противостоять любой возможной провокации. Но, опять же как настоящий профессионал, он прекрасно отдавал себе отчет в том, что это противостояние возможно лишь в разумных числовых пропорциях, что в случае, если его личность заинтересует иностранные спецслужбы — а возможность такой заинтересованности, учитывая его высокий чин и служебное положение, никогда нельзя было исключать, — он будет не в состоянии оказать адекватное сопротивление. Это ведь только в легендах, сочиняемых не в последнюю очередь именно его ведомством, бесстрашные и неукротимые большевики-чекисты небрежно справлялись с десятками империалистических агентов. А на деле-то картина выглядела совершенно по-иному. Степень подготовки и мастерства сотрудников контрразведывательных служб даже относительно небольших государств, никогда впрямую не стремившихся вступить в непосредственную конфронтацию с «почившими в бозе» странами бывшего социалистического лагеря, находятся на невероятно высоком профессиональном уровне. Ну а уж о таких гигантах и монстрах шпионско-разведывательной деятельности, как Штаты, Британия, Франция, миниатюрный, но завоевавший себе в этой сфере потрясающую репутацию Израиль, и говорить не приходится. Осведомленность же о техническом оснащении потенциальных противников и вообще способствовала устойчивому ухудшению настроения.

Естественно, генерал Смирнов был прекрасно осведомлен о том, что во всех этих зарубежных эскападах его супругу постоянно сопровождали — как бы это высказать поделикатнее — друзья, попутчики, поклонники ее таланта. Если таковых не находилось изначально, то уж по прибытии к намеченной цели она никогда не испытывала недостатка внимания со стороны, так сказать, «местных кадров». Подобная ситуация вполне укладывалась в рамки существовавшего негласного семейного соглашения: я не вмешиваюсь в твою личную жизнь, но и, со своей стороны, пользуюсь полной свободой.

Опять-таки негласным, но жестким и бескомпромиссным условием установившегося порядка было безусловное признание обеими сторонами необходимости сохранения видимости внешнего благополучия, категорического исключения сомнительных, а тем более — боже упаси! — скандальных ситуаций. Положение обязывает. Греши, но тихо!

Диана Смирнова погибла в автомобильной катастрофе в окрестностях Давоса. На крутом повороте водитель не справился с управлением, машину занесло, а некстати подвернувшаяся могучая ель превратила новенький спортивный «гольф» в груду металла. У швейцарской полиции не возникло проблем с установлением личности пострадавшей: в красивой и стильной сумочке крокодиловой кожи были аккуратно подобраны все документы погибшей, кроме того, владельцы миниатюрного высокогорного отеля-шале без труда опознали в потерпевшей свою гостью, покинувшую отель чуть больше часа назад. Через сутки с небольшим врачам удалось вывести из коматозного состояния и находившегося за рулем спутника Дианы, юного аполлоноподобного горнолыжного инструктора. Молодой человек, ошеломленный происшедшим и не вполне еще преодолевший последствия шока, не счел себя обязанным напускать какого-то тумана и достаточно быстро и недвусмысленно подтвердил и так уже само собой напрашивавшуюся версию: их отношения с погибшей русской балериной конечно же превосходили по степени близости обычные контакты учителя и ученицы. Российское консульство проявило к происшествию повышенное внимание и заботу. В считаные дни были решены все юридические вопросы, оформлены необходимые документы, и тело погибшей незамедлительно было отправлено на родину. Швейцарская полиция если и была удивлена такой оперативностью обычно нерасторопных и медлительных русских, то лишними вопросами не задавалась, радуясь, что так скоро и беспроблемно удалось закрыть очень неприятное дело, грозившее сложным расследованием и вмешательством высоких чинов, возможно даже и на уровне министерства иностранных дел. Что же касается швейцарских служб безопасности, то как раз их-то рвение и поспешность русских ничуть не удивляли. Ясно было, что этим делом занимаются не простые консульские чиновники, а сотрудники особого отдела российского посольства, ибо менее чем через два часа после трагедии швейцарцы уже прекрасно знали, чьей супругой являлась погибшая в окрестностях ставшей, благодаря Томасу Манну, знаменитой на весь мир «Волшебной горы» Диана Рубеновна Вагранян-Смирнова.

— Я благодарю вас, коллеги, за участие в нашей сегодняшней встрече. Разумеется, нам предстоит еще много контактов и бесед, и в форме служебных совещаний, и, так сказать, тет-а-тет. Не раскрою большого секрета, если скажу, что с личными делами каждого из наших сотрудников я, само собой, уже ознакомился; все мы прекрасно знаем принципы работы нашей организации, то значение, которое придается подробному документированному фиксированию деятельности каждого из нас. Но, естественно, для настоящего знакомства простого изучения личных досье — а они у каждого из присутствующих здесь великолепны, с удовольствием упоминаю это! — недостаточно, во всяком случае для меня. Я всегда при всех наших бумажных приоритетах был сторонником непосредственного, живого, человеческого общения.

«И вновь подстилает нечто мягкое и желанное. Мастер. Просто-таки мастер художественного слова». Ясно было, что ознакомительная встреча офицеров с новым руководителем закончилась. Жаворонков вновь заерзал в своем кресле, но как опытный службист не позволил себе покинуть его преждевременно.

Евгений Иванович Смирнов был очень умным, здравомыслящим и умеющим предугадывать развитие событий человеком. Похоронив жену, со сдержанным достоинством принимая соболезнования, показательно резко уйдя с головой в работу, он прекрасно понимал, что его республиканская карьера закончилась, что отставка и отлучение от должности — дело считаных дней, в лучшем случае — месяцев, все зависело от деликатности республиканских руководителей, не позволяющей так уж показательно выгнать только что овдовевшего человека. Впрочем, ни сдержанностью, ни терпением этот сорт людей не отличался, особенно на таких изгибах истории, когда надо было немедленно хватать и прибирать к рукам, если можешь, конечно. Так что... Да и, в конце концов, о какой такой деликатности могла идти речь по отношению к вдовцу, чья жена фактически погибла почти что в объятиях любовника? Напротив. Это было очень малопочетное пятно на мундире генерала. Такие вещи не прощаются. При всем понимании ситуации даже самая вежливая форма, в которую могло быть облечено предложение оставить занимаемый пост, была бы жесточайшим ударом по самолюбию достаточно эгоистичного и спесивого Евгения Смирнова. Как разумный и дальновидный дипломат, безошибочно просчитавший все варианты, он предпочел уйти без заключительной оглушающей пощечины. Причина подачи в отставку выглядела и разумно, и убедительно: иностранный гражданин не может возглавлять ведомство, обеспечивающее безопасность новорожденного государства. Выслушав положенное количество дифирамбов и благодарностей за многолетнюю плодотворную работу, получив некоторый воплощенный в достаточно твердой валюте материальный эквивалент своему прошлому рвению, непотопленный и незадушенный своими человеколюбивыми коллегами, генерал Смирнов отбыл в распоряжение центрального аппарата ФСБ.

— Ну вот, собственно, и все на сегодня. Еще раз всех благодарю. Все свободны.

Мягко захлопали пружинистые сиденья, шорох и цокот шагов устремившихся к дверям сотрудников слился в какую-то единую общность освобождения, генерал Смирнов со своего возвышения продолжал отечески-покровительственным взглядом провожать своих подчиненных.

— Кстати, вас, Георгий Федорович, если вас это, конечно, не затруднит, я попросил бы задержаться.

На несколько лет генерал Смирнов, продолжая оставаться активно действующим сотрудником ФСБ, ушел в какое-то подполье. Ходили слухи, что он подвизается в различных российских посольствах, занимается какими-то разовыми заграничными акциями, руководит какими-то семинарами для слушателей курсов ФСБ. И вот, наконец, последовало назначение на вполне высокую и серьезную должность.

В очередной раз скрипнула распашная дверь, прикрывая спину последнего из покидающих зал заседаний сотрудников, и почти синхронно с этим скрипом генерал Смирнов позволил себе как-то расслабиться, даже, возможно, несколько размякнуть.

— Фу-ты, черт, устал, честное слово! Выступать перед нашими людоведами-людоедами — это ведь тебе не перед думскими комиссиями воду лить. Привет, Жаворонок! Как тебе мои «инаугурационные» песнопения?

Широко распахнутые как бы для дружеского объятия руки Смирнова за те пять-шесть шагов, отделявших его от Жаворонкова, превратились в скромно протянутую, впрочем, крепкую и уверенную ладонь, которую и пожал Георгий Федорович.

— Нормальная речь. Несколько многословная и витиеватая, а так...

— Ей-богу, Жорка, не понимаю, как ты сумел дослужиться до генерала. В нашем-то ведомстве, с его нелюбовью к прямомыслению, а главное, к прямоговорению в адрес начальства, подобных тебе пресекают обычно на уровне майора. А ты... Надо же... Ну что? Пригласишь к себе? Я ведь тут пока что, считай, беспризорный.

Причудливые изгибы коридора и несколько лестниц преодолели в молчании. В кабинете Георгий Федорович, набрав соответствующий код, открыл дверцу сейфа и извлек оттуда примерно на треть опорожненную бутылку «Арарата».

— Ну ты даешь! — Смирнов понимающе хмыкнул. — Полнейшая конспирация всех алкоголических увлечений. А чего это вдруг продукции дружественной Франции ты начал предпочитать творчество соседей из, так сказать, ближнего зарубежья?

Разлили. Выпили. «Странно. Обычно первыми Женькиными вопросами после долгого отсутствия были: «Как дома, как Леночка?» Сегодня это не прозвучало. Не означает ли последнее, что о жизни Леночки Женька осведомлен не хуже самого Георгия?»

— Ты прав, старик. Я действительно сегодня напустил очень много мыльных пузырей. Но делал это вполне сознательно, преследуя совершенно определенную задачу: успокоить людей, создать атмосферу обычного, нормального течения повседневной жизни. В нашей работе излишняя нервозность и мнительность ни к чему.

— Успокоить? В каком смысле?

— Георгий, ты действительно с луны свалился или придуриваешься?

— Не понял.

— Уже несколько месяцев все у нас тут вибрируют от грядущего в ближайшее время существенного сокращения штатов. Инициатива исходит от самого президента, так что обычными нашими ведомственными перетасовками дело на этот раз не ограничится. Ты что, ничего об этом не слышал?

— Как Бог свят!..

— Ну, Жаворонок!.. Как там с Богом — не знаю. А ты и действительно на святого тянешь!

И в течение последующих десяти — пятнадцати минут, украшеных неоднократным разливанием и выпиванием, Георгий Федорович был полностью введен в курс дела.

Сокращение предполагалось очень значительное, до двадцати — двадцати пяти процентов штатных единиц на уровне среднего и высшего офицерского состава: майоры, полковники, возможно, кое-кто и из генералов. Естественно, предполагалось сохранение всех заслуженных регалий, пенсий, надбавок за годы службы в КГБ-ФСБ. Предусматривалось и активное участие государственных структур в последующем трудоустройстве отставников, в предоставлении каждому из них достойного и прилично оплачиваемого места последующей деятельности. Но, разумеется, отставка есть отставка. И нет ничего удивительного в том, что люди нервничают и озабочены грядущей неопределенностью.

— Ладно, — заключил свой экскурс в «конторские» тайны Евгений Иванович. — Будем надеяться, что нас с тобой это не коснется. А поговорить, собственно, я хотел вот о чем.

Жаворонков посмотрел на свет опустевшую бутылку, вновь сунул руку в сейф и извлек еще одну, на этот раз уже не фирменного «Арарата», а скромненького трехзвездочного дагестанского.

— Нет. Все. Достаточно, — отмахнулся Смирнов. — Мы ведь, в конце концов, на службе. Да и потом, пить эту бурду...

Евгений Иванович объяснился. Все дифирамбы, пропетые им на совещании, не были пустыми словами. Он действительно очень высоко оценивал проделываемую сотрудниками отдела работу. Но, к сожалению, в огромной бочке меда нашлась и небольшая ложка дегтя, и, как это ни прискорбно, связана она с непосредственной деятельностью именно Георгия Федоровича.

— Да-да, Жора, — с каким-то даже удрученным видом закивал Смирнов в ответ на удивленно вскинутые брови Жаворонкова, — ведь именно ты сам непосредственно курировал дело этого физика из Новосибирска, Давыдова? Я, разумеется, не счел возможным выносить твой серьезный промах сразу же на всеобщее обсуждение, но обговорить этот вопрос с тобой просто обязан.

— Извини. Я тебя не понимаю.

— А ты постарайся.

— Действительно, начав заниматься делом Давыдова, я насторожился. Бессчетной рекой льющиеся миллионы, никакой строгой финансовой отчетности...

— Правильно насторожился.

— Но потом я провел ряд консультаций с серьезными экспертами в этих вопросах, и они с полной ответственностью гарантировали, что все разработки Давыдова не являются никакой государственной тайной, что все уже давно опубликовано в открытых научных изданиях, прошедших, кстати говоря, нашу же цензуру, что вся сегодняшняя деятельность Давыдова в пользу корейцев — это адаптация прошлых научных открытий и поиск оптимальных путей к их практическому производственному применению.

— И ты считаешь это нормальным?

— Что именно?

— Что открытия Давыдова, совершенные, заметь, не на собственной кухне, а в государственной лаборатории, с использованием государственного оборудования и труда сотрудников, получающих зарплату от того же государства, стали предметом беспардонного торга?

— Более чем странная формулировка. Условия контракта...

— Условия контракта кабальны и оскорбительны для нашей страны. Возможно, конечно, что лично для Давыдова...

— Перестань! Я неоднократно встречался с этим парнем. Он честный и добросовестный человек. Единственное, чего он хочет, — работать. Но чтобы работать, ему нужны деньги. А отечество наше сам знаешь, как сейчас финансирует науку. И что плохого в том, что он сам сумел найти заинтересованных его работой и желающих эту самую работу оплачивать?

— Я тоже с ним встречался. И у меня сложилось о нем несколько иное мнение.

— Ты?

— Я. А что тебя удивляет? Я тут, пока решались вопросы с моим утверждением, успел уже смотаться в Новосибирск.

— Первый раз об этом слышу.

— Ну вообще-то, дорогой мой, как-то не принято обычно, чтобы начальство докладывало подчиненным обо всех своих перемещениях.

— А-а-а...

— Теперь ты мне скажешь, что прошел суд, который полностью оправдал Давыдова, что он отныне лучезарен и невинен, как белоснежный агнец...

— Я был на этом суде. Аргументы обвинения не выдерживали никакой критики.

— Знаю. Новосибирские коллеги, в целом очень верно прочувствовав ситуацию, немного поторопились. А мы — наш центральный аппарат, прежде всего именно в твоем лице, Жора, — ничем им не помогли. Я, к сожалению, к этому вопросу подключился слишком поздно. Но ничего еще не потеряно. Покумекаем, покопаем... Кстати, известно, что в компании Давыдова подвизался и наш московский деятель, некто Суворов, разумеется мобилизовавший на реализацию этого проекта все ресурсы и возможности НИИ, где он служит. А это, батенька мой, и вообще уже организация. И дело в итоге пахнет совершенно уже другими статьями УК.

— Женя, о чем ты говоришь? Какие статьи? Дело это совершенно чистое. Нормальный, прошедший все необходимые инстанции контракт с зарубежной фирмой, предусматривающий законные — и немалые, кстати говоря, — отчисления в пользу государства.

— Если ты меня сегодня действительно слушал, то должен был обратить внимание на тему, которой я уделил довольно много времени: нас разворовывают интеллектуально. И если мы сейчас пока еще не можем противостоять этому в полном смысле — действительно: уехал, эмигрировал, чего уж тут, — то не допускать мозгового грабежа в пределах наших границ мы и должны и обязаны. Неужели это непонятно?

— Потягивает духом тридцать седьмого года.

— Чушь! Да и вообще пора уже это прекратить. Чуть что — вытягивается на авансцену этот жупел: тридцать седьмой год. Ну да, ну было, ну пережали во многом. Так и обстановочка в мире была та еще! Собственно, она и сегодня не способствует никаким идиллическим мечтаниям.

— Да, Евгений Иванович, начали мы с тобой сидеть сегодня очень хорошо, а вот как-то постепенно...

— А мы и сейчас сидим замечательно. Я вот только пытаюсь объяснить тебе, что времена меняются, что действительность наша начинает принимать иные формы и что пора бы тебе уже многое пересмотреть в твоем провинциально-сусальном патриотическом воспитании.

— Это что, камешек в огород моих родителей? Оставь их в покое!

— Я разве сказал в их адрес что-нибудь недостойное? Уверен, это были прекрасные люди!

— Спасибо и на этом. А знаешь, что сказали мне родители, узнав, что я поступил в школу КГБ? Мама даже всплакнула, а уж это совсем не было ей свойственно. «И зачем только, сына, ты с ними связался...»

— Жорочка, это все, конечно, очень трогательно...

— А отец долго молчал, почесывал бороду, которую незадолго до этого он сбрил, кряхтел, покашливал... И изрек что-то примерно в том духе, что, мол, «работа эта, конечно, нужная, без нее — никуда...». А последнюю его фразу я запомнил на всю жизнь: «Только постарайся, сын, даже по служебным обязанностям, даже по приказу, никогда не стать преступником».

— Замечательно сказано! И емко, и точно, и предельно по сути! Но смотри, старик, жизнь не стоит на месте, времена меняются, возникают и утверждаются новые приоритеты...

— И эти новые приоритеты вынуждают подличать и пакостить?

— Трудно с тобой, Жора, очень трудно! И как только Лена столько лет терпит тебя, такого однозначного, прямолинейного...

— Ну, продолжай! Ты же ведь еще хотел добавить: примитивного!

— Оставь. Ладно. Я пойду. Будем жить дальше, будем работать. За угощение — спасибо.

Несколько минут Жаворонков тупо смотрел на захлопнувшуюся за Смирновым дверь. Потом набухал себе полный стакан коньяка — черт с ним, что всего лишь три звездочки, — слишком уж напряглись нервы после беседы со старым приятелем. Залпом выпил. Закурил.

Через несколько минут в висках заколотился какой-то болезненный метроном, знакомые и привычные предметы в кабинете начали как будто бы терять свои четкие очертания... Георгий Федорович решительно плюнул на все и, несмотря на то что была лишь середина рабочего дня, вызвал служебную машину и отправился домой отсыпаться.

Следующие несколько месяцев жизни генерал-майора Жаворонкова прошли в каком-то странном режиме. Отправившись через три-четыре дня после беседы со Смирновым на конгресс вулканологов в Токио, он по его окончании не вернулся, как это обычно практиковалось, в Москву, а полетел сопровождать симпозиум органических химиков в Аргентину. После этого последовало предписание смотаться в Австралию, затем снова в Южную Америку. Все это было непривычно, особенно после последних лет работы, когда Георгий Федорович сам определял для себя график поездок. Да и вообще подобная курьерская мельтешня по миру как-то уже и не очень сочеталась с его высоким служебным чином. Создавалось впечатление, что кто-то — и нетрудно было догадаться, кто именно, — сознательно не дает ему возможности вернуться домой. Почему? Зачем?

Но, как опытный и прожженный сверхсрочник, знающий все ходы и выходы для побегов «в самоволку», генерал Жаворонков все-таки сумел извернуться и, найдя в своем жестком расписании двухдневное окно, внезапно объявился в «конторе».

Женькины апартаменты сияли какой-то необыкновенной евро-супер-экстра отделкой, которую естественно дополняла сверхдлинноногая, сияющая ослепительно-лучезарным оскалом секретарша Люсенька.

— Георгий Федорович, с приездом! Евгений Иванович безумно занят, но я думаю, что для вас...

Чуть-чуть прикрытая каким-то подобием юбочки попка завертелась в сторону сиятельной двери, ножки при этом выписывали некие сверхсоблазнительные фигуры из области художественной гимнастики.

«Странно, я-то ее, безусловно, вижу первый раз в жизни, но моя личность, похоже, здесь хорошо знакома».

— Прошу, Георгий Федорович!

И всегда-то вальяжный и респектабельный Женька в обстановке своего нового кабинета выглядел просто неотразимо, что, впрочем, не помешало ему приветствовать появление своего старого приятеля вставанием и добросовестным рукопожатием.

— Старик! Рад тебя видеть! У меня тут дикая запарка. Получил все твои отчеты. Замечательная работа! Куда ты летишь-то завтра? В Мексику? Отлично. Вернешься — обязательно найдем время посидеть и спокойно поговорить.

Недвусмысленные пассы руками свидетельствовали о том, что аудиенция уже закончилась. «Замечательная работа?» Уж кто-кто, а Георгий Федорович прекрасно знал, что вся его деятельность последних месяцев была полной туфтой, что настоящая подготовка ко всем проводимым им мероприятиям не может базироваться на примерно-предположительных фактах, оцениваемых зачастую на глазок. Так что его затянувшаяся командировка, безусловно, была формой отлучения от текущих московских дел. А вот цель этой акции пока что была ему не совсем ясна.

Из Мексики его перекинули в Южную Африку, потом еще раз вернули на американский континент... Но вот наконец-то Европа, Прага. Учитывая тысячи преодоленных километров — можно сказать, что уже почти что Подмосковье, всего-то два — два с половиной часа лета. В отведенной ему в посольстве комнатке Жаворонков наконец-то через Интернет смог подробно ознакомиться со всеми мировыми событиями. И если мировые происшествия его не очень взволновали, то завершившийся в Москве судебный процесс над двумя физиками, осужденными за измену Родине, резанул его, что называется, по самому близкому и болезненному.

Все два с лишним часа полета до Москвы Жаворонков регулярно прикладывался к миниатюрным бутылочкам. Чехи не скупились на недорогое виски, тем более что пассажир первого класса проходил по разряду ВИП-персон.

Приемную генерала Смирнова Жаворонков преодолел в несколько шагов, почти бегом. Люсенька, пищавшая вслед: «Георгий Федорович, извините, но генерал сейчас...» — осталась далеко позади. Распахнув дверь кабинета, Георгий Федорович не вошел, а почти что влетел.

— Евгений Иванович, я пыталась объяснить... — верещала где-то там сзади не справившаяся со служебными обязанностями Люсенька...

— Все в порядке, Людочка. Оставьте нас, пожалуйста. Жора, то, что нас с тобой связывают особые давние дружеские отношения, ни для кого в управлении не секрет. И все-таки не стоит так уж вот внезапно врываться в мой кабинет. А что, если я тут в это время решил, так сказать, облагодетельствовать кого-нибудь из просительниц?

— Ты все-таки доконал этих ребят.

— Жора, я никого не «канал», как ты не слишком удачно выразился. Я, как руководитель департамента, распорядился провести серьезное дополнительное расследование. И результаты этого расследования позволили потребовать повторного судебного рассмотрения, которое и вынесло изменникам Родины суровые, но справедливые приговоры.

— Но ты же прекрасно знаешь, что все это подтасовка, что эти ребята ни в чем не виноваты!

— Жорочка, ты, я вижу, сегодня не слишком трезв. Мы поговорим об этом позже.

— Как ты мог обречь невинных людей на чуть ли не пятнадцатилетнее заключение!..

— Георгий Федорович, я убедительно прошу вас покинуть мой кабинет.

— Ты ведь не просто смазливая скотина, ты — подонок, мерзавец!..

— Генерал-майор Жаворонков, я в последний раз прошу вас немедленно избавить меня от своего присутствия. Не вынуждайте меня прибегнуть к помощи сотрудников службы безопасности.

— Ну, Женечка!..

— Катись отсюда, пьянь подзаборная!

Секунду-другую Георгий Федорович стоял, как бы оцепенев, потом резко развернулся и, четко печатая шаг, промаршировал к двери. Он был уверен, что его ни разу не шатнуло за время этого церемониального марша расставания. «Пусть неудачник плачет!» Установить, действительно ли скотина Женька пропел ему вслед свою любимую сакраментальную фразу или она сама собой откуда-то возникла в возбужденном висковыми парами мозгу Георгия, теперь уже не представляется возможным. Да впрочем, это и не имеет никакого значения.

Глава четырнадцатая

Вновь установилась ясная погода. Москва цвела, в воздухе веяло чем-то свежим, чем-то радостным. Александр Борисович медленно ехал по Кутузовскому, вглядываясь в номера домов. Он решил лично нанести визит Светлане Суворовой, ставшей на сегодняшний день наиболее реальной кандидаткой в подозреваемые.

Припарковавшись в небольшой и тенистой поперечной улочке, он вышел из машины и на секунду остановился, словно стремясь впитать, вобрать в себя этот майский день, эту весну, эту легкость. Зарядиться позитивными эмоциями. Он постоял примерно минуту, а затем сказал тихонько:

— Пора, — и шагнул в подъезд.

С подозреваемой Турецкий — по контрасту со своим благостным настроением — взял довольно строгий тон.

— Светлана Аркадьевна, нам необходимо знать, где вы находились ** мая сего года с девяти до одиннадцати утра.

— Вы что, подозреваете меня? — едва не вскрикнула от изумления Светлана. — Что это я взорвала этого придурка Евгения Ивановича?

— Будьте добры, ответьте, пожалуйста, на вопрос. И воздержитесь от оценок.

— Простите, я что-то не поняла. Это у нас официальная беседа?

— Вы желаете процессуальных формальностей? — довольно резко спросил Турецкий. — Нет проблем, я вызову вас завтра в прокуратуру.

— Ну-у... — протянула Светлана.

— Мне просто казалось, что я могу пока... пока, — подчеркнул Александр, — избавить вас от них, в смысле от формальностей.

— С чего вдруг такие любезности? — нахмурилась хозяйка.

— Светлана, по-моему, вы тянете время, — парировал гость.

— Ого, я уже Светлана? — развеселилась она.

— Извините, Светлана Аркадьевна. Итак?

— Понимаете, Александр... как, простите?

— Борисович.

— Александр Борисович, я не помню. Считайте, что алиби у меня нет. Вот так. — Она посмотрела на гостя довольно дерзко.

— Попытайтесь вспомнить, ведь это было совсем не так давно.

— Ну... в двенадцать я встречалась с мамой. А перед этим, кажется, ничего особенного, проводила сына в школу, потом возилась с чем-то по дому. Но впрочем, вы ведь, похоже, и маму мою подозреваете? Значит, ее свидетельство мне не поможет.

— Посудите сами, Светлана Аркадьевна, ведь это довольно странно, что единственным человеком, который видел предполагаемого убийцу-взрывника, оказывается именно ваша мать, Людмила Иосифовна.

— В жизни иногда бывают крайне странные совпадения. Кому, как не вам, это знать.

— И все же вы не можете отрицать, что у вас есть явный мотив. Я говорю с вами откровенно, поскольку вы производите впечатление неглупого человека, и, кроме того, я вам очень сочувствую...

— Мне не нужно ваше сочувствие, благодарю, — сухо ответила Светлана. — И комплименты тоже. А что касается мотива, то я уже говорила вашему помощнику: мои враги — не какие-то конкретные агенты охранки, мой враг — система. А систему при помощи тротила не взорвешь, тут нужны другие средства: общественное мнение, информация, реакция мирового сообщества на наши беззакония...

— Все это прекрасно, но мне нужен убийца. И я его найду.

— Это означает, что я уже арестована? — весело, даже как-то истерически весело прожурчала Светлана. — Отлично! Жена да последует за своим мужем, прямо как в Библии. Славная парочка — гусь да гагарочка. Что ГБ до ума не довело, то прокуратура... Сижу за решеткой, в темнице сырой. — Она вдруг начала бешено хохотать. Это был явный нервный срыв.

Александр вышел из комнаты, интуитивно определил кухню, нашел стакан и принес Светлане воды. Ее зубы, когда она пила, стучали по стеклу, плечи сотрясались. Перестав смеяться, она начала тихо и отчаянно плакать.

Турецкий чувствовал себя невыразимо мерзко.

— Светлана Аркадьевна, успокойтесь, пожалуйста. Я не хочу сделать вам ничего дурного. И вообще, я скорее друг вам, чем враг. Но мне надо разобраться в этом деле. Я надеюсь, что все скоро выяснится.

Хозяйка молчала, только плечи ее вздрагивали.

— Что со мной теперь? — вымолвила она наконец. — Подписка?

— Вы собирались уезжать?

— Нет.

— Я вам верю. Этого достаточно. Никакой подписки.

— А если я лгу?

— Значит, мне не сносить головы, — невесело улыбнулся Турецкий, вставая. — А сейчас я вас оставлю. И извините меня, пожалуйста.

— За что? — усмехнулась хозяйка.

— Да так... За все.

...«Боже мой, какая гнусная у меня работа! Когда-нибудь я все-таки брошу это дело. Пойду служить в какую-нибудь крутую, навороченную фирму. А что? Я, наверное, не самый плохой юрист в Москве!»

Зазвонил телефон, это был Меркулов.

— Да, Костя.

— Привет. Ну что, говорил с женой физика?

— Говорил. Не она это, Костя.

— Факты?

— Фактов, увы, нет. Но это не она, поверь. Ты доверяешь моей интуиции?

— Интуицию твою к делу не пришьешь.

— Ох и мерзко же мне, Костя!

— Что случилось?

— Светлану эту жаль ужасно. Ни при чем она тут, вот увидишь. А на нее и так свалилось столько разного «счастья»...

— Я тебе сразу сказал, что история гнусная. Но я не вижу пока, что мы здесь можем изменить. Одно несомненно — мы должны выполнить свою работу. И по возможности честно.

— Да ладно, что ты меня утешаешь, как разнюнившегося школяра.

— Что у тебя еще? Есть что-то про этого Жаворонкова? Мне пока больше ничего не удалось узнать.

— Володька поехал по загсам, по архивам. Еще мне не звонил.

— А ты сейчас куда?

— Знаешь, Костя, не сочти за малодушие, но я заеду на часок-другой домой. Хочу просто посидеть и помолчать.

— Понимаю. Поезжай.

— Кстати, Костя! Наш террорист-то вроде успокоился? Больше не шлет писем?

— Сплюнь, Сашок. Типун тебе на язык. Расслабляться пока рано. Кстати, это всех касается — и тебя тоже!

— Ладно, я позвоню тебе позже.

Придя домой, Турецкий налил себе большой щедрый стакан водки. Именно не рюмку, не стопку и не чекушку, а стакан.

«Имею право! Я не алкоголик, черт меня возьми, но иногда бывает просто необходимо выпить. И притом именно стакан, а иначе не поможет».

Он достал из пачки сигарету, посмотрел на нее как будто немного удивленно, после чего закурил.

«Причем пить нужно без закуски, или, точнее, как говорил один подозреваемый — «под курятину».

Александр плюхнулся в кресло перед телевизором и щелкнул пультом. Ба! Опять «Белое солнце пустыни». И не надоедает же им гонять бесконечно одни и те же старые фильмы. Впрочем, справедливости ради нужно сказать, что и нам не надоедает снова и снова их смотреть.

Телефон опять просвистел моцартовский марш. Ага! А вот это уже Поремский!

— Здравствуй, Володя!

— Привет, шеф! — Голос помощника звучал крайне возбужденно.

— Есть новости?

— Да! И чрезвычайные.

— Про Жаворонкова... э-э, Георгия Федоровича?

— И про него тоже.

— А про кого же еще?

— Про вашу знакомую, Елену Станиславовну, вдову генерала Смирнова.

Турецкий удивленно привстал.

— Так-так, это уже становится интересно. И при чем же здесь она?

Было слышно, как невидимый Поремский в трубке торжествующе набирает дыхание перед тем, как выдать сенсацию.

— Знаете, кто был ее первым мужем?

Турецкий вскочил, осененный догадкой.

— Нет! Да нет же!

— Да, шеф! Да, Александр Борисович! — не без удовольствия повторил Владимир. — Первым мужем Елены Станиславовны был Георгий Федорович Жаворонков, генерал ФСБ.

— Вот это называется полный абзац. — Захмелевший было Турецкий вмиг протрезвел. — Ну рассказывай толком!

— Поженились в 197* году, прожили вместе до позапрошлого года...

— Тридцать лет почти что! — присвистнул Александр.

— У них есть общий ребенок, Жаворонков Виктор Георгиевич, родившийся в Москве, в 198* году.

— Та-ак. Я смотрю, ты славно поработал! Не зря свою кашу ешь. А что-нибудь про этого Виктора удалось узнать?

— Удалось, и тоже весьма любопытные вещи. Виктор Георгиевич Жаворонков закончил московскую школу, поступил в Бауманский институт. На втором курсе неожиданно для всех оставил учебу и добровольно попросился в армию. Да не просто абы куда, а конкретно попросил отправить его в Чечню.

— На горяченькое потянуло, что ли? В горячую точку?

— Погодите, шеф, дальше самое интересное. Кем, повашему, был Виктор Жаворонков в армии?

— Ну?!

Поремский опять сделал торжествующую паузу.

— Сапером!

— Класс! «Взрывпакет изготовлен профессионалом...»

— Что, шеф?

— Да нет, это я вспоминаю заключение эксперта. Володька, ты огромный молодец! Я сейчас дома, буду в прокуратуре вечерком. Подъедешь? Обсудим все это дело.

— Разумеется.

Турецкий откинулся на спинку кресла. Дело приобретало новый и очень интересный оборот. Не зря ему казалось, что Елена что-то скрывает. Она так явно не хотела обсуждать с ним свой прежний брак, своего сына.

Виктор Жаворонков... Сапер... Какой может быть у него мотив? Или он действует совместно с отцом? Тогда — ревность, помноженная на чисто профессиональный конфликт. Да, это если принять ту версию, что два генерала действительно занимали различную позицию в деле двух ученых. Да нет, все равно что-то не выстраивается, не вырисовывается...

А главное, где он рыщет, этот загадочный Георгий Федорович?

На экране между тем бесподобный Луспекаев, он же Верещагин, запел свою знаменитую песенку. В двери звякнул ключ — это вернулась домой дочь.

— Папа, что это ты дома так рано?

— Привет, Нинок. А это у меня забастовка, — отшутился Турецкий.

> Ваше благородие, госпожа разлука...
> Все мы с ней не встретимся, вот какая штука!

— Слушай, пап, тут письма какие-то.

— Чего?

— Одно от бабушки, а одно непонятно от кого.

> Письмецо в конверте, погоди, не рви... —

зазвучало в голове у Турецкого.

— Сейчас, пап, я посмотрю, от кого это.

> Письмецо в конверте, погоди, не рви...

— НЕ-Е-Е-ЕТ!!! — бешено закричал Турецкий, метнувшись в сторону Нины в безумном, отчаянном прыжке, но было поздно.

Рука дочери уже разорвала конверт.

Глава пятнадцатая

В тот день Георгий Федорович Жаворонков брел домой под дождем, подняв воротник модного финского плаща и низко втянув голову в плечи. Тяжелые холодные капли затекали ему за шиворот и неприятно скользили по спине, но он ничего не чувствовал. В голове его продолжали звучать голоса, обрывки диалогов, споров. Из темноты перед внутренним взором возникали лица: то его непосредственного руководителя и бывшего приятеля Женьки Смирнова, то есть, простите, Евгения Ивановича, начальника отдела, генерала их всесильного комитета. То генерала Пантелеева, еще более всесильного командира их универсального ведомства. То — и уже совсем непонятно почему — лица двух ученых мужей, Давыдова и Суворова, случайных людей в его жизни и карьере. Ведь надо же, чтоб именно им, этим случайным людям, суждено было стать тем самым камнем преткновения.

> Где лежит тот камень, в зной
> Путника маня...

Это был вечер из произведений композитора Георгия Свиридова, один из многочисленных концертов, посещенных ими с Леночкой в качестве культурной программы. У Георгия Федоровича всегда была неплохая память на стихи. А этот романс Свиридова на слова армянского поэта Аветика Исаакяна просто-таки запал ему в душу...

> Где лежит тот камень, в зной
> Путника маня,
> Что могильною плитой
> Станет для меня?
> Может быть, бредя путем
> Рока своего,
> Я не раз сидел на нем,
> Не узнав его.

Кто же мог знать, что именно эти трижды проклятые ученые станут той самой соломинкой, которой он сломает себе спину? Да провались они пропадом вместе со своей наукой, со своими родными, близкими, учениками, аспирантами, последователями и оппонентами! Черт, и зачем он высовывался? Зачем? Вечно эта его проклятая принципиальность, которая не дает ему сидеть спокойненько в сторонке и молчать. Ну отправятся они в Воркуту, или куда там еще, валить лес. Неужели ему, генералу Жаворонкову, действительно не все равно? Идеалист долбаный, борец за правду, понимаешь! Как там было в одной известной песне? Промолчи — попадешь в первачи!

Проехавший грузовик окатил генерала брызгами, но тот даже ничего не заметил — настолько был погружен в свои мысли.

Итак, сегодня его уволили из органов. Его, Георгия Федоровича Жаворонкова, отправили на почетный заслуженный отдых, о чем ему и сообщил генерал Пантелеев с характерной для него иезуитской улыбкой. Но это-то — насчет почетного и заслуженного — так, для успокоения, для друзей и для непосвященных коллег. Всем посвященным прекрасно известно — да так оно и есть на самом деле, — что Георгий перестал «вписываться в сюжет», перестал соответствовать генеральной линии, проводимой его ведомством. Ведомство в очередной раз дрейфануло вправо... или влево — у нас ведь не поймешь, где именно находится «лево», а где «право». Одним словом, их любимая «контора» в очередной раз вернулась к людоедским идеалам своего прародителя Феликса Дзержинского, а наивный Георгий застрял в своем романтизме, в своих демократических прогрессивных заблуждениях, а поскольку гибкость вообще никогда не была ему свойственна, то он не сумел, или же не успел, или, может быть, даже и не пожелал быстро приспособить себя к новым обстоятельствам. И поэтому вышел из игры.

> Пусть неудачник плачет,
> Кляня свою судьбу! —

с удовольствием пропел ему Евгений Иванович Смирнов свою любимую оперную арию. Да, он неудачник, видимо, нужно это признать. Поэтому он бредет домой пешком под дождем... ах нет, конечно, у него осталась его личная «Волга», так что лишение персональной служебной машины еще не загонит его в душные катакомбы московского метро. Да и материально он уж никак не пропадет, положенная ему пенсия вполне достойная, не имеет ничего общего с зарплатой какой-нибудь медсестры или учительницы. А еще можно устроиться куда-нибудь консультантом по каким-нибудь актуальным вопросам. Дело ведь не в этом.

Дело в том, что он — проигравший. Неудачник. Всю жизнь он шел каким-то определенным путем — неважно сейчас, каков именно он был, — и вот потерпел полное фиаско на этом пути.

Он подошел к своему дому. Окна их квартиры призывно светились, это означало, что любимая жена Леночка дома. Эх, Леночка, Леночка... К сожалению, в последнее время Георгию все чаще казалось, что его любовь к жене носила характер сугубо односторонний. Уже давно зародился между ними некий холодок, и с каждым годом становилось все морознее и морознее. Отчуждение все нарастало и нарастало.

— Здравствуй, Леночка!

— Привет! — Елена Станиславовна Жаворонкова посмотрела на него как-то вскользь.

— Ты занята сейчас? — Георгий Федорович чувствовал, как в его голосе появилось что-то заискивающее. Так бывало часто в его разговорах с женой, и он ненавидел себя за этот подобострастный тон.

— Да, мне надо закончить статью. Ужин на плите.

— Может, посидишь со мной?

— Я потом к тебе приду, ты пока сам начинай.

На кухне Георгий первым делом ринулся к холодильнику и, убедившись, что супруга за ним не следит, налил себе большой щедрый стакан водки.

«Имею право, черт возьми! — подумал он зло. — Если сейчас не выпить водки, то нужно просто пойти и застрелиться».

Он заглотил содержимое стакана одним богатырским глотком. Дыхание перехватило, но закусывать Георгий Федорович не стал, вместо этого налил себе еще один такой же полный стакан. Он почувствовал, как внутри начало постепенно оттаивать. Лица начальников и подчиненных перестали маячить перед его внутренним взором, как в дурацком калейдоскопе. На какое-то мгновение даже показалось, что жизнь его вовсе еще и не кончена. Ведь у него есть прекрасная семья: красавица жена, сын. Что еще нужно для счастья мужчине средних лет?

При воспоминании о сыне бывший генерал как-то внутренне подобрел, но тут же тревога прошла судорогой по всем его мускулам.

— Леночка! — закричал Георгий Федорович тоскливо. — Лена! Напомни, в какой день Витюша возвращается?

— В четверг, через полторы недели, — прозвучал в ответ спокойный голос жены. Лена никогда ничего не забывала, не путала даты, имена, отчества. Она была будто бы «человек-компьютер». Любая информация, которую ее мозг однажды впитал, отпечатывалась на «жестком диске» и не стиралась и не тускнела, готовая быть востребованной и использованной в любой момент. Иногда Георгию казалось, что в тайной полиции следовало работать его жене, а не ему.

Он выпил еще водки и стал думать о сыне. Вспомнил, каким он был, когда только появился на свет — желанный, долгожданный наследник, младший Жаворонков, продолжатель, множитель и так далее.

Витюша явился на свет семимесячным. Возможно, это было вызвано некими женскими проблемами в организме ненаглядной Леночки — ведь в свое время ей не очень удачно сделали аборт, который, впрочем, в анналах семейной истории деликатно именовался выкидышем. Ведь и забеременеть она после этого долгое время не могла. А может быть, просто такая трудная судьба была уготована этому ребенку; во всяком случае, жизнь свою он начал именно что трудно, и в первые дни даже вообще не было понятно, выживет этот младенчик или нет. И как знать, не будь его отец офицером некой известной организации и не будь подключены к спасению ребенка великолепные врачи (пусть не самые лучшие из самых-самых наилучших, все же не вышел еще папаша «калибром» для такого уровня медицинского обслуживания, но все равно отличные), возможно, и не суждено было бы Виктору Георгиевичу занять свое законное место среди обитателей планеты Земля и города Москвы.

Слабеньким мальчик рос и потом. Георгий Федорович приложил огромные усилия, чтоб вырастить из мальчишки нормального здорового пацана. Как-то так само собой сложилось, что ребенком в основном занимался он — и это при его огромной занятости, постоянных командировках, часто заграничных. Нет, конечно, Елена Станиславовна любила сына, заботилась о нем, следила, чтоб у него все было, чтоб он был сыт, обут и одет, чист, благополучен. Но и не более. Остальное уже касалось сферы Георгия Федоровича.

Он приучал маленького Виктора заниматься спортом, заставлял его делать утреннюю зарядку, отжиматься, приседать, бегать. В каком-то смысле это пошло и ему самому на пользу: помогало поддерживать форму, не раскисать, что при его кабинетно-самолетной работе постоянно ему угрожало.

В садик мальчик не ходил: его окружали постоянные няньки, да и Елена Станиславовна часто бывала с ним, занимаясь параллельно то одной, то другой научной работой. Виктор рос дома, в щадящей атмосфере инкубатора, но благодаря стараниям Георгия Федоровича в школу он пришел уже не слабаком, а нормальным средним мальчуганом. Что касается характера ребенка, то уже с детства проявлял он свойственную ему позже замкнутость, нелюдимость. Расти он на Западе, обязательно нашелся бы какой-нибудь дотошный психолог, который пристал бы к родителям с вопросом: а может быть, у мальчика есть проблемы с коммуникацией? Возможно, он — скрытый аутист? Но здесь никто ни о чем похожем не подумал и не обмолвился: просто мальчик — мечтатель, живет в мире своих фантазий.

Виктор рано начал читать, причем почти сразу взрослые книги. Из сказок же он больше всего любил одну: ту, которую на протяжении долгих лет сочинял для него Георгий Федорович. Это была сказка про Храброго Разведчика. Однажды начавшись, она обросла продолжениями и вскоре обрела подлинно мексиканско-бразильскую бесконечность. А возникла эта бесконечная сказка из совместного просмотра папой и сыном нескольких серий «Семнадцати мгновений весны». Маленький еще Виктор многого тогда не понимал, и отец принялся ему объяснять, подробно, с примерами. Слово за слово — как-то само выяснилось, что папа-то работает именно в том ведомстве, где служат те самые Храбрые и Благородные Разведчики. Тут-то и было впервые произнесено: «Пап, а расскажи мне про настоящих, взаправдашних разведчиков!»

Эта сказка создавалась несколько лет, и замысловатости ее сюжета мог бы позавидовать любой хороший сценарист. Что и говорить, Георгию действительно было легко импровизировать на эту тему, все-таки он был, что называется, в материале. Для того чтоб не ударяться чрезмерно в политику и вообще немного уйти от повседневной реальности, новоиспеченный Андерсен (или, точнее, Семенов-Ле-Карре) засылал своего героя-супермена в различные выдуманные им самим на ходу страны; правда, пользовался он при этом в основном реально существующими на карте названиями. Так, однажды Храбрый Разведчик противостоял заговору против президента Южной Бургундии; а в другой раз готовил государственный переворот в Федеративной Республике Византии. Иногда герой отвлекался и выступал не совсем по своему профилю, так, например, однажды он даже освобождал заложников, которых террористы захватили в Королевстве Юго-Западная Моравия.

Неизменным оставалось то, что герой был бесстрашен, находчив, ловок. И всегда защищал слабых, угнетенных. Ну и, конечно, отстаивал интересы своей далекой Родины, по которой он иногда тайно тосковал.

Вспомнив свой «сериал», Георгий Федорович невольно улыбнулся. Вот теперь у него будет куча времени, можно и киносценарий со скуки написать. А что, поди, с удовольствием экранизируют! Все ж таки он профессионал, у него в руках, точнее, в голове уникальный материал. Этак еще можно и прославиться на старости лет. Ну фамилию свою он, конечно, в это дело впутывать не станет, но можно придумать какой-нибудь симпатичный псевдоним. Например, взять девичью фамилию жены. А что? Сценарист Георгий Литвинов — звучит вполне недурно; пожалуй, за это надо выпить.

Наливая очередную рюмку, Георгий снова невольно вспомнил о своей загубленной карьере, и внутри отчаянно заболело. Ну ничего, ничего... Вот сейчас хлоп стаканчик — и полегчает!

В школе Виктор Жаворонков не выделялся. Сидел себе тихонько за партой задумчивый мальчуган и кривенько перебивался с тройки с плюсом на четверку с минусом. В общественной жизни не участвовал, в хулиганской — тоже. Если его задирали, мог неохотно, но сильно двинуть в челюсть. Только его отец знал, что за этим стояло: ежедневная физзарядка, плавание, позже вольная борьба. В результате мальчик, еле выживший при родах и росший хлипким и болезненным, вырос пусть не богатырем, но здоровым и крепким парнем, отличавшимся изрядной физической силой.

Уже в старших классах пришло неожиданное увлечение химией. Почему именно этой наукой — так и осталось загадкой, если учесть, что оба родителя по складу ума скорее гуманитарии. И воспитание мальчик получил соответственно гуманитарное. Но вот поди ж ты — сказалась какая-то природная предрасположенность, заложенная где-то там, в генах. Во всяком случае, «заболел» Виктор этой тонкой наукой всерьез. Правда, уже в самом начале обращало на себя внимание то, что особо пристальный интерес его притягивала к себе та часть химии, которая ведает всякого рода взрывчатыми веществами и вообще взрывами. В какой-то мере это свойственно всем мальчишкам и даже порой девчонкам — кто из нас не устраивал в детстве опытов с селитрой? Но у Виктора увлеченность всем этим очень скоро вышла за рамки обычного мальчишечьего озорства.

Он посещал в школе химический кружок. Учительница Дина Леонидовна не могла на него нарадоваться. Одинокой стареющей училке такой горячий интерес к ее любимому предмету просто лил бальзам на все раны, полученные за десятилетия упорной и тщетной борьбы с двоечниками и лентяями. Редкое утешение за счет уныло вызубривших свой ответ отличников нельзя было принимать всерьез. Разве это можно сравнить с горящими глазами жаждущего новых познаний Виктора Жаворонкова!

Однако Георгий Федорович счел нужным повстречаться с Диной Леонидовной и спросить ее, не следует ли обратить более пристальное внимание на этот не вполне здоровый, по его мнению, интерес ко всему, что эксплодирует, иными словами — взрывается. Учительница, откровенно влюбленная в своего воспитанника и младшего дружка, как могла успокоила его и развеяла его сомнения. Мол, все нормально, мальчик интересуется, что тут такого? Ничего опасного, если вести себя аккуратно и с умом.

Потом как-то незаметно для родителей в жизни Виктора появилась Наташа. В какой-то момент оказалось, что за их сыночком хвостиком ходит некое рыжее создание. Родители улыбнулись... нет, точнее говоря, улыбнулся только Георгий Федорович. Елена Станиславовна к тому времени уже целиком погрузилась в собственную приватную жизнь и...

— Опять пьешь? — Резкий голос жены прервал поток воспоминаний. — Ну и что же стряслось на этот раз? — Елена Станиславовна говорила неприязненно и даже немного брезгливо.

— Леночка, — осторожно начал Георгий Федорович. — Леночка, сядь, посиди со мной.

— Да, это, конечно, большая честь, — язвительно заметила жена, — может, еще бухнем вместе?

— Ну зачем ты так. У меня...

— Затем, что я не выношу пьяниц. И тебе это хорошо известно.

— Лена, — проговорил Георгий серьезно, — меня сегодня уволили из органов.

— В самом деле? — довольно равнодушно отреагировала Лена. — Почему?

«Она все знала заранее! — как громом ударило Георгия Федоровича. — Смирнов ей все рассказал!»

...О том, что у его жены роман с Евгением Смирновым, его врагом-начальником, Жаворонков догадывался. Они много раз встречались на различных светских мероприятиях — главным образом в Большом театре — сначала еще парами, потом, когда Смирнов овдовел, — втроем. Георгий видел интерес в глазах жены, видел загорающиеся там игривые огоньки, но предпочитал ничего не замечать.

Так же, как, впрочем, и раньше. Он никогда ничего не замечал. Уже много лет Георгий что-то подозревал. Его жена, оставаясь неизменно милой и приветливой к нему, казалось, была погружена в какой-то свой мир. Так бывает, когда человек разговаривает по телефону, а при этом смотрит по телевизору интересный фильм... про любовь, например. Вроде бы он даже и отвечает впопад, по крайней мере старается, чтоб собеседник не заподозрил его в невнимательности, а в то же время он где-то «не здесь», увлечен чем-то совершенно другим.

К тому же постоянные отсутствия, при которых Лена ссылалась то на какое-нибудь совещание, то на конференцию, то на симпозиум. Проверять жену Георгий Федорович брезговал. В конце концов, что он может изменить? Жена его — женщина яркая, как модно сейчас говорить — экстраверт, а он, наоборот, интроверт, домашний, скучный. Ей хочется развлечений и приключений — так пусть уж лучше развлекается и возвращается потом к нему, в их теплый и уютный дом, чем нежели возьмет и уйдет совсем. А именно так она и сделает, если он начнет ограничивать ее свободу.

В общем, Георгия все устраивало. Правда, иногда он спрашивал себя, не паранойя ли это? Может, он все придумывает? Ведь нельзя забывать, в каком ведомстве он служит, все и вся под колпаком, недреманное око «большого брата» бдит, и наверняка нашелся бы какой-нибудь доброхот, радостно принесший майору, а затем полковнику, а затем и генералу Жаворонкову сплетню о его любимой жене, буде для этой сплетни нашлась бы хоть какая-то почва. А может быть, просто Лена стала осторожнее после той истории с голландскими педерастами. О том случае Георгий Федорович все-таки поговорил с женой, конечно, не в тот вечер, когда первоначально собирался это сделать и когда Елена ошеломила его радостными вестями о скором отцовстве, а много позже, когда и острота уже была не та, и вообще все ушло в прошлое. Тем не менее Георгий был уверен, что свои выводы жена из этого разговора сделала...

— Ну так что? — снова прервала его мысли Елена Станиславовна. — Почему же тебя уволили?

Георгий Федорович отметил, что в голосе жены не слышалось ни малейшего интереса. Он промолчал и демонстративно налил себе еще рюмку.

— Ну не хочешь — как хочешь, — сказала супруга с нескрываемым облегчением и вышла из комнаты.

...Итак, после некоей череды таинственных предшественников в жизни Елены появился Женька Смирнов. Великолепный, искрометный, гусар, «грузинский князь», как он сам себя называл, лихой в кутеже, остроумный в беседе, театрал, знаток русских и зарубежных опер, денди и вообще артист. К тому же знаменитый на всю Москву своими галстуками-бабочками, которые присылал ему из Вены один его друг, как называл его сам Евгений Иванович, а на самом деле конечно же подчиненный.

Каким образом Георгий вычислил, что нынешний любовник его жены — Смирнов, он бы и сам не смог объяснить. Какие-то полунамеки, полуоговорки... Интуиция, одним словом. А может, наоборот, профессиональная закалка. Но он был точно уверен, что это так, и... как знать, может быть, и «служебную дуэль» со Смирновым он затеял именно потому. Но все это было неважно, пока сохранялся статус-кво, пока Елена была с ним и с Виктором.

Школу Виктор Жаворонков закончил, вопреки ожиданиям, довольно сносно. Конечно, ни о какой золотой медали говорить не приходилось, но ни одного трояка на экзаменах не схлопотал. Ну а уж по химии, понятное дело, была твердая пятерка с двумя плюсами. К тому времени Виктор был победителем всех мыслимых и немыслимых химических олимпиад по Москве и области. Поэтому и направление последующей учебы казалось заранее запрограммированным. Но тут Виктор удивил всех, подав документы в МГТУ имени Баумана на радиотехнический факультет, специальность «Радиоэлектронные системы».

— Как же так, сыночек? А как же химия?

— Так химию, папа, я уже знаю.

В Бауманку Виктора приняли, хотя блестящим его поступление назвать было нельзя. Все-таки сказывалось то, что все старшие классы он занимался одной только химией и не особо уделял внимание другим предметам. В общем-то, если честно, то приняли его со скрипом, но уже в течение первого семестра младший Жаворонков подтянулся, в очередной раз продемонстрировав свойственное ему упрямство, и закончил первый курс хорошо, крепко.

На каникулы Георгий Федорович подарил сыну путевку в санаторий: отправил его в ставшую теперь заграницей Юрмалу. Не одного, разумеется, а вместе с подружкой, с Наташей. Был в этом со стороны Георгия Федоровича помимо естественного желания сделать приятное сыну некий тайный прицел: Наташа в качестве возможной кандидатки на роль снохи ему нравилась. Очень симпатичная, рыжая, при этом какая-то спокойная, теплая. Может быть, именно в этом было дело: Георгий Федорович почувствовал в Наташе то, чего ему так не хватало в его собственной жене: теплоту. Ну и, конечно, она была явно без ума от Виктора, ходила за ним по пятам, как собачка.

«Пусть поедут, — думал Георгий Федорович не без лукавства. — Побудут вдвоем, вдали от всех. Сблизятся еще больше. А там, глядишь, и...»

Начался новый семестр. Известие о предстоящей свадьбе пока не поступало, но Георгий Федорович не переставал надеяться. Даже представлял себе, как он все это обставит — о, уж у него-то хватит и средств, и возможностей закатить сыну надлежащую свадьбу. Но с разговорами он к своему наследнику не приставал: что толку. Придет время — сам расскажет.

Пришествие катастрофы Георгий Федорович не заметил. То ли был в очередной заграничной командировке, то ли занят каким-то суперсрочным делом. Потом, уже задним числом, он обратил внимание, что сын уже четвертый день не выходит из дома, а один раз ему показалось, что от Виктора пахнет алкоголем.

— Сынок, с тобой все в порядке? — спросил Георгий, перехватив сына во время очередной вылазки в туалет, до того как тот скрылся в своей комнате. Кстати, появившаяся недавно манера сына запираться была неприятна старшему Жаворонкову. Что это такое? Они же не в коммуналке живут, все-таки одна семья. А на Викторово privacy, как говорят американцы, и так никто не посягает.

— Да, папа, все хорошо, не беспокойся.

— Ты пятый день не ходишь на занятия. Вроде сейчас не каникулы. У тебя какие-то проблемы?

— Я думаю, что не буду продолжать учебу.

— Почему? — изумился Георгий Федорович.

— Не знаю. — Виктор задумался. — Не хочу. Мне это неинтересно.

— Скажи честно, ты поссорился с Наташей?

— Нет. Не поссорился, — произнес Виктор бесцветным голосом. — Но, видимо, у нас все закончилось.

— Жаль. — Георгий Федорович погрустнел. Мечты о свадьбе сына, яркой и запоминающейся, если не разбивались в прах, то по крайней мере отодвигались в неизвестное будущее. — А что случилось?

— Знаешь, пап, я сейчас не могу об этом говорить. Придумывать и врать тебе не хочу, а... Давай поговорим потом. Мне надо прийти в себя.

— И из-за этого ты хочешь бросить учебу?

— Завтра, папа. Завтра, — ответил Виктор и нырнул в свое убежище.

Назавтра поговорить не удалось, потому что Георгия Федоровича экстренно услали в Гавану, да еще и с заездом на обратном пути в Брюссель. Вернувшись в Москву, он узнал, что Виктор забрал документы из института и собирается призваться в армию.

— Сынок, тебе не кажется, что ты делаешь что-то не то? — осторожно начал Георгий Федорович.

— Папа, я так решил. Так будет лучше.

— Боюсь, что ты сейчас, как говорится, в расстроенных чувствах...

— Я полностью себя контролирую.

— Но почему ты не поделился со мной? — огорченно спросил отец. — Надо же подыскать тебе какую-нибудь приличную часть. Слава богу, моих связей хватит...

— Я иду служить в Чечню, — отрезал сын.

— Куда?! — Георгию Федоровичу показалось, что он ослышался.

— В Чечню, папа. Сапером.

Тут, как говорится, свет померк...

— Сынок, да ты что? С ума сошел? Что ты такое придумываешь себе! Нет, ну я понимаю, несчастная любовь и все такое прочее. Но есть же предел! Зачем в Чечню?

— Папа, я так решил, — повторил Виктор очень упрямо. — Я сделаю по-своему.

И вот эти два года пронеслись. Кстати сказать, Георгий Федорович так и не понял, что произошло тогда между Виктором и Наташей. Ему просто было очень жалко, что из их дружбы ничего не вышло.

Так вот, два года пробежали. Виктор писал из армии, естественно, не входя в подробности, но можно было понять, что он на хорошем счету, что свою работу выполняет честно и что он уважаем всеми.

Потом сын приезжал в отпуск — как и подобает, возмужавший и похудевший, и еще какой-то... посуровевший, что ли. Говорил односложно, больше молчал. Впрочем, особенной разговорчивостью он не отличался и до армии.

Затем пришло известие о ранении. Тут уж Георгий Федорович, что называется, психанул. То есть плюнул на все, отменил дела, встречи, командировки и полетел в госпиталь, где лечился и реабилитировался Виктор после ранения и контузии. Простому смертному не удалось бы так просто проникнуть в закрытый военный госпиталь, но «красная книжечка» Жаворонкова в сочетании с генеральскими погонами уже не раз и не два открывала перед ним и не такие двери. Поэтому он довольно легко преодолел путь к палате сына, увидел, что он находится в палате с еще одиннадцатью военнослужащими (стоит ли говорить, что через час после визита генерала Жаворонкова в госпиталь Виктора перевели в одноместную), в целом же нашел картину довольно удовлетворительной. Младший Жаворонков выглядел неплохо, хотя и бледновато, последствий ранения и контузии заметно не было. Правда, чувствовал он себя немного слабо, поэтому долгого общения не получилось. Но тем не менее старший вернулся в Москву успокоенный.

И вот теперь он возвращался на «гражданку». Наконец-то! Георгий Федорович улыбнулся, но тут же вспомнил про свои служебные дела и потускнел. Как он посмотрит в глаза сыну теперь, уволенный, обесчещенный? Вместо того чтобы помочь своему ребенку как-то определиться в этой жизни, он, наоборот, свалится на его шею со всеми своими проблемами. Нет, материально он, конечно, нескоро еще станет обузой для сына. Наоборот, его сбережений еще хватит и на то, чтобы отпрыска как-то поддержать и поставить на ноги. Но эмоционально, безусловно, он свалится именно на шею и именно Виктору. И это плохо.

Черт, черт! Что за жизнь! Георгий Федорович налил себе еще водки, и остаток вечера потонул для него в вязком тумане.

Очнулся он на следующий день, когда солнце уже находилось в зените. Голова его гудела. Дома никого не было, — по всей видимости, Лена ушла на работу, в свой музей. Кстати, интересным показался Георгию тот факт, что проснулся он в своей спальне, правда в брюках, но без рубашки, притом что сознание покинуло его вчера поздно вечером в кухне. Он попытался приготовить себе завтрак, но голова немилосердно болела, и тут экс-генерал подумал: «Интересно, а почему классики советовали лечить подобное подобным? Может, что-то в этом есть?»

Водки в холодильнике не оказалось, но в баре Жаворонков обнаружил початую, однако почти полную бутыль шотландского виски.

— Это то, что надо, — сказал он себе.

Вообще бару в его доме мог позавидовать любой гурман и эстет, причем вкусы генерала, сформировавшись много лет назад, не менялись и не зависели ни от каких государственных и общественных коллизий и пертурбаций. Что в сухие советские времена, что в голодную эпоху раннего капитализма, что сейчас. Если виски — то это исключительно «Шивас», если коньяк — «Хеннеси» или «Реми Мартин», водка, разумеется, «Финляндия», ну и так далее.

Оглядев еще раз свой бар, Георгий удовлетворенно крякнул и налил себе полный стакан «Шиваса»...

...Второй день запоя тоже удался на славу.

...Что было после этого, он помнил весьма смутно. Сквозь туман, в котором он находился, иногда пробивались к его сознанию голоса, лица — жены, Виктора, Женьки Смирнова, двух ученых, почему-то казавшихся близнецами. Видимо, все это были видения, хотя нет, жена-то вполне могла оказаться и реальной.

Запой длился около недели, а потом схлынул, как волна. Георгию было мучительно стыдно и захотелось попросить прощения у жены, которая столько с ним намучилась.

— Вот и отлично, — спокойно сказала Елена. — Мне врачи так и сказали: в первый раз можно ничего не предпринимать, через несколько дней очухается сам. Иди свари себе кофейку. Во-первых, что-то делать полезно, а то совсем амебой себя почувствуешь, а во-вторых, кофе хорош для прогрева мозгов.

Георгий покорно поплелся на кухню, чувствуя, что его тело абсолютно пустое, а воля атрофирована. Руки дрожали, кофе норовил просыпаться мимо джезвы, газ не хотел включаться. Ничего, ничего, надо взять себя в руки. Черт! Скоро приезжает Виктор!

— Леночка, а какой сегодня день? — спросил Георгий Федорович и сам содрогнулся от идиотизма этого вопроса. Как это непривычно! Раньше он в принципе не мог не знать, какой сегодня день... каждый день был окрашен для него в свой цвет, наполнен своими делами. Но теперь он пенсионер, да еще и запойный. Фу, мерзость!

— Вторник.

Значит, сын приезжает послезавтра. До четверга нужно привести себя в порядок и быть в форме. Он не может позволить себе предстать перед Виктором в таком виде — как знать, быть может, ему самому понадобится поддержка, помощь, все-таки мальчик пережил ранение, контузию. Да тут еще эта несчастная любовь, будь она трижды неладна.

Георгий вдохнул аромат свежесваренного кофе и улыбнулся. Все еще не так ужасно. Подумаешь, с работы уволили — с кем такого не бывало. Что, служба в органах — главное и великое дело всей его жизни? Нет! Ерунда! Он пошел служить, потому что ему представилась такая возможность, ему предложили влиться в ряды чекистов с холодными головами и горячими сердцами. Это было лестное предложение, кому попало его бы не сделали, но сказать, что он пришел в Комитет по зову души?

Извините. Работу свою он выполнял честно, считал ее важной и полезной, более того — ему было интересно работать. Потом нельзя скидывать со счетов и известные материальные блага, которые принесла ему служба, и постоянные поездки за границу. Худо-бедно мир повидал.

Да, безусловно, у него выработалось свое отношение и к делу, которое он делал, и к «конторе» вообще. Ему неприятно было, когда о Комитете отзывались озлобленно, с обидой: он знал, что такое отношение во многом заслуженно, знал, что прошлое его ведомства таит страшные страницы. И он был одним из тех, кто боролся за то, чтоб очистить имя их службы от скверны, за то, чтоб их будущее было лучше.

Все это так. Но это — пока он сам был с ними, внутри. А теперь он уже не внутри и совсем не считает свою жизнь конченой. Если б он был писателем, у которого отняли перо, скрипачом, у которого забрали скрипку, — тогда да, конечно! Или ученым, у которого отняли... Тьфу, проклятье! Георгий Федорович даже поперхнулся первым глотком кофе. Опять эти ученые, да как они сами подвернулись ему на язык... Мерзость.

Стоп, надо успокоиться. Так вот, ничего подобного не происходит. Он просто человек, добросовестно работавший на определенном месте, достигший определенных высот, теперь он вышел в отставку, то есть на пенсию, и может подыскать себе другое занятие. Например, коллекционировать значки или разводить орхидеи.

Наконец, у него есть семья... Красивая, умная, удачливая жена. Сын — герой войны, раненный в бою.

Он допил кофе и понял, что его жена, как всегда, оказалась мудра: рецепт был хорош. К нему вернулось не только сознание, но и самообладание, которым он всегда славился.

— Леночка! Лена! — позвал он жену.

В дверях их огромной, двадцатиметровой, кухни появилась Елена Станиславовна — как всегда, подтянутая, холеная, с горделивой осанкой и непроницаемым лицом.

— Хочу извиниться перед тобой, — робко начал Георгий Федорович. — Я... я вел себя как последняя свинья. Конечно, я не должен был себе ничего подобного позволять. Вся эта ситуация... на работе. В общем, сорвался. Извини меня. Впредь я буду держать себя в руках.

— Перестань, Георгий. Это все неважно. Совершенно несущественно.

— А что же существенно? Что важно?

— Важно то, что... я хотела с тобой поговорить еще неделю назад, но тогда ты был для этого непригоден. В принципе ничего особенно не изменилось, этот разговор я проведу сейчас.

Георгий Федорович почувствовал, как что-то его неприятно кольнуло.

— Я слушаю тебя, — сказал он, чувствуя, что внутри нарастает тревога.

— Я ухожу, Георгий, — сказала Елена Станиславовна ровным голосом.

— Надолго? — не понял Жаворонков. — Когда вернешься?

— Ты не понял меня. Я ухожу совсем. От тебя.

Георгий Федорович оцепенел. Естественный в таком случае возглас «Как?!» застрял у него на губах, так и не сорвавшись с них. Он молчал примерно с полминуты, а потом так же спокойно, в тон жене, спросил:

— К Смирнову?

— Ты всегда был умен, — слабо улыбнулась Елена. — Этого у тебя не отнять.

— Да, — подтвердил экс-генерал. — Правда, до сих пор мне это не очень помогало в жизни.

— Ну что ж... раз тебе все ясно, — Елена Станиславовна поднялась, — долгие проводы, как известно, есть лишние...

— Погоди! — крикнул муж. — Лена! Постой...

— Ну что еще? — В ее голосе сквозила невероятная скука.

— Послушай, Лена, я ведь все понимаю, — пролепетал Георгий Федорович просительно, — у нас сейчас действительно очень непростая ситуация...

— Нет, Георгий, ничегошеньки ты не понимаешь, — начала Елена довольно жестко. — Абсолютно ничего. Непростая ситуация — как ты это называешь — у нас была с того самого дня, как мы с тобой поженились. Но мы с ней жили, с этой ситуацией, мы с ней сжились — и все было в порядке. Ну или почти в порядке. А теперь обстоятельства изменились — как бы тебе сказать — кардинально. Я люблю другого человека.

— Лена! Леночка, — вскричал Георгий, но Елена перебила его брезгливым замечанием:

— Может, все-таки обойдемся без сцен? Я только что назвала тебя умным человеком — так не заставляй меня разочаровываться.

— Но послушай...

— Мы прожили много лет вместе. У нас было много хорошего. Так давай не будем омрачать нашего расставания. Изменить все равно ничего нельзя. Все уже решено.

— Лена! Опомнись!

— Именно это со мной и произошло. Все, хватит, Георгий.

В этот момент раздался мелодичный звонок в дверь.

— Это за мной. Извини, — сказала Лена и быстро вышла из кухни. Несколько раз звякнули замки, хлопнула входная дверь, и из прихожей раздался до боли знакомый голос. Жаворонков тяжело поднялся со стула и вышел в коридор. Постарался принять вид небрежный и надменный.

— Старик, — сказал Евгений Смирнов, улыбаясь, — ты неважно выглядишь.

Он стоял на пороге в распахнутом плаще до пят, стройный и подтянутый, в светло-бежевом костюме и неизменной «бабочке» вместо галстука.

— Зачем ты пришел в этот дом? — хрипло спросил Георгий Федорович. — Уходи. Тебе здесь не место.

— Я сейчас уйду. Извини, Жора, я... Поверь, эта ситуация мне тоже не совсем приятна, — Смирнов явно был взволнован и чувствовал себя несколько не в своей тарелке, — и не совсем проста она для меня, эта ситуация. Ты уж не думай, что я монстр какой-то, в самом деле.

Привычная нахрапистость ему явно сегодня изменила.

— Да я не думаю, — хмуро ответил Георгий. — Я уже давно ничего не думаю.

— Ну вот и славно, — отчего-то развеселился Смирнов. — Ты же знаешь. Сегодня ты...

— А завтра я, — еще более мрачно вторил ему Жаворонков.

— Ну вот. Правильно. Молодец, — подмигнул Смирнов. — Ленок, ты готова? — крикнул он в направлении их супружеской спальни.

«Ленок!» — резануло Георгия.

— Еще минуту, — раздался спокойный голос его жены. Пока еще жены.

— Мне очень жаль, что все так получилось, — зачем-то сказал Смирнов.

— Ты о чем?

— Зря ты так поступил. Ты же не первый год в органах, должен уже знать: не следует тупо лезть на рожон.

— Я не хочу еще раз к этому возвращаться. Все, что я думал, я тебе сказал в твоем кабинете.

— Женя, я иду, еще пару секунд, — крикнула из спальни Елена Станиславовна.

— Извини. Мне жаль, — сказал Смирнов очень серьезно.

— Не жалей ни о чем, — через силу улыбнулся Георгий Федорович. — Считай, что я отпустил тебе грехи.

— Ты? Ты всерьез считаешь, что я нуждаюсь в твоем снисхождении? — надменно вскинулся гость. В этот момент из спальни появилась Елена Станиславовна — как всегда, бодрая, подтянутая, собранная. В руке она держала небольшой чемодан.

— Георгий, я не буду сейчас собирать все, что мне нужно. Ведь ты не станешь менять замки или производить какие-то подобные мелодраматические глупости. Я приду за остальными своими вещами в другой раз. Разумеется, я поставлю тебя в известность.

Георгий Федорович молча кивнул. Он почувствовал, что не может больше говорить, соленый комок застрял в горле и мешал словам выходить наружу.

— Тогда до свидания, — произнесла Елена Станиславовна. — Извини.

— Пока, старик, — торопливо добавил Смирнов и поспешил покинуть квартиру. Следом за ним спокойно вышла Елена.

— Что мне сказать сыну? — крикнул Георгий Федорович ей вдогонку.

Елена Станиславовна остановилась, потом повернулась к нему и сделала несколько неуверенных шагов обратно к двери их квартиры.

— Я сама поговорю с ним. Я надеюсь, что он меня поймет. И ты меня тоже пойми. В жизни каждого человека такое бывает.

— И все-таки? — настаивал Жаворонков. — После-завтра он вернется домой и, естественно, спросит, где его мать. Что мне ему ответить?

— Расскажи ему все как есть, — не очень уверенно попросила Елена. — Что мы с тобой разошлись, это явление абсолютно обыденное и будничное. Мы прожили много лет счастливо, но теперь обстоятельства сложились по-другому. Я уверена, что он поймет. Скажи, что я буду жить отдельно. А позже я сама ему все объясню.

— Ну что ж, — уныло улыбнулся ее муж, точнее, теперь уже бывший муж. — Как ты хочешь. Пусть все будет по-твоему.

— До свидания, Георгий, — тяжко выдохнула Елена Станиславовна. — И не держи на меня зла. Прости.

— Пока. — Он выговорил это с деланой небрежностью.

Елена резко развернулась на каблуках и устремилась вниз по лестнице солидного, «сталинской» постройки, дома.

Георгий Федорович остался один в полутемной прихожей. Какой-то очень важный период в его жизни закончился. Еще один.

Хребет переломился.

Экс-генерал уныло поплелся в гостиную. В пустом доме было одиноко и неуютно. Он вынул из пачки сигарету, закурил. Потом еще одну. Нет! Что-то не то...

Он догадался, в чем дело и как помочь самому себе развеять тоску. Георгий открыл бар — после учиненного им разгрома осталось совсем немного. Порывшись как следует, он откопал бутылку коньяка «Курвуазье», который хранил на черный день — когда не останется никакой другой выпивки. Поскольку сегодня был безусловно самый черный день в его биографии, то этот не особенно любимый им напиток мог сослужить добрую службу.

Пробка выскочила с мягким щелчком. Георгий взял огромный бокал и щедро налил четверть. Улыбнулся, предвкушая облегчение, забвение всех страданий и то, как мир сей же час раскрасится яркими красками.

Сделал первый глоток. Слегка закружилась голова. Видимо, сказывались последствия многодневного запоя. Потом второй. Приятная истома разлилась по всему телу. Мир показался вдруг не такой уж плохой штукой.

Больше он ничего не запомнил.

Глава шестнадцатая

В кабинете Вячеслава Ивановича Грязнова было накурено.

— Нет, ты понимаешь, что происходит, Славка! — кипятился Турецкий. — Так же ведь и паранойю заработать недолго.

— Да, история, — процедил Грязнов, выпуская через ноздри сигаретный дым. — Так что, Нинка, значит, открывает конверт?..

— Ну да, а мне вдруг ударили в голову эти Костины предостережения. Что, мол, каждому из нас могут прислать «святое письмо». И я вдруг так живо представил себе, как мой собственный ребенок подрывается на этой...

— Вот ужас-то, а! Ты насмотрелся американских боевиков.

— Уж и не знаю, чего я там насмотрелся, а вот хотел бы я, блин, на тебя в такой ситуации посмотреть.

— Ну ладно, что ты взвился? Что дальше-то было?

— Ну что... Я ей ору как бешеный: «Не-е-ет!!» Дочь, бедная, ничего не понимает. Тогда я прыгаю на нее, а она к тому моменту уже вскрыла этот проклятущий конверт. Все происходит в секунды, действительно как в голливудском кино. Упал, чуть все ребра не переломал. Теперь бок болит.

Турецкий для убедительности покряхтел.

— Ну а что было в письме? — спросил Грязнов.

— Да ничего. Нормальное рекламное дерьмо. Покупайте, присоединяйтесь, наслаждайтесь. Тьфу, позор, да и только.

— Ребра правда поломал или так, ерунда?

— Да вроде ерунда...

— Да, мой друг, это она самая.

— Кто?

— Паранойя. Мания преследования.

— А что делать?

— А ничего не поделаешь. Работа у нас такая. Знаешь такую песню?

— Знаю я все наши песни...

С минуту сыщики молчали. Потом Турецкий крякнул:

— Ну что, надо как-то приходить в себя и ехать раскалывать госпожу Смирнову.

— Думаешь, получится? — усомнился Грязнов.

— А мы поднажмем! — подмигнул Александр Борисович, а потом вспомнил непроницаемое лицо вдовицы и погрустнел. — Черт его знает. Может, и не получится. Но попробовать-то мы обязаны, правда?

— Похоже, Виктор — как его? — Жаворонков становится главным подозреваемым? А что с учеными?

— А что с учеными... Ни при чем они, вот и все. Младший Давыдов границу России в последние три месяца не пересекал. Суворова, конечно, хорохорится, но по сути слабая и несчастная женщина.

— Ну, знаешь, Сашок, видали мы таких несчастных.

— Да, ты прав, но...

— А что у нее с алиби?

— С алиби у нее неважно, и именно поэтому подозрения с нее пока никто не снимает. Но если выбирать между ней и профессиональным сапером...

— Ну, знаешь ли, это еще бабушка надвое сказала. Иной раз дилетанты тебе такое отчебучат, что профессионалам и не снилось.

— Да, Славик, ты прав. Но все же мне кажется, если работать не для галочки, а для дела, то Виктор намного перспективнее.

— Ну да, наверное, так оно и есть, — миролюбиво согласился Грязнов. — Что ж, поговори с дамочкой. Потом расскажешь.

В квартире на Фрунзенской набережной было тихо, как в склепе. Ни один призрачный звучок не доносился снаружи, ни одну ветку комнатного цветка не шевелил майский ветерок, да и сам этот вольный весенний ветерок не гулял по квартире, запертой, законопаченной, загерметизированной, будто специально, чтобы не допустить внутрь ничего из внешней жизни.

Казалось, что и время здесь остановилось.

— Елена Станиславовна, извините, я понимаю, что очень докучаю вам, — начал Александр Борисович скучным голосом. — Поверьте, что мне тоже не доставляет никакого удовольствия приходить сюда снова и снова и задавать одни и те же вопросы...

— Давайте оставим эти реверансы, — резко оборвала вдова. — К делу!

— О'кей, обратимся к делу. Елена Станиславовна, я вынужден вернуться к теме вашего первого брака. Мне понятно, что вы не хотите об этом говорить, кажется, я догадываюсь, почему вы не хотите, я не хочу утверждать, будто вы намеренно что-то от нас скрываете. Видимо, просто эта тема... Одним словом, я все понимаю и просто прошу вас сэкономить нам время — ведь все равно же мы в конце концов узнаем все, что нас интересует, если не через вас, то каким-то другим путем. Итак, речь идет о небольшой помощи следствию, в котором в каком-то смысле и вы сами заинтересованы, не так ли? Ведь, в конце концов, мы разыскиваем убийцу! Убийцу вашего мужа. Я имею в виду вашего второго мужа, — уточнил Александр.

— Что именно вас интересует, Александр Борисович? — сухо поинтересовалась Елена.

— Расскажите мне, пожалуйста, все о вашем первом муже, Георгии Федоровиче Жаворонкове.

Елена Станиславовна еле заметно улыбнулась, что, наверное, должно было означать: «О! Следствие продвинулось! Уже и фамилию разузнали!»

— Все? — недоверчиво повторила она. — Что значит «все»? Все — это так много. Вряд ли вам интересно, как мы познакомились, как гуляли в обнимку вдоль Москвы-реки и как в первый раз поцеловались. Так что же вас интересует?

— Ну хотя бы основное. Краткие тезисы из автобиографии.

— Ну хорошо... — промолвила Елена Станиславовна, настраиваясь на повествовательный лад. — Мы с Георгием поженились много лет назад. Он был тогда лейтенантом КГБ. Прожили вместе почти тридцать лет. У нас есть общий сын, Виктор. Потом я встретила другого человека и поняла, что именно его искала всю жизнь. История старая как мир, просто миллионы женщин боятся что-то изменить, продолжают тянуть свою лямку. А я не побоялась, поэтому вы и смотрите на меня теперь так иронически. И совершенно напрасно!

— Я? — искренне изумился Турецкий. — Нет, что вы! С какой стати! Да это и не мое вовсе дело. Скажите, а где сейчас ваш первый муж?

— Его нет в живых.

Вот теперь Александр Борисович действительно был поражен.

— Как нет? Он умер? Что же с ним случилось?

— Он покончил с собой. Застрелился из табельного оружия. Георгий... был безусловно очень достойным человеком, я не хочу о нем сказать ни одного дурного слова, но... в нем всегда чувствовалась, как бы это объяснить, какая-то... слабинка. Излишняя чувствительность.

— Его самоубийство было связано с тем, что вы ушли от него? Извините, если я вмешиваюсь не в свое дело, но... я так понял вас, что это именно *вы* от него ушли.

— Нет, это никак не было связано. По крайней мере, я очень надеюсь, что не было связано. Дело совсем в другом, я же сказала вам, что Георгий был излишне чувствителен — во всяком случае, излишне чувствителен для человека его профессии, — а у него как раз в это время возникли... э-э-э, проблемы на работе.

— «Дело двух ученых»?

Елена вспыхнула, но тут же взяла себя в руки.

— Я не понимаю, о чем это вы.

— Двое ученых, которых осудили якобы за шпионаж, за «измену Родине». Ваш первый муж и ваш второй муж занимали явно полярные позиции по этому вопросу. Там было что-то вроде спора — мягко говоря. А точнее, это слегка напоминало дуэль.

— Я совершенно не в курсе, — сухо повторила вдова.

— Ну хорошо. Тогда расскажите, пожалуйста, про вашего сына. Где он сейчас?

— К сожалению, и здесь ничем не смогу вам помочь. Сын прервал со мной всяческие отношения. Это довольно долгая и грустная история, но, право же, она никак не касается следственных органов.

Елена помолчала.

— Если хотите, я могу дать вам адрес квартиры... ну, в общем, нашей бывшей квартиры. Я думаю, что Виктор и сейчас живет там.

— Да, это очень хорошо, спасибо! Это может нам существенно помочь, — кивнул Турецкий. — Спасибо. Скажите, Елена Станиславовна, а какой он — Виктор? Что-нибудь особенное, что касается его характера?

— А какое, собственно, отношение к совершившемуся преступлению имеет мой сын?

— С удовольствием вам объясню, Елена Станиславовна. Ваш сын является одним из главных подозреваемых по этому делу.

— Виктор?! — преувеличенно удивилась Елена Станиславовна. — Но это же какой-то нонсенс! Абсурд!

— Отнюдь нет. Вот вы посудите сами: отец покончил с собой. Непосредственно перед этим у него был на работе конфликт с его прямым начальником. Этот же начальник увел у него жену.

Александр увидел, каким мрачным огнем загорелись глаза Елены Станиславовны, но продолжал как ни в чем не бывало:

— Вырисовывается некая идея мщения. Добавьте к этому то, что Виктор в армии был сапером, то есть уж в чем, в чем, а во взрывчатке-то он разбирался прекрасно. Профессионально. Кстати, а почему он ушел в армию? Ведь он, кажется, учился в Бауманке?

— Вы прекрасно осведомлены.

— И все же?

— Там было что-то вроде несчастной любви. Я точно не знаю, он нас не очень-то посвящал. Одним словом, его уход в армию — это своего рода протест, попытка что-то доказать — нам или ей.

— Как ее звали?

— Э-э-э... Как же ее звали? — Елена наморщила лоб.

«Врет! Нагло врет! — подумал Турецкий. — Все она прекрасно знает, только не хочет говорить. И даже имя девушки назвать не желает».

— То ли Маша, то ли Даша... А может, Наташа.

— Простите, но это несколько неправдоподобно звучит. Вы даже не знаете имя девушки, в которую был влюблен ваш сын? Притом настолько влюблен, что из-за нее бросил институт и ушел добровольцем в Чечню!

— Мой сын всегда был довольно странным ребенком. Он был очень замкнутым, рос в каком-то своем мире и не пускал в него других.

— Даже собственных родителей?

— Даже собственных родителей. Так что боюсь, что...

— Что же... Я благодарю вас за помощь. Хотя мне почему-то кажется, что вы не рассказываете мне все, что знаете.

— Извините. Если это возможно, мне бы хотелось поскорее закончить этот неприятный разговор.

«Врет, стерва. Покрывает сыночка!»

Турецкий поднялся.

— Ну не смею более вас задерживать. Всего вам доброго. И до свидания.

— Вы полагаете, что я еще вас увижу? — поинтересовалась Елена Станиславовна без энтузиазма.

— Не сомневаюсь, — лучезарно улыбнулся в ответ Турецкий.

Из машины Турецкий позвонил Славе Грязнову.

— Привет, Славик!

— А, здорово! — отозвался Вячеслав в трубке мобильника. — Ну что, поговорил с вдовицей?

— Поговорил, — проворчал Турецкий. — Не хочет наша вдовица помогать следственным органам.

— Что, ничего путного не говорит?

— То есть просто абсолютно не идет на контакт. Про сыночка своего никак не распространяется. Ничего не знаю, ничего не видела, ничего не слышала. У мальчика свой внутренний мир, и он никого в него не допускал. Как зовут подружу — не помню, не то Даша, не то Наташа. Одним словом, глухо, как в могиле.

— Знаешь, Сашок, о чем все это говорит?

— Ну скажи, о чем же, по-твоему, все это говорит?

— Она сама подозревает собственного ненаглядного сыночка. И именно поэтому покрывает его перед нами. Не хочет его нам, так сказать, сдавать.

Турецкий помолчал несколько секунд.

— А что? В этой мысли что-то есть. Впрочем, она нам сейчас не особенно помогает, но все равно интересно.

— Так что, мадам Смирнова не сказала тебе, где найти этого самого Виктора?

— Она дала адрес квартиры, где жил покойный Жаворонков.

— В смысле его папаша?

— Ну да. Но с сынком Елена уже длительное время не контактирует: поссорились — а из-за чего, она отказывается говорить.

— Н-да, странная семейка, — хмыкнул Грязнов.

— Короче, Славка, я сейчас еду туда.

— К Жаворонковым?

— Ну да.

— А ты знаешь, что я тебе сейчас скажу?

— Ну?

— Точнее, спрошу.

— Ну же валяй, не томи.

— У тебя оружие с собой?

— Нет, — рассмеялся Александр.

— Зря ржешь, дубина, — рявкнул Грязнов в трубке. — Мне что-то этот Витек ужасно не нравится.

— Вячеслав Иванович, вы стареете! — продолжал веселиться Турецкий. — Ты что, старик? Или у тебя уже тоже развилась мания преследования?

— Брось, Сашка, балагурить, так твою мать! Ты же знаешь мою интуицию. Я старый сыскной пес, и мой нюх проверен не раз и не два. И вот чует мое сердце, хоть ты тресни: нахлебаемся мы еще с этим Витьком по самое не могу.

— Ну раз ты так беспокоишься за мою драгоценную жизнь — что, кстати, очень трогательно и любезно с твоей стороны...

— Ой, перестал бы ты выступать!

— ...Тогда приставь ко мне конвой.

— Конвой не конвой, — все еще серьезно ответил Вячеслав, — а давай-ка мы с тобой вместе съездим. Давно мы с тобой вместе не ездили на дело!

— Так бы и сказал, что засиделся в своем кабинете, хочешь прокатиться, на людей посмотреть, себя показать.

— Так что, заедешь за мной?

— Ну конечно, заеду, куда же я денусь! Ты где сейчас — на Петровке?

— Ну да.

— Тогда будь готов, я стартую.

— Что это ты, Славка, в панику ударяешься? — произнес Турецкий, когда Вячеслав, кряхтя, погрузил себя в щеголеватый темно-синий «Пежо-406». — Подумаешь, эка невидаль с подозреваемым поговорить — то ли я в первый раз замужем!

— Вот хошь — верь, хошь — не верь, а у меня предчувствие насчет этого поганого Витька.

Грязнов для убедительности рубанул ребром ладони по передней панели.

— Я, конечно, твои предчувствия уважаю, — сказал Александр. — Так же, как и твои суеверия.

— Ах суеверия! Вот как ты...

— Ну не обижайся. Просто мне кажется, что ты перестраховываешься.

— А знаешь, старик, иногда лучше перестраховаться!

— Когда это мы руководствовались подобными принципами?

— Никогда не руководствовались. И очень глупо с нашей стороны. Но тогда мы были молодые, горячие... Безмозглые. Рисковали почем зря. А сейчас хочется верить, что все же немного мозгов у нас появилось...

— Послушай, ну мы, конечно, стали пожилыми зубрами, но все же порох-то у нас еще остался, а? В наших пороховницах?

— Пороху хватит, — подмигнул Грязнов, похлопывая себя по пояснице.

— Ладно, хватит болтать, — сказал Турецкий. — По-моему, мы приехали.

Вячеслав Иванович молча достал из кобуры пистолет Макарова.

— Слав, да перестань. Ну что ты готовишься, как на войну!

— Ладно-ладно, — прохрипел тот. — Не учи ученого. У тебя работа интеллектуальная — концепции там, теории, дедукция. Разговоры разные, разоблачения. А мы, понимаешь, народ простой, наше дело преступника брать. Так что иди себе тихонько за мной и не мельтеши, — закончил Грязнов, заходя в подъезд.

— Дверь заперта. Мы не знаем код, — горестно пожаловался Турецкий.

— Ну это же старо как мир! — научил его Грязнов. — Ты что, телевизор не смотришь? Самые стертые клавиши и есть те самые, кото...

Но он не успел закончить свою менторскую тираду, потому что тяжелая дверь отворилась и через нее просочилась крохотная смешная девочка лет шести, с огненно-рыжими косичками.

— Ты видишь, — шепнул Грязнов, вставляя ногу в образовавшийся проем. — Рыжие не дремлют! У нас везде свои кадры.

Чувствуя себя героями остросюжетного кино, друзья двинулись вверх по лестнице.

Однако их ждало разочарование. В квартире номер 32 явно никого не было. Одинокий звонок разносился по всем ее углам, но некому было ответить на него.

— Вы это... к кому? — испуганно скрипнул старушечий голос за спиной.

— Мы, бабуля, из уголовного розыска, — несколько упрощая формулировку, ответствовал Грязнов, доставая и протягивая бабуле удостоверение. — А скажите-ка нам, как нам найти Виктора Жаворонкова?

— Ой, неужели натворил чего Витюшка? — охнуло ветхое привидение, материализуясь в типичную дворовую старушенцию в платочке и бесцветном халате.

— Не-ет, — заверил ее Вячеслав Иванович. — Ну что-о вы. Просто он проходит свидетелем по одному очень-очень важному делу.

— А-а, — шамкнула бабуся.

— А вы давно его видели?

— Да с тех пор, как папка-то его опочил, царствие небесное Георгию Федоровичу, Витюшка-то здесь и не живет.

Сыщики переглянулись.

— А мамка, та еще раньше сбежала. Говорят — с любовником, прости господи...

— А где же он живет? Виктор-то?

— А бог его ведает! Я знаю только, что приходит он где-то в неделю раз и выходит завсегда с котомкой. Я думаю, — старушка конспиративно понизила голос, — что он продает книги. Книг-то у Георгия покойного было видимо-невидимо! Видно, деньги сынку надобны.

— Спасибо вам, уважаемая, — молвили хором оба детектива, но вошедшая в раж бабуля продолжала:

— Вот ведь удивительное дело! Георгий, царствие небесное, такой положительный был человек, такой спокойный, вежливый... А семья у него какая-то, — бабка вновь понизила голос до заговорщицкого, — сумасшедшая! Что жена, что сын...

Она готова была говорить еще, но Турецкий и Грязнов узнали все, что им было нужно, и поэтому поспешили распрощаться.

— Ну что ты об этом думаешь? — спросил Александр, когда оба они вышли на улицу.

— Здесь нужно поставить засаду. — Грязнов был озабочен. — Если он появится, то сразу...

Вячеслав сделал жест хватательного характера, такой эмоциональный, что неведомый пока взрывник, если бы мог его увидеть, наверняка бы испугался и сдался без боя.

— Да, это можно, — лениво согласился Турецкий. — Людей-то хватит?

— Обижаешь! Дам лучших из лучших.

— Но беда вся в том, что он может, как назло, не появиться здесь еще неделю, а то и две. А у нас нет столько времени.

— А ты уверен, что это именно он?

— Что «он»?

— Наш взрывник.

— Ну уверенным быть нельзя ни в чем, — проговорил Турецкий. — Но посуди сам: ведь все сходится очень удачно. Странный ребенок, мозги не на месте. Несчастная любовь, Чечня. Там, поди, насмотрелся всякого разного — и совсем крышей поехал. А тут приезжает домой — папа кончает с собой. Спрашивается, почему? А потому что мама ушла к другому. А к кому же это к другому? А вот к тому самому генералу Евгению Ивановичу Смирнову, который папу покойного так несправедливо обижал.

— А два ученых?

— А два ученых, Славочка, — резко осклабился Александр, — как две шахматные фигуры в этой большой гэбэшной партии. Хочу — пожертвую, хочу — сохраню, а хочу — сниму с доски и собственными зубами деревянную башку отгрызу. Будто они и не живые люди!

— Н-да... Невесело! — хмыкнул Вячеслав.

— Какое уж там веселье! Ну так и вот, в нездоровом мозгу нашего дорогого друга Витька рождается идея мщения. Может быть, он читал когда-то «Графа Монте-Кристо». А может, и не читал. Неважно.

— Почему именно бомбы?

— Славик, так ведь он же сапер! Он говорит с бомбами на их языке. Ну и еще, возможно, что-нибудь по телевизору услышал. Метод-то ведь совсем не новый, даже очень популярный нынче. Возьми вот хоть ту же Австрию.

— Да, в принципе все, что ты рассказываешь, звучит логично.

— Ну да, по-моему, тоже.

— Так что ты скажешь, будем ставить здесь засаду?

— Да, конечно, засаду необходимо поставить. Хуже-то не будет. Но ведь этого недостаточно!

— Ну можно еще параллельно искать его и в других направлениях, в смысле Виктора.

— Например? — Турецкий поднял брови. — Что ты имеешь в виду?

— Ну, например, школа, — ответил Грязнов.

— Школа... Ну да, разумеется! Из школы можно много выжать!

— Выяснить, в какой школе он учился, не будет ведь большой проблемой.

— Определенно не будет. Найти его классную руководительницу...

— Или какую-нибудь там, черт ее знает, любимую учительницу, будь она четырежды неладна, — подхватил Вячеслав Иванович, — и высосать из нее всю информацию, какую можно.

— И тем более какую нельзя. Да, это перспективный канал. Так что, может быть, зарядишь кого-нибудь из своих ребят заняться этим? А то у меня Вовка Поремский пока что «пасет» наших ученых, а сам я бы лучше занялся другими вещами.

— Давай я подключу Галю Романову? Не против?

— Что за вопрос! Конечно!

— Значит, решено?

— Ну конечно! Подключай Галочку, пусть ищет учительницу, а через учительницу пускай найдет эту таинственную Дашу-Машу-Наташу...

— Подружку Виктора?

— Ее самую. Ох, не удивлюсь, если окажется, что он именно у нее и прячется.

— Ты же говорил, — протянул Грязнов, — несчастная любовь... Ты думаешь, что они помирились и именно она, эта таинственная Маша-Даша, его прячет?

— Я не знаю, старик, помирились там они или не помирились. Но вот увидишь, окажется, что Витек скрывался у нее. Ну вот я так чувствую! Считай, что у меня тоже интуиция. Я же в твою интуицию поверил? Поверил! А ты в мою?

Друзья вернулись в машину и отъехали от дома семьи Жаворонковых. Беспокойный Вячеслав вновь завел ту же песню, которая ему, видимо, запала в душу:

— Вот помяни мое слово, Сашок, нахлебаемся мы дерьма с этим Витьком...

— Да ладно, Славик, ну что ты, в самом деле! А может, нет?

— Вот посмотришь...

— А я чувствую, что все обойдется тихо-мирно.

— Хочешь поспорить?

— Да ладно, что мы, в буржуазном тотализаторе, в самом деле?

— Если все пройдет тихо, с меня пять бутылок коньяка.

— Ого! — свистнул Турецкий. — А если нет?

Грязнов неожиданно развеселился и даже засмеялся от удовольствия.

— А если нет — я надаю тебе по твоей наглой лыбящейся турецкой морде!

Глава семнадцатая

...Ну вот все и закончилось, в этот раз даже и без неприятностей. Как это скромно пишут в медицинских энциклопедиях, «припадок может сопровождаться непроизвольным мочеиспусканием». Легко это писать, сидя в сухих штанах, а вот попробуй-ка ты... Но сегодня все обошлось, несильный был приступ.

Теперь меня будет мучительно клонить в сон; уже сейчас веки тяжеленные, а тело пустое, как будто из меня выкачали всю плоть. Или же долго били. Но вместе с тем — такое облегчение, облегчение...

Однако, прежде чем я усну, я должен соорудить новое «святое письмо», чтобы уже завтра оно ушло к своему счастливому адресату. Хорошо, что эту работу я могу делать почти механически, не думая; и хорошо, что она так меня радует и даже бодрит.

Кажется, перед началом припадка я вспоминал свою учительницу Горбушку, единственное лицо, которое я помню из этих десяти пустых, дутых школьных лет. Ну не считая Наташи, конечно. Нас троих — Наташу, Горбушку, то есть Дину Леонидовну, и меня — объединила любовь к химии, потому что химия — самая прекрасная и самая великая из всех наук! В этом я был и буду убежден.

«Взрыв — это процесс очень быстрого превращения взрывчатого вещества в большое количество сильно сжатых и нагретых газов, которые, расширяясь, производят механическую работу (разрушение, перемещение, дробление, выбрасывание)».

Какая музыка, какие стихи сравнятся с этой строгой учительской фразой? Вещество, расширяясь, переходит в газообразное состояние, становится газом — вот где поэзия! А дальше — еще интереснее: высвободившаяся энергия начинает бушевать, разрушая и дробя все на своем пути. Как это прекрасно! Какое отчаяние, экстаз, какая свобода!

Книги по химии были моей Библией. Взрывы — моими откровениями. Какие волшебные слова: детонация, фугасность, бризантность! Что мне музыка? А эти названия взрывчатых веществ, эти волнующие имена — гексоген, тротил, пластит, мелинит, аммонит. Ну и, конечно, простая скромная селитра. Они были моими друзьями, моими игрушками. Конечно, я знал, что это опасные игрушки, любить их — опасно. Но ведь и любовь, скажем, дрессировщика к тигру тоже опасна! Тигр может напасть и сожрать дрессировщика. Но он никогда не станет нападать на того, кто умеет с ним правильно обращаться. А я умею, потому что я укротитель.

И там, в горах, я был им, укротителем чужих злобных игрушек; я сделал это своей специальностью. Про таких, как я, часто шутят, мол, мы ошибаемся один раз. Что ж, может быть; но я не ошибся ни разу, потому что знал! И любил. Только любя можно подчинить.

Я находил их безошибочно, и ребята даже смеялись, что у меня на них чутье, нюх. Я практически не пользовался миноискателем и прочими приспособлениями. И ни одна из «игрушек» не покусала никого из наших.

Вот и когда пришла беда, я сразу вспомнил про своего лучшего друга — химию — и позвал на помощь. А беда пришла...

Сколько буду жить, никогда не забуду этот кошмарный день. Впрочем, кто сказал, что мне долго осталось жить?

Итак, я вернулся домой, в нашу квартиру, где раньше — пока не ушла эта женщина, моя мать, — жила наша дружная семья. Открыл дверь своим ключом и, как только переступил порог, почувствовал ее — беду. Отец лежал в кухне, такой большой и абсолютно неподвижный. Я кинулся к нему и увидел струйку запекшейся крови, стекавшей по его седому виску. Тогда только я заметил «макарова» в его правой руке. На кухонном столе белела записка, я сел за стол и принялся ее читать. Удивительно, что я был совершенно спокоен, почти равнодушен и даже закурил.

Содержание записки — или, правильнее сказать, письма — помню очень хорошо, хотя прочел его только один раз, тогда: письмо не сохранилось.

«Мой дорогой, любимый сын! Обращаюсь к тебе, потому что больше не осталось никого, кому есть дело до меня и до кого есть дело мне. Прежде всего — прости меня и не осуждай. Наверное, именно тебе суждено найти меня, и я представляю, как это тебе будет тяжело. Но ведь ты же офицер! Воспринимай это как гибель командира от вражеской пули. И пойми меня, как офицер офицера.

Я больше так не могу. Я любил свою работу и старался выполнять ее честно. Зная, что представляет собой мое ведомство, и зная, что не всегда оно действует благородными методами, изо всех сил старался этому противостоять. Считал, что служба безопасности государства — не выдумка диктаторов, а необходимость, без которой в современном мире не обойдется ни одна страна. Пусть нас называют тайной полицией — я видел в том, что мы делаем, просто работу, такую же, как любая другая, работу, которую нужно выполнять четко, честно, не пачкая рук.

Не получилось. Пострадали два совершенно невиновных — я в этом убежден — человека, ученых. А затем и я сам потерял все, что у меня было: любимую работу, любимую жену, спокойную семейную жизнь.

Мой дорогой сын! Ты видел мои попытки найти правду, мои старания восстановить свое доброе имя, видел крах этих стараний. Жить так, в грязи, я не могу и не хочу. Я устал, смертельно устал и отчаялся, не хочу больше ничего. Мне остается только уйти. Пойми меня, как солдат солдата. Ты был на войне, видел ее ужасы и знаешь, как рычит от боли раненый с распоротым животом, как он умоляет своих товарищей пристрелить его. Так вот, я — такой раненый, с той разницей, что распорот у меня не живот, а душа. И еще с тем неоценимым преимуществом, что я не должен никого ни о чем просить; я в состоянии все сделать сам.

Перед тем как я уйду, хочу передать тебе список фамилий. Нет, я не прошу тебя мстить, пожалуй, я даже против этого. Я просто хочу, чтоб ты знал своих врагов в лицо — как на войне».

На этом сама записка кончалась, далее следовал еще список из нескольких имен, многие из которых мне были знакомы. Я дочитал предсмертное письмо до конца, оставался по-прежнему странно спокоен, выкурил еще одну сигарету. И вдруг во мне что-то сломалось. К горлу подступил соленый ком, из глаз сами собой почему-то потекли слезы, и я зарыдал — заливисто, в голос.

Я кинулся к телу своего несчастного отца, обнимал его, будто пытаясь оживить. Во мне нарастала некая странная волна. Сначала я почувствовал себя непривычно свободным, мне даже почудилось, что я — птица. Я увидел вокруг бесконечное, пронзительно-голубое небо, а внизу — огромную и почему-то заснеженную Москву. Это чувство свободы и полета было так невероятно прекрасно, что я даже засмеялся от радости. И тотчас же оказался там, в горах, в том самом бою, в котором меня контузило. Почерневший остов сгоревшего дома на фоне безрадостного весеннего неба — все, что осталось от деревни, в которой мы производили «зачистку». А вот и он, бросивший ту самую гранату, взрывной волне от которой я обязан своим ранением и досрочной демобилизацией.

Больше ничего не помню. Очнулся я там же, где и лишился сознания, в кухне, но не было ни трупа, ни предсмертного письма. Это конечно же «контора» постаралась. Позже врачи объяснили мне, что именно тогда со мной случился мой первый приступ, объяснили, как называется моя болезнь. На латыни — эпилепсия, а по-русски совсем смешно: падучая.

Па-ду-ча-я...

Глава восемнадцатая

Утро старшего лейтенанта Департамента уголовного розыска МВД, оперуполномоченной Галины Романовой начиналось обычно с легкой перебранки с будильником и диетического завтрака. Но сегодня все пошло не по плану, поскольку разбудил Галю звонок ее непосредственного начальника, генерала Вячеслава Ивановича Грязнова.

— Здравствуй, девочка, — сказал Грязнов по-отечески. Он любил Галю и симпатизировал ей не только потому, что она приходилась родной племянницей покойной Шурочке Романовой — легендарной генеральше и боевой соратнице Грязнова, грозе московского преступного мира, но еще и потому, что в делах, в расследовании которых Галя принимала участие, она проявила себя как цепкий и надежный профессионал. — Здравствуй, девочка. Ты мне нужна срочно-срочно. Есть дело. Так что, пожалуйста, поторопись.

Так, завтрак отменяется. Ну, может, оно и к лучшему, подумала Галя, ведь уже много лет она изнуряла себя овощами с утра — а как хотелось, как хотелось, черт побери, залить яичком несколько ломтиков ветчины на сковородке, поджарить тосты, такие румяные, симпатичные, а еще лучше — разогреть котлетки, оставшиеся от обеда... но нет! Нет! При ее наследственной склонности к полноте все это совершенно невозможно. Она еще совсем молодая девушка, и — ничего с этим не поделаешь — ей хочется нравиться мужчинам!

И вот старший лейтенант Романова оделась «по тревоге» и, взяв себе на завтрак яблоко, которое она намеревалась проглотить по дороге, выскользнула из дома.

— Привет, Галюша. Значит, так. Слушай, — начал Вячеслав Иванович, как только Галя впорхнула в его кабинет. — История наша вот такая...

Грязнов лаконично, но достаточно подробно изложил Галине все обстоятельства дела таинственного террориста-взрывника, особо заострив внимание на главном подозреваемом — отставном сапере Викторе Жаворонкове.

— Добудь мне его. Достань из-под земли. Школа, Бауманский институт, военкомат, отделение милиции... Что еще?

— Он же инвалид? Значит, пенсию получает, — включилась Галя.

— Умница, — отозвался Грязнов. — Стало быть, добавь еще и собес. Но начни со школы — там у него был какой-то роман, это может быть перспективной ниточкой. Поговори с учителями, разведай все, что можно. Ну что я тебя буду учить — ты сама уже большая. Задание ясно?

— Ясно, Вячеслав Иванович!

— Тогда действуй.

Галя кивнула, повернулась на каблуках и вышла из кабинета.

Метро обрушилось на нее привычной суматохой. Озабоченные люди, толпы сосредоточенно перемещающегося народа... До сих пор, даже уже привыкнув по-своему к Москве, ее расстояниям, ее населенности, выросшая в Ростове-на-Дону Галя порой ловила себя на каком-то атавистическом провинциальном восторге перед столичным *масштабом*.

Школу лейтенант Романова отыскала быстро. Поразило Галю то, что снаружи здание в точности повторяло школу из ее ростовского детства, в которой училась когда-то она сама.

«Ничего удивительного, — подумала Галина, — наши советские дела. Один архитектурный проект на весь Союз — и вот уже счастливые детишки, будущие строители коммунизма, ходят все в одинаковой убогой форме в одинаковые бетонные школы — и так на всем великом пространстве от Калининграда до Владивостока».

Она переступила порог, поймав себя на каком-то забавном внутреннем волнении.

Ну просто удивительно! Что тихий, патриархальный Ростов, что сумасшедший столичный мегаполис — везде все одно и то же! И ничего в них не меняется, в этих школах, все тот же школьный дух... Сразу нахлынули какие-то дурацки-щемящие воспоминания: заваленная контрольная по геометрии, прогул урока по химии, утренние построения на НВП — начальной военной подготовке — под командой квадратноголового отставного майора, вторая смена и ранние сумерки, неясное щекотание пробуждающихся гормонов, уроки физкультуры и мальчики, нахально пялящиеся на внезапно выросшую грудь, предательски обтянутую тонкой футболкой. Это забытое ощущение зависимости, уязвимости. Страх экзаменов...

— Женщина! — Грубый оклик прервал Галины сентиментальные воспоминания. — Женщина! Да-да, вам говорю!

Навстречу Гале ковыляла типичная школьная уборщица: бабуля неопределенного возраста в халате неопределенного цвета и довольно-таки агрессивно размахивала руками.

— Вам чего тут?

— Здравствуйте, — вежливо произнесла Галина, одновременно доставая удостоверение.

— Ну здрасте. А чего вам, собственно?

— Старший лейтенант Романова, Департамент уголовного розыска МВД. Где кабинет директора?

Что-то прыгнуло в глазах грозного стража школьных порядков, и напористая бабуля вдруг залебезила:

— А... это да, вон туда, пожалуйста. На втором этаже. Вон там по лестнице поверните. А это... чего? Кто-то натворил чегой-то?

«Кошмар! Позор! — мысленно восклицала Галя, поднимаясь по серым школьным ступеням. — Срочно на усиленную диету, срочно! На еще более усиленную. Еще совсем недавно я была «девушка», а теперь уже «женщина, вам чего?». Да и вообще, что это за кондово-советское «женщина»? Ужас, да и только! Как изящно это звучит на Западе: мадам, мадемуазель, фрау... А у нас «госпожа» как-то не приживается, корней не пускает. И вот мы все — «женщины»...»

Так, ругая себя, она достигла дверей директорского кабинета. Директора звали типично по-директорски: Юрий Николаевич.

«Директора школ почему-то обязательно либо Юрии Николаевичи, либо Александры Васильевичи, — подумала Галя. — Может быть, их специально по этому критерию подбирают?»

— Здравствуйте, Юрий Николаевич. Старший лейтенант Романова, Московский уголовный розыск. — Галя протянула удостоверение.

В глазах директора отразилась тревога.

— Что случилось? Кто-то из наших набедокурил?

— Нет-нет. Просто меня интересует один ваш бывший ученик.

— Да вы садитесь, пожалуйста. — Жестом радушного хозяина директор указал на кресло. — Хотите кофе? А может быть, сок? У меня есть превосходный яблочный сок. Холодненький!

— Нет-нет, спасибо.

— Как зовут мальчика, который вас интересует?

— Теперь он уже не совсем мальчик, он окончил вашу школу лет шесть-семь назад. Некто Виктор Жаворонков. Помните его? Полное имя — Жаворонков Виктор Георгиевич.

Директор снял очки в солидной старомодной оправе и потер переносицу.

— Да, помню. То есть как бы это сказать, я точно помню, что такой у нас учился. Фамилия довольно редкая. Но это было действительно давно.

— А что он собой представлял, этот Виктор?

— Вот насчет «что собой представлял» скажу вам честно — абсолютно ничего не помню. Значит, видимо, ничем особенным он не выделялся: не хулиганил, не безобразничал. Иначе бы уж я помнил точно.

— Я хотела бы поговорить с его учителями.

— А что именно вы хотите о нем узнать?

— Все, что мне поможет его как можно скорее разыскать. Чем увлекался? С кем дружил?

— Знаете что, — директор снял трубку внутреннего телефона, — мы сделаем вот как. Алло, Майечка? Здравствуйте, Майечка, вы можете ко мне заглянуть на секунду? Да, довольно срочно. Спасибо. Это наша завуч, и она же ведет английский язык, — пояснил Юрий Николаевич. — Я-то сам давно не преподаю, а вот она, может, и вспомнит этого Виктора.

В дверях возникла типичная завуч — пожилая, красивая и полная, с волосами, собранными на затылке в пучок.

— Познакомьтесь, пожалуйста. Это наша завуч, Майя Васильевна. Старший лейтенант Романова, из милиции.

— Очень приятно, Майя Васильевна, — начала Галя. — Дело в том, что мы разыскиваем одного вашего бывшего ученика, он может быть чрезвычайно важным свидетелем по некоему делу...

— Помните, Майечка, такого Виктора Жаворонкова? Я фамилию-то помню точно, а так вот... что-то не соображу.

— Погодите, Юрий Николаич, — пробасила завуч ожидаемо густым голосом. — А это не тот мальчуган, который чуть не взорвал химлабораторию?

«Взорвал...» — гулким и грозным эхо отозвалось в голове у Галины.

— А, ну конечно, — хлопнул себя по лбу директор. — Витек!

— Ну да! — И оба задорно расхохотались.

«Что же вы здесь находите смешного, господа?» — сердито подумала про себя оперуполномоченная Романова, но вслух ничего не произнесла.

— Этот ваш Виктор увлекался химией. Посещал химический кружок.

— Химией? — переспросила Галина.

— Ну да, — кивнул директор. — Вам стоит поговорить с учителем химии, я помню, что они дружили. Она, правда, была немного...

— Чудаковатая, — подсказала завуч.

— Что значит «была»? — насторожилась Галя Романова.

— Два года назад она ушла на пенсию.

— Ах это. — Старший лейтенант не скрыла облегченного вздоха. — И ее можно найти?

— Конечно, — сказал Юрий Николаевич. — Зовут ее Горбенко Дина Леонидовна, а вот я вам сейчас и адресок посмотрю.

...Химичка-пенсионерка жила совсем недалеко от школы, и Галя с удовольствием прошлась пятнадцать минут пешком.

Дина Леонидовна оказалась интеллигентной общительной старушкой, встретила милицейскую гостью очень радушно, напоила чаем с баранками. Однако Гале бросилось в глаза, что живет бывшая учительница скудно и даже бедно. Со всех сторон смотрели на Галину приметы какого-то старомодного, патриархального и неуловимо-стариковского быта: кружевные салфеточки на черно-белом телевизоре «Горизонт» (такой древний, поди, ее, Галин, ровесник, а то и постарше будет), тряпочки-попоночки, маскирующие убогую мебель — продавленные кресла, какие-то стоящие горкой допотопные чемоданы, будто реквизит из кинофильма сороковых годов. Ну и, конечно, обязательная команда слоников на буфете: выстроенные в линеечку, по возрастающей, от крохотного и до сравнительно большого.

— Конечно, я прекрасно помню Витюшу, — начала Дина Леонидовна мягким голосом. — Мы с ним были большие друзья. Знаете, ничто так не приятно педагогу, как интерес к его предмету, а Вите была страшно интересна химия. Он не был круглым отличником, не был таким, знаете ли, зубрилкой, который гонится за отметкой. Нет, ему именно было невероятно любопытно понять, как там это все устроено. Вообще он был странным мальчиком: ни с кем из ребят не дружил, этакий, знаете ли, тихоня, всегда немного задумчивый, погруженный в себя. Я впервые заметила его, когда он учился в шестом классе, как-то мысленно отделила его от остальных ребят. Почему — я уж сейчас точно и не вспомню, но именно тогда мне показалось, что он — мой, моего цеха. Коллега. — Учительница улыбнулась. — Несколько раз он задерживался после урока, чтоб спросить что-то, чего не было в общей программе. А вскоре он стал ходить ко мне в кружок юных химиков.

Дина Леонидовна перевела дыхание и отхлебнула чай из хрустального стакана в старинном серебряном подстаканнике. Галя внимательно слушала, ей почему-то не хотелось перебивать эту приятную старушку.

— Так вот мы постепенно и подружились. Талантливый был мальчик, но меня всегда немного пугал его чрезмерный — на мой взгляд — интерес ко всему, что взрывается. Собственно, это-то и было главным, что его манило к химии. Кстати... — Учительница нахмурилась и спросила тревожно: — Ваш визит, я надеюсь, никак не связан... Знаете, сейчас везде что-то все время взрывают. Или кого-то.

— Нет-нет. — Галя решила соврать. — Не беспокойтесь. Продолжайте, пожалуйста.

— Ну так вот, мы занимались химией и вообще как-то дружили, симпатизировали друг дружке. Сначала дружили вдвоем. А потом у Витюши неожиданно завелась подружка, и тогда мы стали дружить втроем.

— Подружка? — не удержавшись, переспросила Галя.

— Да, кажется, это было в их восьмом классе, а может быть, в девятом, этого я, если честно, уже теперь не помню. Ее звали Наташа, Наташа Самохвалова.

«Значит, Наташа, а не Маша-Даша», — отметила про себя Галина.

— Она была огненно-рыжая, с веснушками-конопушками, словом, все, как положено у рыжих. Наташу перевели из другой школы, ну и знаете, как это водится: пришлая, чужая, да еще и рыжая, — конечно, ребятишки стали ее дразнить. Человек так устроен: его раздражает, если кто-то не похож на остальных. А дети вообще народ жестокий, это я вам говорю ответственно, как педагог с сорокалетним стажем. Нет, не подумайте, я люблю детей, а то, знаете ли, есть такие педагоги, что детей ненавидят. Нет-нет, я детей как раз очень люблю, но ведь любить — не значит не замечать недостатков. Дети жестоки. Ой, простите, я, кажется, отвлеклась. Так вот, Наташу стали обижать — и тогда неожиданно для всех за нее вступился Витюша. У него было какое-то обостренное чувство справедливости. По-моему, тогда — единственный раз за все школьные годы — его таскали к директору. Очень серьезная драка там была, если честно — Витя довольно-таки жестоко избил одного из мальчишек, дразнивших Наташу. Мне и раньше казалось, что в нем дремлет какая-то жестокость.

Галя Романова сделала отметку — «жестокость» — в своей мысленной записной книжке, а Дина Леонидовна снова перевела дыхание.

— Я вас уже утомила своей старческой словоохотливостью?

— Нет-нет, что вы! Все, что вы говорите, мне очень интересно.

— Одним словом, после вмешательства Витюши обижать Наташеньку перестали. А она принялась бегать за ним, как собачонка. Влюбилась. И ко мне в кружок она записалась из-за него, я-то это прекрасно знала. Забавно, что из них двоих именно она стала профессиональным химиком, работает теперь в химлаборатории.

Химлаборатория! А в ней наверняка есть взрывчатые вещества. Старший лейтенант Романова сделала еще одну отметку в мысленной записной книжке.

— А что было с ними дальше?

— Ну когда они подросли, у них случился роман. Думаю, что инициатором была Наташа. А потом они расстались. Я, если честно, не знаю подробностей. Они со мной не откровенничали на эту тему, а в душу лезть не хотелось.

— А сейчас вы с ними поддерживаете связь?

— Витюша сначала звонил мне, уже когда окончил школу, а потом постепенно пропал. А вот Наташенька иногда появляется.

— У вас есть ее адрес? И телефон?

— Да, конечно, где-то записан.

Старушка просеменила в комнату и, откинув одну из попонок, принялась сосредоточенно рыться в сундуке, наконец извлекла оттуда потрепанную записную книжку.

— Вот! Запишите.

— Вы разрешите мне от вас позвонить?

— Конечно, деточка, ой, то есть простите, — Дина Леонидовна комично сконфузилась, — товарищ старший лейтенант.

— Да ничего, — улыбнулась Галя.

— Вот вам телефон.

Романова набрала номер.

— Алло, здравствуйте, я могу поговорить с Натальей Самохваловой?

— Это я.

— Старший лейтенант Романова, Московский уголовный розыск.

В трубке что-то пискнуло, ясно было, что невидимая собеседница испугалась.

— Что-то случилось?

— Нет-нет. Ничего не случилось, но, если вы не возражаете, я хотела бы встретиться с вами и поговорить.

— Да, конечно. А о чем идет речь?

— Я расскажу вам при встрече. У нас есть несколько вопросов, и, возможно, вы сможете нам помочь.

— Хорошо. — Голос в трубке звучал едва слышно.

— Когда можно к вам подъехать? Можно прямо сейчас?

— Да, конечно, приезжайте. Метро «Щукинская», а дальше трамвай номер двадцать восемь.

«Чего это она так испугалась?» — внутренне нахмурилась Галя, а вслух спросила добрую старушку:

— Вы разрешите еще один звоночек? Хочу начальству отчитаться.

— Да-да, разумеется.

— Алло, Вячеслав Иванович, это Романова.

— Да, девочка, что там у тебя?

— Я нашла Наталью Самохвалову.

— Кто это?

— Подруга Виктора Жаворонкова.

— Отлично! Умница! У тебя есть ее адрес?

— Да, я с ней встречаюсь через час.

— Одна?

Галя замешкалась.

— Ну да. А что?

— У тебя хоть оружие с собой?

— Да, со мной...

— Давай-ка я тебе подмогу пришлю. Вдруг там засада?

— Я справлюсь. Потом, мне кажется, что со мной она будет откровеннее.

Грязнов в трубке помедлил.

— Н-да? Ну смотри мне. Осторожнее там. Если что — сразу звони.

Поговорив с начальством, Галя Романова вежливо распрощалась с симпатичной химичкой и отправилась на встречу с загадочной Наташей Самохваловой.

— Вы Наташа?

— Да.

Из щелки входной двери, открытой на цепочку, на Галину глядела немного напуганная, но очень симпатичная молодая женщина с открытым лицом и действительно великолепной огненной шевелюрой.

— Старший лейтенант Романова. Но можно просто Галя, — улыбнулась гостья.

Наташа загремела цепочкой.

— Входите, пожалуйста.

— Наташа, я вам расскажу все как есть, не буду заходить издалека, — начала Галина, когда они устроились на диванчике в гостиной. — Нас интересует один ваш знакомый. Виктор Жаворонков.

— Что-то случилось? — переполошилась Наташа.

— Сперва скажите, знаете ли вы господина Жаворонкова.

— Ну конечно, я прекрасно знаю Витю. Мы с ним друзья.

— И вам известно, где он сейчас?

Наташа потупилась.

— Нет... Нет, не знаю. А что произошло?

«Врешь, подруга, врешь!» — подумала Галя.

— Я буду с вами откровенна. Ваш друг является одним из подозреваемых в преступлении, которое мы расследуем.

— О боже мой! Витя... Какой ужас! Может быть, это ошибка?

— Может быть. Всегда все возможно. Именно поэтому мы и разыскиваем господина Жаворонкова и надеялись, что вы, Наташа, нам в этом поможете.

— Но я... правда... не знаю!

— Ну хорошо. Тогда расскажите мне о нем, о Викторе. Вы говорите, что близко с ним знакомы?

Наташа смущенно улыбнулась и неожиданно сказала как-то доверительно, по-сестрински:

— Виктор был моим первым мужчиной. Куда уж ближе...

Галя была немного удивлена такой неожиданной откровенностью, но сделала вид, что привыкла к подобным интимным признаниям. Она ласково улыбнулась Наташе в ответ, всячески давая понять, что фундамент доброй девичьей дружбы заложен.

— Вы с ним вместе учились в школе?

— Да. Когда нам было по шестнадцать лет, мы... Ну, в общем, у нас начался роман.

— А почему вы расстались? Извините, что я лезу к вам в душу, просто все это может оказаться исключительно важным для следствия.

— Там была одна грустная история. Это я во всем виновата.

— Вы его бросили?

— У нас должен был быть ребенок. Виктор хотел на мне жениться, хотел, чтоб этот ребенок родился. А я... — Наташа сбилась.

— Понятно, — вздохнула Галя.

— Он ужасно переживал, просто-таки психовал. Сидел дома и смотрел в одну точку, отказывался со мной разговаривать. Потом бросил институт и ушел в армию, в Чечню. На несколько лет пропал из виду.

— А после армии?

— Я знала, что он вернулся, очень хотела ему позвонить, вернуть его, но... боялась.

— Я понимаю.

— А потом, когда умер его отец, я просто пришла на похороны. Подошла к нему — он снова оказался таким родным, таким своим. Мы опять начали общаться, дружить.

— Просто дружить или...

Наташа улыбнулась и покраснела.

— Извините, — улыбнулась в ответ Галя, — это уже было просто женское любопытство.

Обе девушки рассмеялись.

— Наташенька, вы уж простите, но если Виктор ваш друг, или, выражаясь по-современному, бойфренд, то как же это так вы не знаете, где его найти?

— Он должен быть у себя дома. Обычно он сам звонит мне...

— Где он сейчас работает?

— Витя пока не работает. У него есть небольшая пенсия по инвалидности, плюс у отца его были кое-какие сбережения...

— Инвалидность? — переспросила Галина.

— У него была тяжелая контузия, — вздохнула Наташа. — А тут еще все, что случилось с его отцом. Может быть, была предрасположенность... Короче, у него началась эпилепсия.

— Эпилепсия. Понятно. А что именно случилось с его отцом? Вообще расскажите мне, пожалуйста, про жизнь Виктора Жаворонкова после Чечни — все, что вы знаете.

— Хорошо, — покорно кивнула Наташа и рассказала Гале все то, что она в принципе уже знала.

— Не слишком ли много для одной женщины? — все же сказала Галя. — Просто какая-то Мессалина получается.

— Витюша несчастный человек, — всхлипнула Наташа. — Конечно, все это по большей части несправедливо. Он что-то себе напридумывал, накрутил сам себя. Я знаю Елену Станиславовну. Разумеется, она человек непростой, но... Витя к ней несправедлив.

— И чем же все это кончилось?

— Они перестали общаться. Вечером после этого разговора с матерью у него был очередной припадок. И с тех пор они повторяются все чаще и чаще.

— Наташа, давайте вернемся к началу. Где и как мне найти Виктора?

— Я правда не знаю. — Наташа покраснела. — Он куда-то пропал в последние дни.

Галя достала из кармана визитную карточку.

— Давайте сделаем так. Вот мои телефоны — рабочий, домашний и мобильный. Как только вы что-то узнаете, или вспомните, или просто захотите рассказать — сразу звоните. В любое время дня и ночи, без стеснения. Договорились?

— Хорошо. — Наташа спрятала листок. — Я позвоню вам.

Спустя час старший лейтенант Галина Романова отчитывалась перед своим начальником, Вячеславом Ивановичем Грязновым.

— Ты думаешь, она тебе позвонит?

— Она производит впечатление неплохой и неглупой девушки. Конечно, она безумно любит своего непутевого, чокнутого Виктора и сейчас его выгораживает, потому что ей кажется, что именно этим она ему помогает. Но очень скоро она поймет, что, выгораживая его, только вредит ему.

— Но время, время, девочка. Мы теряем время, а надо что-то делать. Знаешь что...

— Да, Вячеслав Иванович.

— Я думаю, надо выждать денек, а потом насесть на эту Наташу снова. Позвони ей завтра вечером, если до тех пор она не объявится сама.

— Хорошо.

— Просто напомни ей о себе. А если она будет упираться, тогда к ней поеду я или Александр Борисович.

Глава девятнадцатая

Когда посреди ночи внезапно и пронзительно звонит телефон, несчастный человек, ставший его жертвой, разбуженный, всклокоченный, долгое время, как правило, не может понять, что вообще происходит. Откуда берется этот мерзкий дребезжащий звук? Почему нужно вырываться из сладких объятий Морфея, отрывать голову от подушки, такой теплой, такой родной, и шлепать куда-то босыми ногами, чтобы хриплым, непонимающим голосом проскрипеть:

— Алло!

Вот уже вторую ночь подряд ее будят до будильника. А сегодня — так и вообще откровенно среди ночи. Галя Романова отодвинула штору и посмотрела в окно. Ан нет, вон уже что-то такое сереет. Этакий хрупкий майский рассвет.

— Алло, — повторила она в телефон, — я слушаю.

— Здравствуйте, можно попросить старшего лейтенанта Романову?

— Романова у телефона. Слушаю вас.

— Галя!

— Да!

— Галя, милая, ради бога, извините, — голос в трубке сбивался, — это Наташа. Наташа Самохвалова. Помните, мы вчера...

«Наташа!» — резануло что-то будто по самому нерву, и у старшего лейтенанта Романовой мгновенно пропал весь сон. Теперь она была собранная, деловая, готовая ко всему. Разбуженная заспанная девушка с трогательнонесчастным личиком резко превратилась в жесткого и решительного оперативника.

— Да, Наташа, я вас слушаю.

— Вы простите, что я так рано, — продолжала извиняться Наташа, и Гале пришлось ее прервать:

— Ничего, это несущественно, не думайте об этом. Что случилось?

— Мне нужно срочно с вами встретиться.

— Что-то произошло? — Старший лейтенант Романова делалась настойчивее.

— Да.

— Вы можете рассказать по телефону?

— Я... — Голос Наташи снова прервался. — Ой, нет, я не смогу. Приезжайте поскорее, Галя. Пожалуйста...

— Хорошо, я выезжаю к вам через пять минут.

Галя повесила трубку. На сборы времени не было. Быстро натянув джинсы и кроссовки и накинув на плечи ветровку, она вышла из дома.

Утро было свежим, прохладным. Темнота уже отступила, но день еще не вошел в свои права, и очертания предметов, домов, деревьев выступали из рассветных сумерек призрачно, немного таинственно. Утренняя Москва казалась превосходно сделанной театральной декорацией.

В воздухе веяло чем-то радостным. Весна цвела, и все предвещало приятный, легкий день. Старший лейтенант Галина Романова остановила такси. Свидетель Самохвалова Наталья Владимировна внушала ей серьезные опасения, поэтому к ночному звонку следовало отнестись в высшей степени серьезно. «Приезжайте поскорее, пожалуйста...» Может быть, разбудить Грязнова? Нет, ладно, попробую для начала сама разобраться, что к чему.

Правда, в этот день Гале явно не везло. На Ленинградке машина, на которой она ехала, неожиданно сломалась. Потом долго не удавалось найти другое такси. Но вот, наконец, после всех приключений, Галина добралась-таки до дома, в котором жила Самохвалова.

— Галя, вы только меня, пожалуйста, простите, — начала Наташа.

— Все нормально, у меня работа такая.

— Да нет, я не о том, — вздохнула Наташа, сделала паузу, а затем выпалила: — Галя, я вам наврала.

— Так, — хмуро сказала Романова.

— Вот уже месяц Виктор живет у меня.

— Наташа, ты расскажи по порядку, — подбодрила ее Галина.

— Я уже говорила, что после похорон Георгия Федоровича мы с Виктором возобновили наши отношения. Он был одержим идеей мщения, придумал себе каких-то непонятных врагов, которые довели до самоубийства его отца. Наверное, уже тогда надо было отвести его к психиатру. Но я же его любила... Люблю, — поправилась Наташа. — Я изо всех сил пыталась его сдерживать, успокаивала, говорила, что он просто очень подавлен случившимся и фантазирует. Но он упорно твердил свое. А однажды попросил меня принести из лаборатории один препарат — я даже особенно не удивилась, ведь он раньше так увлекался химией. Я просто подумала, что он впал в детство и хочет поставить некий опыт. И только что-то меня легонько кольнуло: вещество-то взрывчатое.

— Так-так, — кивнула Галя.

— Потом он попросил еще. Я уже начала что-то подозревать, однажды навела разговор на это и, что называется,. прижала его к стенке. Он признался, что сооружает «взрывающиеся письма» и рассылает этим самым «врагам», которых он себе придумал. Он назвал это «месть в конверте».

— Ну и что было дальше?

— Я пыталась отговорить его продолжать. Не спала несколько ночей, плакала. Он упорно требовал от меня новых препаратов... знаете, как жены наркоманов крадут морфий?

— Ты понимаешь, что ты теперь соучастница преступлений, которые совершил гражданин Виктор Жаворонков? Тебя будут судить. И скорее всего, посадят!

В ответ на это Наташа начала тихо, беззвучно плакать.

— Такая у нас, у русских баб, доля, — чуть слышно прошептала она.

— Ладно, Наташенька, не строй из себя жену декабриста.

— Я его люблю, — упрямо повторила она. — Я не могла ему отказать. И тем более не могла его выдать.

— Что же изменилось? Почему ты позвонила мне и рассказала все это?

— Потому что я боюсь за него. Мне кажется, он задумал что-то страшное.

«А все, что было до сих пор, — это что-то вроде игры в жмурки», — сердито подумала Галя, но вслух не сказала ничего.

— Расскажи.

— Вчера он исчез на весь день. Пришел поздно, притащил большой чемодан. Вел себя как-то странно, как будто пьяный был, хотя я-то знаю, что после ранения он не пьет. Я спросила его: «Что в этом чемодане?» А он не ответил, только засмеялся нервно и сказал: «Все будет хорошо, моя девочка! Скоро все будет очень хорошо». Я начала плакать, тогда он принялся целовать меня и утешать. Потом мы занялись любовью. — Наташа покраснела.

«Стыдливая ты наша», — довольно зло подумала Галина.

— Я уснула, проспала несколько часов, потом проснулась оттого, что Вити рядом нет. Он заперся в маленькой комнате и, судя по звукам, что-то там мастерил. Впустить меня отказался. Потом я слышала, что у него начался приступ, а в моменты приступов он предпочитал быть один: стеснялся. Я постаралась снова уснуть, а когда проснулась, увидела, что его нигде нет, он ушел.

— Куда?

— Если бы я знала куда, — вздохнула Наташа. — Но я очень, очень за него волнуюсь. Я боюсь, что он затеял что-то страшное.

— Например?

— Мне кажется, он планирует какой-то большой, глобальный взрыв.

— А подробнее? — Внутри у старшего лейтенанта похолодело.

— Я ничего не знаю, Галечка, милая, поверьте. И пожалуйста, извините меня, что я вас обманывала. Это ужасно некрасиво, но я думала, так будет для него лучше.

— А для других?

— Что?

— Да так, ничего.

Ситуация становилась критической и требовала действия.

— Наташа, можно мне позвонить?

— Да-да, конечно!

Галя начала набирать номер Грязнова. Черт, начальник не отвечает. Но медлить нельзя. Следовательно, нужно звонить напрямую — самому Александру Борисовичу Турецкому.

Глава двадцатая

Какое хрупкое утро. Май, чудесный месяц май. Сегодня все свершится. Этот великий час наступил, и возмездие настигнет тех, кого оно должно настигнуть.

Мне немного трудно, но моя ненависть будет питать меня и не давать мне сдаться. Я ненавижу. Ненавижу свою мать, эту лживую и продажную женщину. Ненавижу эту женщину, которая погубила моего отца, одного из самых чистых людей, кого я знал.

Наверное, это ненормально — так ненавидеть собственную мать. Да, возможно. Значит, я — ненормален. Да это и немудрено: после всего, что я прошел в жизни, после моего ранения, моей контузии, разве можно оставаться нормальным? Иногда я спрашиваю себя: как же так? Ведь это именно она произвела меня на свет божий. Воспитывала — и, наверное, по-своему любила, пока я не наскучил ей и пока она не переключилась на своих любовников. Да! Все так. Именно поэтому я заплачу свою цену — страшную цену — за право отомстить за невинно погибшего отца. Я часть ее, я часть этой женщины, и я уйду вместе с ней. Я просто не имею права отпустить ее на тот свет, оставшись здесь. Нет-нет, мы уйдем вместе! Все должно быть по справедливости.

Я чувствую на себе эту волнующую тяжесть... Пояс шахида сработан наилучшим образом. О да! Арабские террористы просто дети и дилетанты по сравнению со мной. А я профессионал. Я изучил эту науку, нет, это искусство, отточил свое мастерство, и вот теперь настал мой звездный час! Как все-таки хорошо, что на черном рынке сегодня можно купить все, что угодно. И как удачно, что в нашем доме, точнее, в доме моего отца, остались еще ценности, которые можно поменять на тротил.

Итак, все сделано очень качественно. Взрыватель выведен на маленький пульт, который я буду держать в руке, а на том пульте всего одна кнопка. И когда я нажму ее, мы взлетим в это прозрачное майское небо — я и эта женщина, — и там, наверху, я соединюсь с моим отцом. Это будет самая последняя и самая торжественная вспышка. Экстаз, феерия. Как говорят музыканты — кульминация. Обидно, что наверняка не обойдется без случайных жертв, но что поделать — а ля гер ком а ля гер. На войне как на войне. А война идет давно, просто не все это замечают. Здесь — мы, а там — они. Вот и все.

Хорошо и то, что во избежание неожиданностей я прикупил ствол — небольшой, удобный, привычный ПМ.

Это на случай, если кто-то будет пытаться помешать мне совершить то, что я должен совершить.

Кого действительно жалко — так это Наташку. На кой черт она связалась со мной? И что она теперь будет делать? В участи вдовы мало веселого. Может быть, нужно было и ее взять с собой, туда? Но теперь, наверное, уже поздно.

Итак, осталось совсем немного. Я покидаю этот несправедливый мир, покидаю без сожаления, удовлетворенный тем, что я сделал, и тем, что собираюсь сделать. Да-да, мне действительно нисколько не жаль уходить, но просто я хочу напоследок запомнить это утро.

Это хрупкое майское утро.

Глава двадцать первая

В то хрупкое майское утро Лариса Евгеньевна Белянко проснулась раньше обычного. Что-то не ладилось у благополучной внешне и лишь слегка придавленной жизнью сорокалетней москвички. Что-то смутно томило ее, что-то беспокоило.

То ли это был Макс, ее друг — по-современному бойфренд, а по-старомодному — любовник. Макс был моложе ее на семь лет, играл на бас-гитаре в рок-группе, носил немыслимую прическу и слыл человеком непредсказуемым и ненадежным во всех отношениях. Не исключено, что он ей изменял. Живя с ней вместе, в одной квартире, одной семьей, никогда не приносил денег, однако регулярно требовал обед. Одним словом, тот еще кадр. Но Лариса ничего не могла с собой поделать: она была живой и нестарой еще женщиной, женщиной во всех своих проявлениях, и каждый раз, когда она видела своего Макса, какое-то жгучее волнение внутри ее хрупкого, гибкого тела заставляло ее забыть обо всем. Обо всем на свете...

То ли это была ее дочь Мария, семнадцати лет; может, это она беспокоила Ларису и лишала сна. Маша за последние год-два превратилась из гадкого утенка в гибкую — в маму — и очень соблазнительную девицу с пронзительными глазами; и вот теперь некий неопрятного вида юноша так и увивается вокруг нее... Спит она с ним или не спит? Наверняка спит! Спросить, что ли? Так ведь пошлет она ее, свою мамашу, ко всем известным ей чертям, и будет права. А в последнее время что-то уж совсем молчаливая стала — как бы не залетела, дура малолетняя. Ой, чур меня, чур! Даже вслух произнести страшно.

То ли это был бывший муж — Святослав, программист, довольно прилично помогающий им деньгами, но периодически придумывающий какие-то безумные проекты, касающиеся их дочери, либо же вообще впадающий в истерику и грозящий снять с субсидии.

Так, в сумбуре утренних мыслей и тревог, Лариса начала собираться на работу. Она не знала, что волнения ее проистекали из того, что смерть подошла к ней сегодня очень близко, так близко, как никогда раньше. Никто не знает своего часа, но именно сегодня шансы на то, что это нежное утро станет в ее жизни последним, были велики, как никогда. Впрочем, неведение по-своему блаженно...

Лариса работала реставратором в Центральном московском музее; работу свою она, с одной стороны, любила... нет, даже не то чтобы любила — скорее уважала, относилась к ней с пиететом. Но с другой стороны, и в работе, как во всем в жизни, появился в последнее время некий автоматизм. Жизнь шла как бы по накату.

Все повторялось изо дня в день.

Вечер. Машка. Вялая перебранка на тему школы и мальчиков. Потом Макс, вернувшийся после ночного концерта. Самозабвение, короткий и в чем-то горький экстаз. Утро. Кофе. Бутерброд. Метро. Музей.

Сегодня в музее был технический день. Никаких посетителей, только персонал, да и то не все. Тишина, покой, и можно спокойно делать свою работу.

Лариса отворила тяжелую деревянную дверь и нырнула в старинное здание.

Так прошло для нее это хрупкое майское утро.

...В это хрупкое майское утро, как всегда, раньше всех на работе появилась тетя Тася. Человек-легенда, она была старейшим работником, остряки говорили даже, что она работает в музее со дня его основания, что, впрочем, вряд ли представлялось возможным. Ведь тогда ей должно было бы быть уже лет сто пятьдесят, если не больше.

За годы своей преданной службы музею тетя Тася сменила много должностей: начинала по молодости уборщицей этого большого, красивого старинного здания. Потом продавала в кассе билеты в музей. Много лет была вахтером и, лишь когда его, то есть ее, заменили, в соответствии с веяниями времени, на более современного охранника с пистолетом и бицепсами, перешла в гардеробщицы. Но на пенсию уходить не хотела ни за что на свете. Где же это видано — тетя Тася без музея? Что же она будет делать? Сериалы смотреть? Сухари сушить? Да, в сущности, и музей без тети Таси тоже невозможен.

Между тем другим обитателям старинного здания было известно про нее совсем немного. Звали ее Таисия Ивановна. Впрочем, если бы не Елена Станиславовна Жаворонкова-Смирнова, заместитель директора музея, с присущей ей отстраненной, чуть холодноватой чопорностью обращавшаяся ко всем исключительно по имени и отчеству, никто бы и этого не знал. Как-то все привыкли по-родственному: тетя Тася да тетя Тася. Даже фамилия ее затерялась в отделе кадров.

Где-то в другом городе — не то в Брянске, не то в Старом Осколе — у нее жил взрослый сын. Раз в год она брала отпуск и куда-то пропадала: все были уверены, что она ездит навещать сына. Нрава тетя Тася была строгого, не терпела разгильдяйства и небрежения к музейному имуществу. В последние годы почти ослепла, но всех своих безошибочно отличала по голосам. А цифры на гардеробных номерках определяла на ощупь.

Сегодня был технический день, работы для гардероба никакой. Да и вообще весна, тепло, разве что какая-нибудь модница приплывет в развевающемся импортном плаще, а так — пришла пора пиджаков, кофточек, блузочек, джемперов.

Просто тете Тасе не сиделось дома в это майское утро.

Утро Артура Казаряна получилось каким-то скомканным. Накануне он гулял с земляками в кабаке, там же «снял» сговорчивую девчонку, взял ее с собой, и догуливали они вдвоем уже у него дома. А ночь прошла в акробатических упражнениях, в которых — как считал сам Артур — он не знал себе равных не только в Москве, но и в Ереване и в Баку.

Поэтому прелести майского утра он не ощутил — некогда было. Нужно было быстро приводить себя в порядок, бриться, выпихивать нежную подругу — а она, разомлевшая, как назло, движется, точно заторможенная, — и бежать на новую работу.

Работал Артур — кстати, по-настоящему его звали Арутюн; получая российское гражданство, он решил фамилию оставить родную, а имя заменить на чуть более международное, — так вот, Артур-Арутюн работал охранником в Центральном московском музее. Бывший «афганец», бакинский армянин, перебравшийся в Москву, перепробовал много занятий. Никакого образования он не получил; все попытки заняться приличным бизнесом провалились, а идти торговать сливами не хотелось. Делать он ничего так и не научился, оставалась только афганская закалка: физическая сила, ловкость, умение обращаться с оружием плюс — широкие плечи и исполинский рост. Однако на серьезную работу — типа телохранителя какого-нибудь долбаного политика — претендовать уже трудно: и возраст крепко за тридцать, староват, да и здоровье подорвано выполнением интернационального долга. Было дело, падал он как-то с высоты... из вертолета выпихнули... впрочем, вспоминать это неприятно. Но с тех пор проблемы со спиной, и врачи советуют избегать перегрузок.

К «браткам» Артуру идти не хотелось. Не для того он выжил в афганской мясорубке, чтобы быть подстреленным каким нибудь сопляком на «разборке». Музей —

это было самое то, что нужно. Поэтому новой работой — а работал он там всего четыре дня — Артур очень дорожил и старался не опаздывать, делать свое дело четко и элегантно и вообще быть всем полезным и со всеми дружить.

Он посмотрел на часы... черт! Правда, сегодня музей не работает, посетителей не будет. По большому счету он не особенно-то там и нужен. Но очень уж хотелось понравиться на новом месте, зацепиться. Артур поперхнулся судорожно глотаемым кофе, закашлялся, схватил за руку упирающуюся нежную подругу, и они вылетели из дома на улицу, где их закружило хлопотливое московское утро.

Глава двадцать вторая

В это хрупкое майское утро Инга Вацлавовна Грабовская, директор музея, на работу особенно не торопилась. Сегодня длинный день, и — возможно ли такое счастье? — не будет вокруг этих шумных, надоедливых, неопрятных и бестолковых посетителей. Можно привести все дела в порядок, спокойно все разобрать, без шума, без крика. Время есть. Правда, лучшая подруга и заместитель — Леночка — сегодня еще не выйдет на работу, но это ведь можно понять: после того несчастья, которое с ней приключилось... Пусть отдохнет, они прекрасно справятся и без нее.

Впрочем, если признаться честно, Инга Леночке во многом завидовала. И тому, как она выглядит — стройная, подтянутая (сама Инга Вацлавовна давно располнела и расплылась), и тому, как держится — что твоя принцесса Монакская. Один муж, другой муж, один любовник, другой любовник (какой бы скрытной ни была Леночка, но уж Инга-то всегда все знала).

С сыном, правда, незадача такая вышла — почему-то Лена прекратила с ним всяческие отношения. Или же он с ней — этого Инга точно не знала. И тоже как-то все легко и изящно обошлось. Другая бы мать с ума сходила, а Ленка — хоть бы хны.

И как ни сострадала госпожа Грабовская своей заместительнице, когда у той произошло такое горе, где-то в подлой глубине ее — увы — завистливой души шевельнулась мыслишка: допрыгалась, стрекоза.

Инга Вацлавовна тяжело поднялась по каменным ступеням и остановилась на пороге вверенного ей музея.

Начинался новый день, точнее — новое утро.

Это майское утро Елена Станиславовна Смирнова провела в тревоге. Вопреки тому, что думала о ней ее директриса, она очень тяжело переживала разрыв с сыном. Вообще жизнь загнала ее в какую-то дурацкую ситуацию. Но больше всего ей не понравился вчерашний визит следователя Турецкого.

Она и сама подозревала, что на жизнь ее и ее второго мужа покушался именно Виктор. Но гнала от себя эту ужасную мысль: к чему же она пришла, земной свой путь пройдя... даже не до половины, а гораздо дальше, если ее собственный сын пытался ее убить. И только благодаря случайности она задержалась в квартире и не погибла вместе с мужем.

Тут же она пыталась уговорить себя, что, может быть, Виктор покушался вовсе и не на нее, а только на генерала Смирнова. Ведь именно ему он пытался передать этот конверт. А то, что таинственный офицер, о котором говорил покойный консьерж — как там его, Плоткин, кажется, — офицер, попросивший передать конверт товарищу генералу, — ее сын Виктор, она поняла сразу.

Так или иначе — о том, чтоб выдать сына господину Турецкому, не могло быть и речи. Пусть он решает свои проблемы сам, а у нее полно своих собственных. И плевать, что ее жизнь под угрозой, — будь что будет! Хуже всего не это, а то, что она, эта самая жизнь, завела Елену Станиславовну в какой-то... сумрачный лес.

Первый муж — самоубийца, неудачник. Второй муж убит, а единственный сын — тяжелобольной человек, у которого явно не в порядке с головой, и к тому же возможный убийца.

Так к чему все это? И что будет дальше? Что вообще у нее осталось?

Разве только вот это хрупкое майское утро.

В дверь забарабанили повторно.

«Ну где этот чертов Рэмбо армянского разлива, — рассердилась Инга Вацлавовна. — Ах да, я же сама послала его сварить мне кофе».

— Тетя Тася! Не в службу, а в дружбу, погляди, миленькая, кто там к нам ломится, — попросила Инга, а старуха тем временем уже ковыляла к двери, ворча что-то себе под нос. Потом произошло нечто непонятное. Какая-то возня, несколько сдавленных криков. Инга спустилась в вестибюль, и от того, что она увидела, у нее похолодело внутри.

Посреди холла стоял, замерев, гигант Артур с поднятыми руками. На полу — осколки ее любимой чашки и пролитый кофе. За спиной у Артура какой-то странно толстый мужчина в маске, с пистолетом в одной руке, другой же рукой он отстегивал от пояса Артура его пистолет, а также наручники, которые этот пижон зачем-то туда повесил — ни дать ни взять техасский рейнджер, тьфу... Чтоб его!

— Тихо! Всем стоять, — прокричал незваный гость, — будете меня слушаться — уйдете домой целыми.

Тут только Инга Вацлавовна рассмотрела, что незнакомец толстый не сам по себе, по своей природе. Это он обмотался чем-то...

«Взрывчатка!» — догадалась она.

— Кто еще есть в здании? — прорычал террорист подозрительно знакомым голосом.

— Больше никого, кажется, — пробормотала Инга.

— Что значит «кажется»? — прорычал нападавший. — А где Елена Станиславовна?

— Она на больничном, — пролепетала Инга, и внезапно словно пелена упала с ее глаз. — Виктор!

— Тихо!

— Витюша, да что же это ты делаешь, друг ты мой, — запричитала она фальшивым голосом. — С ума сошел!

— Тише!!! — дико закричал новоявленный шахид. — Иначе взорву всех! Вот это — взрыватель, вот видите, этот пульт у меня в руке. Нажимаю кнопку — и все в рай! Понятно? А вот это — пистолет Макарова. — Он взмахнул другой рукой. — Так что не злите меня!

Он перестал орать, перевел дыхание и обратился к Инге Грабовской:

— Заприте входную дверь.

Директриса повиновалась.

— Теперь я должен вас приковать к батарее. Всех, всех, и бабулю тоже. А особенно — вот этого бугая. Где здесь телефон? — продолжал захватчик. — Будете звонить в милицию: я хочу выдвинуть им требования.

— В моем кабинете есть трубка, — пробормотала Грабовская и тут же в ужасе вспомнила про тощую козу-реставраторшу, которая возилась где-то в подсобных помещениях. Как бы ее предупредить, чтобы сумела отсюда смыться.

И в эту же злополучную секунду в вестибюль спустилась забытая всеми Лариса Белянко: ее привлек непонятный шум снизу.

— Что здесь происходит? — прозвенел ее тонкий девичий голосок.

Террорист резко повернулся, вскинул руку, раздался выстрел, резкий крик и затем выдох ужаса у прикованных заложников: по светлой блузке реставраторши расплылось красное пятно, хрупкая фигурка пошатнулась и скатилась вниз по последним ступенькам лестницы.

Ранним утром Турецкому позвонила Галя Романова, сотрудница Грязнова.

— Александр Борисыч, извините, что рано. Не могла дозвониться Вячеславу Ивановичу, решила сразу к вам, —

торопливо выдохнула она в трубку. — Чрезвычайные новости.

— Да, Галочка, что стряслось?

— Мне позвонила Наталья Самохвалова. Ну подруга...

— Раскололась? — перебил Турецкий.

— Да! Она сейчас со мной, и я думаю, вам срочно нужно с ней поговорить.

— Выезжаю. Где вы с ней находитесь?

— Метро «Щукинская».

— Ждите.

— И еще, Александр Борисович. Наташа говорит, что Виктор рано исчез из дома и ничего ей не объяснил. Раньше он всегда говорил ей, куда идет и когда будет.

— И что же?

— Она боится, что он затеял что-то очень скверное.

Вячеслав Грязнов торопливыми глотками пил утренний кофе у себя в кабинете, готовясь приступить к очередному совещанию с сотрудниками, когда прибежал всклокоченный дежурный.

— Вячеслав Иванович, чепэ! Вооруженный террорист захватил здание Центрального московского музея. Оттуда только что звонили, там есть заложники.

— О-о-о... — Грязнов хрипло застонал, но через пару секунд взял себя в руки.

— Проклятие! Дежурную бригаду на выезд! ОМОН по тревоге! Оцепить здание! Я выезжаю через минуту. Машину мне! Руководить операцией буду сам, лично.

Он схватил мобильный телефон и набрал номер Саши Турецкого.

...Телефонный звонок отвлек Галю Романову от сбивчивых рассказов плачущей Наташи.

— Да, Александр Борисыч, вы уже подъехали?

— Нет, Галя, у нас произошли непредвиденные обстоятельства. В связи с этим план резко меняется.

— Что случилось?

— Общая тревога по Москве. Вооруженный террорист с «поясом шахида» ворвался в здание Центрального московского музея.

— О, черт возьми, она была права!

Наташа резко перестала плакать и вцепилась в Галин рукав.

— Что с ним? Где он? Сейчас же скажите мне, где он?!

А невидимый Турецкий в трубке продолжал говорить:

— Да, вероятнее всего, это именно наш друг Виктор. Я сейчас еду прямо туда, а вы берите такси и подъезжайте тоже. Поняла, Галочка?

— Есть, Александр Борисович. Выезжаем.

Командир «отряда быстрого реагирования» майор Виктор Соколов смотрел в дежурке повторение вчерашнего футбольного матча и прихлебывал чай, так как кофе он не признавал. Срочный вызов не поразил его: постоянные встряски были частью привычной работы их команды, ласково прозванной в народе «маски-шоу». Через несколько секунд он и его парни уже мчались, завывая сиренами, в своем микроавтобусе к месту происшествия, а Соколов между тем продолжал раздавать по радиотелефону привычные указания:

— Срочно достать подробную карту здания. Связаться с мэрией, притащить кого-нибудь из городских архитекторов. Нужна схема городской канализации. Планы соседних зданий — тоже. Найти кого-нибудь из работников музея, кто может быть консультантом.

— Товарищ майор, вас генерал Грязнов, — вклинился его помощник.

— Слушаю, товарищ генерал.

— Когда будете на месте, Соколов?

— Через минуту, Вячеслав Иванович.

— Отлично. Оцепить здание, всех посторонних прочь. Ну, как обычно, не мне вас учить. Попытайтесь наладить визуальное наблюдение. Но очень осторожно. И никаких резких движений.

— Понял вас, товарищ генерал.

— Я буду через пять минут. Без меня ничего не предпринимать. Операцией буду командовать я.

— Есть.

— Ты ее ранил, долбаный придурок! — закричал прикованный наручником к батарее Артур-Арутюн.

— Заткнись!

— Сам заткнись, козел, ей срочно нужен врач. Не знаю, чего ты добиваешься, но, если она истечет сейчас кровью, тебе это вряд ли поможет.

— Витюша! — вступила в разговор Инга Вацлавовна. — Отпусти ее, так будет лучше.

— Без вас разберусь.

— Если ты меня отстегнешь, — вступила в разговор молчавшая до с   пор тетя Тася, — я сделаю ей перевязку.

— А вы умеете, тетя Тася? — удивилась Инга.

— Я, деточка, четыре года на фронте медсестрой была...

Грабовская посмотрела на старуху с удивлением.

— Малча-а-ать!! — заорал «шахид». — Ни одна сука не двигается с места! Никаких перевязок и никаких соплей. Или кто-то из вас хочет отправиться за ней? — Он махнул пистолетом в сторону Ларисы.

— Внимание!! — перебил его металлический голос, пришедший откуда-то извне. — Внимание! Виктор Жаворонков, с вами говорит генерал МВД Вячеслав Грязнов. Я руковожу операцией по освобождению заложников. Мы готовы выслушать ваши условия. Через десять секунд мы позвоним вам на тот номер, с которого поступил сигнал в милицию. Просим вас подойти к телефону. Повторяю: Виктор, прошу вас подойти к телефону, я — генерал Грязнов — хочу лично поговорить с вами и узнать ваши условия.

Слава Грязнов отключил громкоговоритель, иначе говоря — «матюгальник», и кивнул одному из своих помощников:

— Соединяй.

Здание Центрального московского музея было оцеплено плотным кольцом. Командир группы захвата Виктор Соколов разложил на капоте грязновской «Волги» план здания и сосредоточенно изучал его, выясняя, как можно ворваться в здание, не подвергая риску заложников.

«Полевой» телефон в руке Грязнова затрещал, и в нем раздался голос того самого человека, за которым они охотились все последние дни:

— Да!

— Здравствуйте, Виктор, — прохрипел Грязнов.

— К черту любезности. Слушайте мои условия. Во-первых, здесь есть раненая.

— Твою мать! — бросил Грязнов через плечо. — Срочно «скорую»! Там раненая.

— Что вы говорите?

— Это не вам, продолжайте.

— Никаких грязных трюков, генерал!

— Конечно, Виктор, не волнуйтесь. Мы играем по-честному.

Сквозь кольцо окружения пробилась Галя Романова, таща за собой плачущую Наташу.

— Что с ним? Я хочу его видеть! Скажите ему, что я здесь. Нет, лучше дайте мне поговорить с ним.

— Наташенька! — сказала вдруг Галя таким строгим тоном, какого та от нее еще ни разу не слышала. — Шутки кончились. Сядь сейчас тихо в сторонке и никому не мешай. А если возникнет такая ситуация, что понадобится твоя помощь, — я тебе скажу. Ты поняла меня? — переспросила Галя, очень серьезно и пристально глядя Наташе в глаза.

— Поняла, — кротко ответила она.

Турецкий прибыл к месту событий одним из последних. Привычная картина: оцепленное здание, милицейский кордон оттесняет любопытных зевак, внутри кольца суетится командование, нервно курит руководитель операции, а по углам залег ОМОН, не спускающий глаз со своего командира, готовый по первому движению его пальца бежать, драться, стрелять, вцепляться в горло и душить, душить ненавистных преступников.

«Театр уж полон, ложи блещут, — подумал он. — Что же это вы так припозднились, Александр Борисыч? Без вас не начинаем спектакль. А где ваш фрак и лорнет?»

— Э-э, сюда нельзя, — прервал его мысли дюжий мент из оцепления. — Проходите, не задерживайтесь.

Турецкий, не выходя из своей задумчивости, достал из кармана удостоверение прокуратуры. Здоровяк уважительно кивнул:

— Пожалуйста.

Александр пробился к грязновской «Волге», вокруг которой сгруппировался импровизированный штаб.

— Привет, Слава. Ты с ним говорил?

— Секунду назад. Во-первых, этот дебил ранил женщину.

— Чертов псих! Что он требует?

— Ой, Саша... Он требует, чтоб сюда привезли его мать — раз.

— Послал за матерью?

— Да, Галочка поехала. И чтоб его отца посмертно наградили орденом — два.

— Оригинально. Обычно просят вертолет, миллион баксов и блондинку. А этот хочет маму и орден папе.

— Да, но боюсь, что маму он зовет не для того, чтоб прижаться к ее юбке. Кажется, он задумал что-то типа публичного само...

— ...сожжения?

— Взрывания.

— Откуда сведения?

— Да вон невеста сидит, Наташа зовут.

Турецкий обвел глазами поле боя и увидел сидящую чуть в стороне заплаканную девушку, которую мягко и неслышно для него увещевал его собственный помощник Володя Поремский. Они кивнули друг другу.

— Соедини-ка меня еще раз, — сказал кому-то Грязнов. — Виктор, это снова Грязнов.

— А можно включить звук? — спросил Турецкий. — Я хочу тоже слушать.

— Виктор, — продолжал Грязнов, — нужно срочно решать вопрос с раненой. Время дорого, а если она умрет, ваши позиции будут гораздо хуже. Вы ведь хотите чего-то от нас добиться, и мы готовы пойти вам навстречу. Но раненую нужно спасти.

— Я же сказал, я требую, чтоб ко мне доставили мою мать.

— И мы выполняем ваше требование...

«Молодец, Славка! — подумал Турецкий. — Не сердит террориста, во всем с ним соглашается, говорит, мол, мы вас слушаемся, раз вы такой крутой. А при этом свою линию гнет».

— Наша сотрудница Галина Романова уже выехала за вашей матерью. Но это может занять время, а счет идет на секунды. Мы просим вас, Виктор, отпустить раненую.

— Тогда дайте мне кого-то вместо нее. Или придите сами.

Сумасшедшая мысль мелькнула у Турецкого.

— Слав, дай-ка трубку. Алло, Виктор, здравствуйте. Говорит Александр Борисович Турецкий. Я был другом вашего покойного отца, — сказал он в трубку и тихонько шепнул через плечо: — Как звали отца, у меня вылетело?

— Георгий Федорович Жаворонков, — шепнул ему Поремский.

— Георгий был замечательным человеком, — продолжил Турецкий в телефон.

— Я вас не знаю, — раздалось после паузы из трансляции. — Если вы папин друг, то почему я вас не знаю?

— Ты много чего не знал о своем отце, Виктор. Это был удивительный человек, удивительно порядочный и честный. И он не заслужил такой участи.

— Потому я и хочу восстановить справедливость! — нервически всхлипнул голос в динамике.

— Послушай, Виктор. У тебя сейчас один из самых крутых поворотов твоей жизни. Георгия уже нет, и некому поддержать тебя. Поэтому я должен быть рядом с его сыном.

Турецкий вошел в роль. Давно он не чувствовал себя настолько в ударе.

— Что вы имеете в виду?

— Я тоже хочу восстановить справедливость и отомстить за покойного Георгия. Если позволишь, я приду к тебе и буду с тобой вместе, плечо к плечу.

— Ты что, офигел?! — зашипел Грязнов, вырывая у Александра трубку. А тот, увернувшись от него, продолжил:

— А раненую нужно отпустить. Вместе со мной войдут два санитара и унесут ее. А я останусь с тобой. Ты согласен?

— Я должен подумать.

— Я перезвоню тебе через минуту.

...Связь прервалась.

— Сашок, ты что, совсем с катушек слетел? — накинулся Грязнов на Турецкого. — Нет, ну ты мне скажи, ты вообще мозгов лишился или это так, минутное помутнение?

— Славик, не кипятись. Все нормально.

— Ничего не нормально! Никто тебя туда не пустит!

— Да я вроде сам большой, — улыбнулся Турецкий.

— Александр Борисыч, — вмешался в разговор Поремский, — шеф, что-то вы, серьезно, неудачно придумали.

— Да успокойтесь, ребята! — отшучивался Турецкий. — Что вы ко мне пристали? Я хочу пойти и поговорить с террористом.

— Ты, мать твою за ногу, помощник генпрокурора, а не парламентер хренов.

— Шеф, ведь правда, каждый должен заниматься своим делом.

— Что за мальчишество? Пацанские штучки.

— А можно я пойду? — вклинилась молчавшая до сих пор Наташа.

— Вас там не хватало, — нахмурился Грязнов.

— Все, ребята, брейк. — Турецкий хлопнул в ладоши. — Я очень тронут и ценю вашу заботу о моем теле и душе. На этом тема закрыта, и мы не будем тратить время. Нам надо обсудить детали операции по освобождению заложников. Сколько смогу, я буду заговаривать ему зубы...

— Да ты никуда не пойдешь, чтоб тебя! — выкрикнул Грязнов. — Операцией руковожу я, и я тебе запрещаю!

Александр мягко положил руку на плечо Вячеславу:

— Славик, мы с тобой дружим двадцать лет. И двадцать лет вместе работаем. Вот именно сейчас, ты считаешь, самое время начинать выяснять вопросы субординации?

— Да как ты не понимаешь... — пыхтел Грязнов по инерции, внутренне уже сдаваясь.

— И потом, как-никак, за следствие по делу отвечаю я. Все-таки... Я думаю, я вправе принять подобное решение.

— Ага, значит, как говорят в кино, «теперь командую я, а вы отстранены», да? — обиделся Грязнов.

— Перестань, старик! Ну какая разница, кто командует? Мы с тобой уже настолько свои, что... Ну? Решили? Давай сюда Соколова. Обсудим детали.

— Александр Борисович, — вступил в разговор Соколов, — я не хотел вмешиваться в ваш разговор, но мне тоже кажется, что вам не нужно подвергать себя...

— О'кей, твое мнение засчитано и внесено в протокол допроса, — быстро проговорил Турецкий. — Дальше.

— Террорист с заложниками находится в холле, — сказал Соколов. — Здание огромное и пустое, есть запасной выход, вот он, смотрите, на плане.

— Вы сможете зайти туда бесшумно?

— Не совсем бесшумно, но из вестибюля террорист не услышит. Особенно если будет занят разговором.

— Хорошо. Но он может захотеть проверить здание.

— Ни в коем случае. Он не оставит заложников, ведь они — его козырь. А таскать их с собой на обход музея технически сложно и рискованно.

— Значит, он вместе с ними прикован к батарее в холле?

— По сути дела, да.

— Насколько я помню музей, там в центре большая парадная лестница. Вы можете бесшумно ее занять?

— Да. Но мы не можем ворваться в холл: он успеет взорваться, и заложники вместе с ним.

— А если снайпер? — спросил Турецкий еле слышно, прячась от Наташи. — Снять его? Не думали?

— Думал, — так же беззвучно ответил Соколов. — Очень большая степень риска.

— Тогда остается одно: я заговариваю ему зубы и пытаюсь завладеть взрывателем. Не знаю, сколько уйдет на это времени, но...

— Это неважно, — перебил его майор. — Через минуту после того, как вы зайдете в музей, мы уже завладеем парадной лестницей. Но вы будете там, внутри. Вы будете лучше понимать ситуацию. Значит, вы дадите нам сигнал...

— Я понял. Я сам выбираю, когда вам лучше его брать, исходя из ситуации. Мы выберем пароль...

— Какой?

— Какое-нибудь нестандартное слово. Например, «фортуна». По этому сигналу вы его берете. Саперы с вами?

— А как же!

— Ну вот и все. Славик, соединяй.

— Черт бы тебя побрал, авантюрист хренов! — бурчал Грязнов, набирая телефонный номер. — Фортуна ему, видишь ли, улыбается.

— Виктор, ты слышишь меня? Это Саша Турецкий. Что ты решил?

— Я жду вас. Но, надеюсь, вам не придет в голову взять с собой оружие?

— Конечно нет, не волнуйся, — мягко сказал Турецкий, причем Грязнов глухо застонал. — Я буду без оружия, — продолжал Александр. — Санитары смогут войти со мной?

— Да, но чтоб без шуточек. Я держу руку на кнопке! Одно лишнее движение — и взрываю всех к гребаной матери! Помните.

— Не волнуйся, все будет честно. Я подойду к двери и постучу три раза. Ну? До встречи!

— Жду вас.

Турецкий дал отбой.

— Ну что, ребята, с Богом! Обниматься не будем, чай, пока не похороны.

Грязнов стал еще серее лицом.

— Ладно, Сашок, ни пуха. Соколов, готов?

— Одну секунду. Извините.

Соколов зашел Турецкому в тыл и прикрепил что-то крохотное сзади на его пиджак.

— Вот теперь готов.

— Это жучок? Как я не подумал? Молодец.

— Возьмите, Вячеслав Иванович. — Соколов протянул Грязнову миниатюрный приемник. — Теперь вы услышите все, что происходит в холле.

— Ну? Готовы?

— Да.

— Пошли!

Глава двадцать третья

Надрывно взвыла сирена, завизжали покрышки, и машина «скорой помощи» на большой скорости отъехала от оцепленного здания музея. Минутой раньше Грязнов спросил врача, молодого, но уже удрученного жизнью, с ранней лысиной:

— Ну что с ней?

Когда доктор поглядел на него, Вячеслав заметил, что у него красные, как у зайца, воспаленные бессонницей глаза.

— Рана сама по себе нестрашная. Сквозная в плечо. То, что она без сознания, — это просто обморок. Дамочка гиперэмоциональная, судя по всему. А вот крови потеряла много.

— Но она выживет?

— Вы же знаете, гарантии никто не дает. Но шансы довольно крепкие.

Впервые за это долгое утро Слава Грязнов почувствовал нечто вроде облегчения. Но в ту же секунду вспомнил про Сашку, про старинного друга Турецкого, оставшегося один на один с террористом, вооруженным смертоносным тротилом. И вдруг с такой убийственной остротой ощутил собственную беспомощность, что едва не зарычал, словно от боли. От него сейчас ничего уже не зависело: он даже не мог переговариваться по рации с группой захвата, ведь они в эту минуту уже, возможно, лежали, притаившись, на главной лестнице, не дыша, не шевелясь, не привлекая к себе внимание преступника. Грязнов не знал, где они, но предполагал, что уже вышли на условленную позицию.

Теперь оставалось выжидать, а это было труднее всего. Нет, разумеется, его не волновало, кому достанутся лавры, кто будет считаться руководителем операции — он, майор Соколов или Турецкий.

Просто очень хотелось помочь другу в беде. А вместо этого приходилось ждать.

Гигантские щипцы бесшумно перекусили навесной амбарный замок, словно садовые ножницы черенок хризантемы. Маскированный боец всунул под дверь фомку и сделал легкое, уверенное движение, подобное тому, каким ловкий дантист снимает с зуба коронку. Дверь негромко хрустнула и отворилась.

Майор Соколов махнул рукой, и «маски-шоу» ринулись в дверной проем. Отныне все разговоры закончены, единственным средством для обмена информацией становится язык жестов — скупых, четких, отточенных за годы совместной работы.

Фигуры в камуфляжной форме двигались легко, стремительно, точно следуя плану здания. Миновав несколько залов музея, они вышли к центральной лестнице. Отсюда уже были слышны голоса — Турецкого, Виктора Жаворонкова, заложников. Здесь они замрут, сольются со ступенями, с ковром, покрывающим парадную лестницу, с каменными перилами и затаятся, подобно дюжине маленьких смертоносных пружин, в ожидании магического слова — «фортуна».

Елена Станиславовна Смирнова угрюмо молчала, рисуя пальцем некий узор на обивке сиденья патрульной машины. Сидевшая рядом с ней оперуполномоченная

Галина Романова объяснила ей, что ее сын Виктор захватил здание музея, где она работает, и взял в заложники ее коллег. Чудо, что она сама еще не вышла на работу, хотя больничный и закончился: ее подружка Инга дала ей несколько лишних деньков и этим, возможно, спасла ей жизнь.

Спасут ли теперь саму Ингу? Милиция попросила ее приехать к месту происшествия — на всякий случай. Конечно, никто не собирается выдавать ее террористу, как он этого требует, но лучше, если она будет поблизости.

Террорист... Ее единственный сын — террорист и убийца. Возможно ли в это поверить? Вот к чему пришла ее жизнь.

Дорогой Елена Станиславовна молчала. Опер Романова тоже не навязывала ей разговоров. Да и о чем тут говорить?

— Ну здравствуй, Виктор! Знаешь, давай зови меня просто на «ты». Меня зовут Саша Турецкий, как я уже тебе говорил.

Виктор хмуро молчал. В его странно толстой фигуре было что-то неестественное. Левой рукой он судорожно сжимал плоскую панельку, напоминавшую пульт от телевизора. Турецкий догадался, что это и есть та самая кнопка взрывателя, от которой сейчас зависит... Ах, черт возьми, от нее сейчас так много зависит! А если у этого психа рука дернется?

«Вот оно яйцо, а в том яйце — смерть Кощеева», — пронеслось почему-то совершенно неуместное воспоминание. У него выходной, и он с дочкой пошел в кино на фильм... как же он назывался? Не вспомнить сейчас, но определенно что-то очень сказочное, с Кощеем, яйцом, иглой... Саша вдруг почти физически вспомнил ощущение маленькой детской ладошки в своей руке.

«Что это вас на сентиментальности пробило, Александр Борисович? Неужели и вправду конец? Однако, довольно обидно! И угораздило же вас ввязаться в это дело. Надо по крайней мере увести его подальше от заложников — может, хотя бы их спасете».

— Виктор, ты позволишь, я хочу сказать несколько слов твоим... э-э-э, пленникам. Господа, меня зовут Александр Борисович Турецкий, я пришел сюда... э-э, поговорить с Виктором и, возможно, помочь ему разрешить эту непростую ситуацию, в которой мы все оказались. Я прошу вас сохранять полное спокойствие и проявить максимум терпения.

Он проговорил эти слова настолько спокойным тоном, насколько был в состоянии.

Бугай-охранник еле заметно подмигнул ему, видно, сам тертый калач, понимает, что тут какой-то трюк. Полная дама казалась на грани истерики. Старушка — божий одуванчик была непроницаема, как сфинкс.

«Соколов с командой уже должен быть на лестнице», — подумал Александр.

— Виктор, друг мой, давай сядем и просто спокойно поговорим, — начал он. — Я хочу поговорить с тобой о твоем отце.

— Вы с ним вместе работали? — впервые отреагировал собеседник. Голос его звучал хрипло и тонко. — Вы тоже из «конторы»?

— Зови меня на «ты», мы же договорились. Просто Саша и на «ты». Нет, я не из «конторы», как ты их называешь, — усмехнулся Турецкий.

— Тогда откуда вы знаете... ты знаешь моего отца?

— Я работаю в прокуратуре. Мы с ним встречались несколько раз по работе и как-то сразу прониклись друг к другу симпатией. Знаешь, как бывает: встречаются незнакомые люди, начинают разговаривать, общаться — бац! — а они, оказывается, совсем-совсем родные. Просто они раньше не знали этого и жили друг без друга. Так вот и мы с твоим отцом.

— Да, так бывает. Но почему я вас не знал? — В голосе Виктора звучало подозрение, но в то же время он вдруг показался Турецкому маленьким обиженным мальчиком.

— Ты как раз был тогда в армии. А когда ты вернулся, в жизни твоего отца наступил уже такой трудный период, что... А впрочем, я не знаю, почему он тебе про меня не рассказывал. И теперь мы этого, увы, уже никогда не узнаем.

— А над какими делами вы с отцом вместе работали?

— Ну... из последнего — это «дело двух ученых».

— Дело двух ученых? — Террорист резко дернулся, и Турецкий поймал себя на том, что все время невольно смотрит на пульт в его руке.

«Успокойся. Успокойся, друг мой нежный Александр Борисыч. Не надо думать о смерти. Просто делай свое дело. Черт возьми, напыщенно звучит, но... просто выполняй свой долг».

В десятке метров от них в их диалог напряженно вслушивался майор Соколов, а вместе с ним члены его команды. Турецкий не мог их видеть, но знал, что они здесь, с ним. И вновь на какие-то секунды он ощутил сожаление, что ввязался в это безнадежное дело.

В нескольких десятках метров, на улице, его разговор с младшим Жаворонковым слушали по ретранслятору его друзья — Грязнов, Поремский, Галя Романова. Он знал, что они тоже с ним. Взгляд его снова невольно съехал на левую руку захватчика, с зажатым в ней пультом.

— Да, Витя, «дело двух ученых». И в нем характер твоего отца проявился... как бы сказать. Во всей полноте. Я-то знал и раньше, какой Георгий принципиальный и честный человек, настоящий русский офицер, черт возьми...

— Отец таким и был! — Виктор протянул Турецкому правую руку. Александр пожал ее, не переставая коситься на левую.

«Ничего не могу с собой поделать!»

— Отец и был таким — настоящим русским офицером! И я хочу, чтобы об этом знали все — ВСЕ!

«И взгляд у тебя, парень, абсолютно безумный!»

— Теперь я верю, что вы друг отца, — провозгласил Виктор, вторично пожимая руку Турецкого.

«Ну вот, Александр Борисыч, можете поздравить себя с маленькой победой».

Генерал Грязнов шумно выдохнул и достал из пачки сигарету — которую уже за последние полчаса? Рядом с ним стояла с озабоченным лицом Галя, чуть поодаль — привезенная ею на место событий Елена Станиславовна, с каменным лицом и мертвыми глазами. К нему тихонько подошла Наташа и шепнула:

— Его не убьют?

Грязнов догадался, что она имеет в виду своего ненаглядного жениха, а вовсе не Турецкого, за которого так переживал он сам. Жуткая злоба поднялась со дна его души, но он взял себя в руки чудовищным усилием воли и сказал:

— От нас сейчас ничего не зависит. Давайте слушать, как будут развиваться события.

Майор Соколов и его бойцы лежали на парадной лестнице и слушали разговор Турецкого с Виктором Жаворонковым.

«Молодец, грамотно действует, — мысленно похвалил спецназовец помощника генерального. — Не суетится, не торопится. Входит в доверие. А мы подождем, время-то есть».

Ждать — это было одно из главных умений, которые требовались в их работе. Ждать, не имея права пошевелить ни одним мускулом. Слиться с пейзажем, но не просто физически. Важно было и внутренне ощутить себя частью — природы, города, неважно чего. В данном случае — лестницы. Слиться и ждать, чтобы по сигналу взвиться неистовой пружиной.

...Жизнь прекрасна! Мщение еще только началось, а уже так много сделано. Правда, зачем-то подстрелил какую-то бабу, но она сама виновата, глупая курица! Нечего было подворачиваться под руку.

Мщение прекрасно. Я познакомился с замечательным человеком. У него смешная фамилия — Турецкий, но сам он исключительно достойный малый — и к тому же не из «конторы». Он был другом отца — а мне сейчас так важно быть в контакте с друзьями отца. Я хочу восстановить его доброе имя — и я думаю, что я уже на верном пути. Саша Турецкий обещал мне поднять вопрос о посмертном награждении отца. И я верю ему, этот парень не обманет.

Когда привезут эту женщину, я отпущу Сашу Турецкого, и мы уйдем.

Ну а если... а если все-таки он обманул меня и все это лишь хитроумный трюк?

Тогда он уйдет вместе со мной.

— Давай поговорим о твоем отце. Расскажи мне о нем, ведь ты лучше знал этого замечательного человека.

— Отец... — Виктор запнулся. — Отец, он, понимаете...

— Да перестань ты уже «выкать», говори мне «ты», — широко улыбнулся Турецкий.

— Да-да, конечно, — рассеянно кивнул Виктор, думая о чем-то своем. — Отец, он, понимаете ли, всегда был за справедливость. Это, наверное, основное. Вот так.

«Давай-давай, Саша! Тяни время, заставляй его говорить. Пусть рассказывает, пусть сочиняет, пусть бредит. Человечество страдает от невысказанности. Дай человеку волю — и он будет вещать часами. А к тому, кто согласится слушать, естественно проникнется симпатией. А тебе, Александр Борисыч, сейчас очень нужно, чтоб господин взрывник проникся к тебе симпатией».

— Есть такие люди, которые всегда за справедливость, — продолжал между тем Виктор с отрешенным лицом. — Только одни идут в революцию, в диссиденты.

А папа пошел служить в «контору». Он верил, что так легче достичь справедливости. — Тут террорист повернул лицо к следователю, и в глазу его блеснула слеза. — Папа ошибся. Понимаете?

— Да, ты прав, Виктор. Именно таким я и знал Георгия...

«Так, ну резину я тяну успешно, а вот что дальше? Надо как-то навести разговор на цели, которые оправдывают средства. Может, еще удастся его уболтать и он сдастся сам. А если нет...»

— Именно таким он и был. Он словно опровергал самим своим существованием известный тезис «цель оправдывает средства». Потому что не всякое средство хорошо и к месту. Помнишь у Достоевского про слезу ребенка?

«Боже мой, Александр Борисыч, какую муть лиловую вы несете!»

— Кстати о средствах, Виктор. Я хочу тебя спросить: ты уверен, что действуешь сейчас правильно?

Виктор заметно напрягся, и во взгляде его появилось что-то волчье.

— Спокойно, старик, — рассмеялся Александр Борисович. — Я же просто спросил, как друг твоего отца, как твой друг. Успокойся, ну что ты весь напружинился? Мы ведь просто сидим и разговариваем.

— Что вы имеете в виду? — Виктор судорожно сглотнул.

— Ну вот смотри. Давай разберемся, чего ты, собственно, добиваешься.

«Остапа понесло. Осторожнее на поворотах, Турецкий!»

— Справедливости! — хрипло выкрикнул террорист.

— Отлично. Превосходно. А в чем ты видишь справедливость? Точнее, так: что для тебя важнее — месть или восстановление доброго имени твоего отца?

— Я должен подумать...

Что происходит? Контуры теряются. Этот Турецкий, что называет себя папиным другом, так все хорошо понимает! Он так хорошо понимает меня, что мне порой становится не по себе. Но главное — что-то меня тревожит. А если это все-таки подстава и Саша Турецкий — просто хитрый жук, один из них, и заговаривает мне зубы, чтобы сломить меня?

Слава Грязнов ходил взад и вперед — сперва четыре шага вправо, потом четыре шага влево — и бессильно скрипел зубами. Сотрудники сгрудились вокруг передатчика, напряженно вслушиваясь в диалог Турецкого с террористом. Чуть поодаль стояла мать Виктора, Елена Станиславовна, бледная, с мертвыми глазами.

Прижавшись к прохладным мраморным перилам и к покрытым ковром ступенькам помпезной лестницы, замерли бойцы группы захвата. Майор Соколов жадно ловил диалог, доносившийся снизу, в ожидании условного сигнала — в ожидании «фортуны». Мускулы его застоялись и требовали работы.

...— Я ничего не навязываю тебе, Виктор, — продолжал Саша Турецкий. — Я просто рассуждаю вслух и приглашаю тебя к обсуждению. Ведь мы — двое умных людей, и почему бы нам и не поговорить спокойно.

— Я захватил заложников, — угрюмо проговорил младший Жаворонков. — Я на вашем языке — террорист.

— Оставь, сейчас не столь важно, как и что называется на каком языке. Если ты говоришь о том, что пути назад не существует, то это не совсем так.

— Да неужели? — саркастически проговорил Виктор.

— Зря иронизируешь. Смотри, давай разберемся. С одной стороны, ты захватил заложников, что является преступлением. Ты ранил заложницу, а это очень тяжкое преступление. Но с другой стороны, самое страшное еще не произошло. Пока никто не погиб, есть еще путь назад.

— Я не хочу назад. — В стальных глазах бывшего сапера горело бешеное упрямство. — Я хочу отомстить.

— Ты хочешь отомстить своим врагам. Ну хорошо, допустим, ты отомстил и они все умерли. И ты умер тоже. А память о твоем отце? Ведь он останется в памяти людей — извини за это слово — неудачником!

— Не смей так говорить об отце! — взвился Виктор, впервые назвав Турецкого на «ты».

— Я не сказал, что это я так считаю. Ни в коем случае! Я-то знал его близко. А вот люди, не знавшие Георгия так близко, как мы, будут думать именно так.

— Так что же делать?

— Может быть, имеет смысл отказаться от твоей затеи?

— Нет! Никогда!

— Тогда...

— Я знаю, что делать. Сейчас сюда привезут мою мать, и мы с ней вместе уйдем. Но вы-то останетесь! Вас я не возьму с собой. Вот вы и расскажете людям правду о Георгии Жаворонкове.

Турецкий незаметно вздохнул.

«Что б они ни делали, не идут дела, видно, в понедельник их мама родила».

— Скажи мне, Виктор, а что это ты держишь в левой руке? — Турецкий решил прикинуться тупоголовым «туристом».

— Это? — Виктор ухмыльнулся. — Это пульт. Вот смотрите, как все удобно сделано. Вот здесь кнопочка — да-да, вот эта, красненькая. Нажимаешь на нее — бабах! — все в раю. Здорово? Кстати, иногда делают на животе, но это неудобно. Я же профессионал, а не какой-нибудь дилетант. Выносной пульт на длинном гибком шнуре дает больше возможностей.

— А почему ты держишь его все время в руке? Чтоб случайно не нажать?

— Нет. — Террорист ухмыльнулся еще наглее. — Чтоб чувствовать себя Господом Богом.

— То есть «хочу — нажму»?

— Ага. Все в моей руке. Левой. Захочу — и одной левой...

— Удивительное, наверное, ощущение. Жаль, никогда не довелось испытать.

— А хотите, я вам доставлю это удовольствие?

— В смысле? — Турецкий затаил дыхание. Кажется, Виктор проглотил наживку.

— Ну дам подержать пульт.

«Осторожно, Турецкий. Сейчас главное — его не упустить. Теперь делай подсечку!»

— А не боишься, Виктор? Вдруг нажму сдуру на кнопочку?

— Я? Боюсь? Вот, держите. Только осторожно.

Александр принял из потной руки пластмассовую коробочку, напоминавшую пульт от телевизора. Ну пульт и пульт — ничего особенного. А ведь это — то самое яйцо, в котором находится игла, в которой... Невероятно! Так как-то все обыденно.

Он знал, что на лестнице напружинили сейчас тренированные мускулы маскированные коммандос. Что на улице сжали челюсти его товарищи. Сейчас действительно все было в его руках. В прямом смысле, в переносном, в обратном, в поворотном. В каком хочешь. И главное — не упустить.

— Да, ты прав. Удивительное ощущение.

Как загорелись его глаза! Что-то здесь нечисто. А попробую-ка я проверить этого «папиного друга»!

— Знаете, вы сказали, что отец был настоящим русским офицером.

— Да, я действительно так думаю.

— Вы просто попали в точку! Ах, черт, как было бы приятно папе слышать такой комплимент! Ведь именно к этому он стремился!

— Что ты имеешь в виду?

— Ну даже внешне — его ведь за глаза дразнили белогвардейцем. Эти лермонтовские усики, тонкие черты лица.

— Ах, ты об этом!

Турецкий лихорадочно думал. Сейчас наступит его единственный шанс. Он должен выбить десятку с одного удара и поэтому не имеет права упустить эту заветную секунду. Он не заметил, как в Викторе что-то изменилось.

— Вот вы и прокололись, Александр — как вас там? — Борисович, — удовлетворенно крякнул террорист.

Это был шпион! Нельзя, нельзя, нельзя верить людям! Сколько раз я на этом спотыкался, и вот теперь опять. Этот симпатичный Турецкий оказался просто предателем. Как жаль! Но впрочем, это теперь уже неважно. Меня уже поздно учить жизни — а предатель и шпион будет наказан. Он умрет вместе со мной!

— Вы ни разу в жизни не видели моего отца! И только что вы в этом признались сами. Отец был крепким дородным мужчиной, с широкими плечами и крупными чертами лица. И никогда в жизни не носил усов.

— Послушай, Виктор. Ты прав, я действительно...

— Не разговаривайте со мной! Я вам поверил, а вы оказались таким же, как и все! Предателем. Отдайте пульт!

Турецкий увернулся от броска Виктора, высоко выбросив вверх руку с пластмассовой коробочкой.

— Виктор, ты должен понять меня. Я ведь действительно желаю тебе добра.

— Я ничего не желаю понимать! Вы предатель и сейчас умрете.

Он сделал новый отчаянный бросок, но Турецкий снова увернулся.

— Что ж, умру так умру. Значит, отвернулась от меня моя...

— Отдайте пульт!!

— ФОРТУНА!!! — проорал Турецкий, пытаясь отбиться свободной левой рукой от нового бешеного броска террориста, вытягивая как можно выше вверх правую руку со смертоносным пультом.

Пружина распрямилась, по вестибюлю стремительно пронеслись бесшумные серые тени, хватка Виктора внезапно ослабла, и спокойный голос майора Соколова проговорил над ухом:

— Все, Александр Борисович. Все кончилось. Осторожно отдайте мне пульт и отойдите на безопасное расстояние. Заложников уже освобождают, а здесь сейчас будут работать саперы.

— Неужели все кончено, а, Соколов? — Турецкий попытался вздохнуть, но воздух не шел в легкие.

— Да. Вы молодец, все правильно сделали, — сказал он и добавил чуть громче, обращаясь к невидимым слушателям на улице: — Товарищ генерал Грязнов, докладывает майор Соколов. Операция по освобождению заложников успешно завершена. Террорист обезврежен, с нашей стороны жертв нет.

...Торжественный выход Турецкого из здания музея носил поистине триумфальный характер. Маскированные супермены уже вывели террориста, закованного в наручники, сломленного, побежденного. Вышли и заложники, бледные, с безумными глазами, и бригада медиков бросилась к ним, чтобы оказать первую помощь — в основном психологическую. Вышли и саперы, вынося разобранный и лишенный своей смертоносной силы шахидский пояс.

Только потом в дверях появился Турецкий. И это был поистине фурор. Со всех сторон накинулись восторженные сотрудники, которые так волновались за него. Крепко сжал руку шефа Володя Поремский. Горячо расцеловала обычно довольно сдержанная в эмоциях подобного рода Галочка Романова. Подошла, смущенно улыбаясь, Наташа — подруга несчастного, безумного Виктора Жаворонкова.

Турецкий улыбнулся.

«Ну что, Александр Борисыч? — сказал он сам себе. — В очередной раз пронесло, да? Сволочь вы, конечно, друг мой, и авантюрист, каких мало! Но удачливый, ничего не скажешь, удачливый. Просто-таки везучий. Недаром же ты, поганец, выбрал условным сигналом слово «фортуна».

Он посмотрел в перспективу. Территорию вокруг музея оцепляло плотное кольцо. Сотни любопытствующих пытались прорваться внутрь, но цепкие милицейские руки парней из кордона удерживали их. В толпе угадывались знакомые микрофоны — одни длинные, другие мохнатые — с надписями «НТВ», «ОРТ», «CNN». В полуденном солнце несколько раз блеснули объективы теле-камер.

Все эти люди рвались к нему, мечтали сфотографировать, поздравить, поблагодарить, взять интервью, просто пожать руку. Руку победителя, который бесстрашно заслонил собой беспомощных и ни в чем не повинных людей, руку человека, который не побоялся рискнуть собственной жизнью.

И он победил. Зенитное солнце ослепило его, и Турецкому вдруг почудилось, будто бы он находится на некоем возвышении, а вокруг и внизу — вся Москва, которая восторженно рукоплещет своему герою.

Последним подошел к нему старинный и любимый друг Славка. Переволновался, бедняга! Вон как у него щека дергается.

Турецкий улыбнулся и распахнул навстречу Грязнову свои объятия. Вячеслав Иванович тоже взмахнул в ответ, но почему-то только правой рукой. Точнее сказать — он сделал свободный и полетный, великолепный замах.

После чего со всей возможной генеральской силы заехал триумфатору в ухо.

Эпилог

— Ну заходи, заходи... герой! — Меркулов оторвался от бумаг на своем столе. — Бандит ты, Сашка, да и только.

— Да ладно, Костя, брось, — смущенно пробормотал Турецкий.

— По-хорошему тебя бы разложить да высечь за твою самодеятельность.

— Какую самодеятельность?

— «Какую»! Такую, что с террористом, тем более психическим, должны вести переговоры профессионалы. Психологи. А руководить захватом — ОМОН. Да ладно, чего там. Победителей не судят.

— Вот с этого бы и начинал, — подмигнул Александр, разваливаясь на мягком кожаном диване. — А ты, Костя, как в воду глядел — дело «о смерти в конвертах» придется объединить. Боюсь только, не удастся прищучить следователей, пытавшихся замять дело Смирнова...

В дверь просунулся Грязнов.

— Сашка, — начал он умильно и просительно, — ну ты, старик, это самое... Извини.

— Ладно, ладно, заползай. Что я, не понимаю? Перенервничал!

— Понимает он! Видали вы этого понимающего!

— Ну что, ребята, — произнес Меркулов, открывая ящик стола. — А не спрыснуть ли нам это дело? Как-никак закончили важную серьезную работу.

— О! А вот это — слова не мальчика, но мужа! — оживился Турецкий. — Наливай! За нас, непобедимых.

Вот и закончилась очередная история, очередное дело. Сколько их было? Сколько их еще будет?

Загадочный взрывник пойман и содержится в тюремной больнице. В ближайшие дни Виктора Жаворонкова обследуют врачи института имени Сербского, чтобы установить, можно ли считать его вменяемым. Такое указание дал старший помощник генерального прокурора, государственный советник юстиции третьего класса, следователь и сорвиголова, юрист и авантюрист — Александр Борисович Турецкий. В случае, если Виктора признают дееспособным, он предстанет перед судом, и тогда уж он получит, как говорится, по полной программе. Если нет, тогда... тогда участь его тоже не назовешь завидной: психушка, препараты, изоляция от общества. Впрочем, второй вариант Турецкий считал все же более приемлемым для своего «подопечного», которого он в глубине души жалел. Да и более реальным был, пожалуй, этот вариант, если вспомнить все поведение младшего Жаворонкова и все его полубезумные речи.

Наталья Самохвалова будет привлечена к уголовной ответственности как соучастница преступлений, совершенных ею совместно с Виктором Жаворонковым, то есть по статьям 33 и 105 УК РФ. Наташу Турецкому было жаль еще больше, чем одинокого мстителя Виктора, и он с удовольствием бы «отмазал» ее от суда, но... дело зашло слишком далеко. Оставалось надеяться на снисхождение присяжных, которые должны учесть ее явку с повинной, а точнее, звонок Галине Романовой — и ее попытку предотвратить трагедию.

Художник-реставратор Лариса Евгеньевна Белянко благополучно выписалась из больницы, где ей быстро залечили стреляную рану, оказавшуюся, впрочем, нетяжелой. Работает на прежнем месте, в Центральном музее, которым, как и раньше, руководит Инга Вацлавовна Грабовская, а пальто в гардеробе принимает бессменная, вечная тетя Тася. Что же касается Артура Казаряна, то он поднялся в должности и командует теперь целой службой безопасности, образованной в музее после драматических событий. Все бывшие заложники чувствуют себя нормально, хотя и не любят много говорить о пережитом.

Неожиданный фортель выкинула Елена Станиславовна Смирнова, она же Жаворонкова. Она исчезла. Никому ничего не объяснив, никого не предупредив. Было очевидно, что для нее мучительно и немыслимо давать показания в суде против собственного сына; Турецкий был готов к тому, что Елена попытается увильнуть от участия в судебном процессе. Но она просто пропала.

Впрочем, некоторый след все-таки удалось обнаружить. Если верить центральному компьютеру нового международного аэропорта Домодедово, ровно через неделю после событий в музее Елена Станиславовна пересекла границу Российской Федерации. Также удалось узнать, что накануне она приобрела билет на рейс «Аэрофлота» до Нью-Йорка.

Печальнее всего дело обстояло с двумя учеными, Валентином Давыдовым и Игорем Суворовым, которых смел с их простого и честного пути гигантский маховик государственной машины, снова начавший раскручиваться, притом не совсем понятно, в какую сторону. С двумя учеными, которые так, походя, незаметно для самих себя, стали пешками в игре двух генералов всесильного ведомства.

Благодаря вмешательству правозащитных организаций, общественности и широкому международному резонансу пока удалось только скостить срок их пребывания в лагере.

...В тяжелых серебряных канделябрах оплывали свечи... Александр Борисович Турецкий сидел в своем любимом, уютнейшем кресле и маленькими эстетскими глоточками цедил кьянти «Санта-Кристина».

Май летел к концу, днем становилось уже жарковато, но в целом жизнь казалась приятной и обманчиво-легкой. Вечер благоухал, Турецкий блаженствовал, а когда в комнату вошла Ирина в чем-то воздушном, с кружевами, его глаза заблестели.

— По-моему, меня сейчас будут соблазнять, — промурлыкал Александр.

— Прошу занести эти слова в протокол, — ответила Ирина утрированно-бархатным, сексуальным голосом и уселась на колени Турецкому, обнимая его за шею прекрасной обнаженной рукой.

Тара-тара-там, тара-тара-тим... Зазвучали в кармане первые такты «Турецкого марша».

— Ну уж нет, — свирепо шепнула обольстительница, нащупывая в кармане мужа мобильный телефон.

— Ай! Ай-ай-ай! Щекотно же!

— Молчите, негодяй, — продолжала шептать Ирина комичным голосом гетеры-совратительницы, — молчите, презренный! Сегодня вам от меня не уйти...

Она выхватила наконец продолжающий надрываться аппарат и одним движением выдернула батарейку. Звуки Моцарта смолкли. Ирина плотоядно улыбнулась Турецкому и, подмигнув, прильнула к его губам...

По прошествии примерно часа, когда утихли ураганы и обрушились последние лавины, Александр Борисович тихонько, чтобы не разбудить блаженно спящую

жену, выскользнул из постели и босыми ногами прошле-
пал в гостиную.

— Шурик, куда ты? — Сонный голос Ирины звучал
обиженно.

— Сейчас вернусь. Только сигарету выкурю.

Он и вправду зажег сигарету, после чего нащупал в
темноте мобильник и вернул на место батарейку. А уже
потом покосился с опаской на дверь спальни и, чувствуя
примерно то же, что чувствует сорванец-школьник, делая что-то тайком от старших, включил аппарат.

РЕГИОНЫ:

- Архангельск, 103-й квартал, ул. Садовая, 18, т. (8182) 65-44-26
- Белгород, пр. Хмельницкого, 132а, т. (0722) 31-48-39
- Волгоград, ул. Мира, 11, т. (8442) 33-13-19
- Екатеринбург, ул. Малышева, 42, т. (3433) 76-68-39
- Калининград, пл. Калинина, 17/21, т. (0112) 65-60-95
- Киев, ул. Льва Толстого, 11/61, т. (8-10-38-044) 230-25-74
- Красноярск, «ТК», ул. Телевизорная, 1, стр. 4, т. (3912) 45-87-22
- Курган, ул. Гоголя, 55, т. (3522) 43-39-29
- Курск, ул. Ленина, 11, т. (07122) 2-42-34
- Курск, ул. Радищева, 86, т. (07122) 56-70-74
- Липецк, ул. Первомайская, 57, т. (0742) 22-27-16
- Н. Новгород, ТЦ «Шоколад», ул. Белинского, 124, т. (8312) 78-77-93
- Ростов-на-Дону, пр. Космонавтов, 15, т. (8632) 35-95-99
- Рязань, ул. Почтовая, 62, т. (0912) 20-55-81
- Самара, пр. Ленина, 2, т. (8462) 37-06-79
- Санкт-Петербург, Невский пр., 140
- Санкт-Петербург, ул. Савушкина, 141, ТЦ «Меркурий», т. (812) 333-32-64
- Тверь, ул. Советская, 7, т. (0822) 34-53-11
- Тула, пр. Ленина, 18, т. (0872) 36-29-22
- Тула, ул. Первомайская, 12, т. (0872) 31-09-55
- Челябинск, пр. Ленина, 52, т. (3512) 63-46-43, 63-00-82
- Челябинск, ул. Кирова, 7, т. (3512) 91-84-86
- Череповец, Советский пр., 88а, т. (8202) 53-61-22
- Новороссийск, сквер им. Чайковского, т. (8617) 67-61-52
- Краснодар, ул. Красная, 29, т. (8612) 62-75-38
- Пенза, ул. Б. Московская, 64
- Ярославль, ул. Свободы, 12, т. (0862) 72-86-61

Заказывайте книги почтой в любом уголке России
107140, Москва, а/я 140, тел. (495) 744-29-17

ВЫСЫЛАЕТСЯ БЕСПЛАТНЫЙ КАТАЛОГ

Звонок для всех регионов бесплатный
тел. 8-800-200-30-20

Приобретайте в Интернете на сайте www.ozon.ru
Издательская группа АСТ
129085, Москва, Звездный бульвар, д. 21, 7-й этаж

Справки по телефону:
(495) 615-01-01, факс 615-51-10
E-mail: astpub@aha.ru http://www.ast.ru

Литературно-художественное издание

Незнанский Фридрих Евсеевич

МЕСТЬ В КОНВЕРТЕ

Редактор *М.Л. Келарева*
Художественный редактор *О.Н. Адаскина*
Компьютерный дизайн *Н.А. Ясыревой*
Компьютерная верстка: *С.Б. Клещев*
Корректор *Л.Ф. Уланова*

Общероссийский классификатор продукции
ОК-005-93, том 2; 953000 — книги, брошюры

Санитарно-эпидемиологическое заключение
№ 77.99.02.953.Д.003857.05.06 от 05.05.2006 г.

ООО «Издательство АСТ»
170002, Россия, г. Тверь, пр. Чайковского, д. 27/32
Наши электронные адреса:
WWW.AST.RU E-mail: astpub@aha.ru

ООО «Агентство «КРПА «Олимп»
115191, Москва, а/я 98
www.rus-olimp.ru
E-mail: olimpus@dol.ru

Отпечатано в полном соответствии с качеством
предоставленных диапозитивов
в ОАО «ИПК «Ульяновский Дом печати»
432980, г. Ульяновск, ул. Гончарова, 14

Незнанский, Ф.Е.

Н44   Месть в конверте : [роман] / Фридрих Незнанский. — М.: АСТ: Олимп, 2007. — 346, [6] с. —
(Марш Турецкого).

ISBN 5-17-039204-4 (ООО «Издательство АСТ»)
ISBN 5-7390-1910-9 (ООО «Агентство «КРПА «Олимп»)

В подъезде собственного дома погибает от взрыва генерал
ФСБ. Несколько высших чинов прокуратуры и госбезопасности
получают по почте конверты со взрывчаткой. Люди в смяте-
нии: теперь каждое письмо, приходящее в дом или кабинет,
может нести смерть...

Что означает эта серия преступлений? Чего хочет добиться
таинственный взрывник? Кто он — благородный мститель,
маньяк или хладнокровный террорист? Ответить на эти вопросы предстоит старшему помощнику генпрокурора Александру
Борисовичу Турецкому и его команде.

УДК 821.161.1-312.4
ББК 84(2Рос=Рус)6-44